Gallmeister

LANDFALL

NOTE DE L'ÉDITEUR

Le titre original de ce roman, *Landfall*, correspond à une expression dont la polysémie nous paraissait impossible à traduire sans risquer d'en perdre la poésie et son adéquation totale aux événements qui constituent ce récit. Le terme "landfall" désigne le fait, pour un bateau, d'accoster sur le rivage, mais il désigne également le phénomène météorologique par lequel une tempête qui s'est formée en mer poursuit son trajet sur la terre et se transforme ainsi en cyclone. Selon le type de cyclone, ce phénomène météorologique peut être synonyme de destruction massive, comme ce fut le cas pour l'ouragan Katrina en 2005. Nous vous laissons en découvrir la résonnance symbolique dans les pages qui suivent.

Ellen Urbani

LANDFALL

Roman

Traduit de l'américain
par Juliane Nivelt

Gallmeister

Collection AMERICANA

Titre original :
Landfall

ISBN 978-2-35178-098-5
ISSN 1956-0982

Comme toutes les bonnes choses dans ma vie, ce livre est un cadeau de et pour ma mère, que j'adore. Sans oublier mon père, qui chaque jour donne tout ce qu'il a pour sa famille.

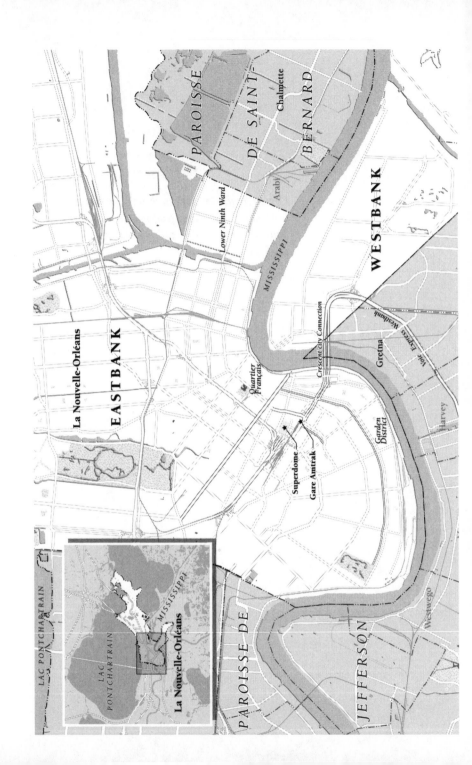

Nous sommes pris dans un inextricable réseau de réciprocité, sous la chape d'une destinée unique [...]

À la montagne du désespoir, nous arracherons le joyau de l'espérance.

— MARTIN LUTHER KING JR.

1

Rose Aikens

J'ai les pieds gelés

PENDANT près de dix-neuf ans, Rose vécut avec une femme qu'elle connaissait à peine. Elles s'acquittaient de toutes les tâches parallèles qu'on peut attendre d'une vie partagée : Rose faisait la lessive en utilisant le détergent acheté par Gertrude à Walmart avec le coupon du dimanche. Gertrude déposait tous les quignons de pain durci dans une soucoupe ébréchée à côté de l'évier ; Rose rassemblait les restes rassis et les donnait aux oiseaux. Rose discutait souvent avec le facteur (pour qui elle laissait des sachets cadeaux remplis de cacahuètes bouillies et de noix de pécan caramélisées dans la boîte aux lettres cadenassée à Noël) et rapportait le courrier du jour ; Gertrude l'ouvrait. "Tu as encore gagné un million de dollars", annonçait Rose en laissant tomber le tas d'enveloppes sur la table de la cuisine, l'enveloppe plus épaisse de la cagnotte *Prize Patrol* placée bien en évidence sur le dessus, ce à quoi Gertrude répondait : "Aussi vrai que la Terre est ronde, je ne comprends pas comment font ces gens pour toujours avoir mes coordonnées. Jette-le à la poubelle, c'est de la pub." Tard dans la nuit – après avoir fait sa toilette et s'être autorisée sa seule coquetterie en arrachant tout intrus gris de ses cheveux blond cendré, après s'être arrêtée pour écouter les ronflements de Rose s'échappant de la deuxième chambre à coucher – Gertrude récupérerait le formulaire Prize Patrol dans la poubelle, le compléterait selon les instructions qu'elle parcourrait deux fois et le glisserait dans son sac à main pour le poster depuis son bureau le lendemain.

Elles dînaient ensemble la plupart des soirs, toujours à table. Gertrude cuisinait ; Rose débarrassait et rangeait. Elles utilisaient des sets de table. Chacune comprenait et respectait les préférences alimentaires de l'autre, si bien que ni anchois ni fromage à pâte persillée ne pénétraient jamais

11

l'appartement, et l'une comme l'autre pouvait commander la pizza du dimanche soir chez Alabama Al sans poser de questions sur la garniture souhaitée. Si l'accompagnement ne variait jamais, dernièrement Rose et Gertrude avaient résolu de remplacer la pâte épaisse par une pâte fine dans un effort commun pour surveiller leur ligne.

Elles partageaient une salle de bain. Parfois un rasoir.

Aucune des deux femmes n'entrait ou ne sortait sans saluer l'autre. "Au revoir" était suivi de "Je t'aime" aussi souvent qu'il ne l'était pas, et elles échangeaient un baiser tous les soirs avant de se coucher. Les voisins suintaient la jalousie, tant ils étaient avides d'une telle tendresse dans leurs propres relations.

"Bon sang, c'est pas le truc le plus mignon que vous ayez jamais vu?" faisait remarquer la femme de l'autre côté de l'allée quand elle jetait un œil à travers ses stores et voyait Gertrude proposer à Rose une bouchée du porridge au maïs plein de beurre qui mijotait sur la gazinière, ou Rose poser un plaid sur les pieds nus de Gertrude tandis que la lumière de Leno* mouchetait le mur du salon. J'en veux bien de cette vie-là! pensait-elle alors qu'elle s'interposait entre ses deux cadets pour la troisième fois de la journée et cognait son cul nu à celui de son mari dans leur précipitation commune pour sortir du tiroir à sous-vêtements, elle ses collants, lui ses lainages. Elle concevait l'amour comme quelque chose de serein et le percevait dans la manière déterminée qu'avait Gertrude de lisser les cheveux de Rose lorsqu'elles descendaient ensemble l'escalier menant à l'allée et dans la façon langoureuse qu'avait Rose de se pencher au-dessus du siège passager pour déverrouiller la portière de Gertrude.

Épiant entre les lamelles du store vénitien tout en tressant les cheveux de sa petite fille, ce que la femme envieuse ne pouvait voir, c'était le *pourquoi* caché derrière les délicates attentions de ses voisines. Elles ne se disputaient jamais avec fracas ni ne se bousculaient, parce que de telles interactions supposaient une intimité qu'elles ne partageaient pas. Certes, le soir venu, elles se pelotonnaient dans le même canapé, mais chacune à une extrémité: Gertrude, une oreille distraitement tendue vers *Entertainement Tonight*, les yeux parcourant les pages d'un roman Harlequin; Rose, le

---

* Allusion au talk-show *The Tonight Show*, présenté par Jay Leno. (Toutes les notes sont de la traductrice.)

nez plongé dans un Neruda ou un Nabokov. Elles avaient chacune leur commode dans une chambre séparée, elles ne partageaient ni vêtements ni rêves. Elles lisaient le même journal, mais des sections différentes, et leurs conversations ressemblaient aux gros titres : rien que des faits, succincts, sans commentaire. Elles ne se voyaient jamais nues.

Plus maintenant.

Il fut un temps, bien sûr, où Rose s'était retrouvée nue devant Gertrude avec une régularité quotidienne et Gertrude, aussi, avait retiré ses habits sans la moindre gêne. D'ailleurs, la toute première fois qu'elle avait essayé de donner un bain à sa fille, quand Rose était âgée de quelques jours seulement, Gertrude n'avait pas su comment jongler entre le gant de toilette, le savon et le bébé sans personne pour l'aider, sans une main supplémentaire à passer derrière la tête de Rose et s'assurer que le nouveau-né ne glisserait pas sous l'eau pendant qu'elle le savonnait. Elle avait alors tout simplement grimpé dans la baignoire avec Rose et tenu l'enfant sur ses cuisses pendant qu'elle lui chantait des berceuses et lavait leurs deux corps en même temps. Elles se baignèrent ainsi tous les soirs durant des années, brassant l'eau avec leurs pieds, s'éclaboussant l'une l'autre, se berçant ensemble dans les plis des serviettes blanches. Mais cela ne dura pas. Les serviettes finirent par être sanglées au plus près de leurs corps nus, puis des peignoirs apparurent sur les patères des portes. Des douches prises à la va-vite remplacèrent le paisible bain du soir. Toutes portes fermées.

Bien que Rose eût depuis longtemps oublié les contours du corps de Gertrude, elle soutenait, comme le font beaucoup de filles à dix-huit ans, qu'elle savait tout ce qu'il y avait à savoir sur sa mère. "Tu es *tellement* prévisible !" lâchait-elle avec mépris lorsqu'elle était agacée, reprochant avant tout à Gertrude d'être aussi immuable. Rose voyait sa mère à trente-sept ans, en mocassins, au volant d'une berline, attendant avec impatience le traditionnel *meatloaf* du vendredi soir au restaurant Luby's, et supposait à tort qu'adolescente elle avait fait exactement les mêmes choses. N'ayant connu qu'une Gertrude avec enfant, indifférente au fait qu'elle avait débarqué tardivement dans la vie de sa mère, Rose ne pouvait imaginer qu'un jour le mot "insouciante" ait été adéquat, ne pouvait voir Gertrude comme quelqu'un qui ait jamais mâchonné ses cheveux ou marché d'un pas alerte.

Gertrude cachait bien sa jeunesse passée. Quand Rose portait encore des couches, elle avait brûlé ses albums de promo, mis sa chevalière au clou et pris un travail chez Kinko's parce que c'était le premier endroit à dire oui et que ça payait le loyer, même un peu plus. Quand Rose fut en âge de marcher, Gertrude se mouvait avec lenteur et sentait le vieux. Un curieux mélange de produits chimiques et de fleurs en décomposition flottait constamment autour d'elle, résultat d'une giclée quotidienne de *Beautiful* sur des poignets imprégnés d'encre pour imprimante. Mais elle s'en fichait; elle ne le remarquait même pas. Cela faisait longtemps que son attention s'était détournée de sa propre personne.

Les rares fois où son passé avait fait irruption – quand Rose âgée de cinq ans avait déambulé au pied du lit vêtue d'un voile de mariée jaunissant dégoté dans une boîte à chaussures tout au fond de la penderie, ou quand la recette pour un plat appelé *canya*, griffonnée par une main étrangère dans une langue inconnue, avait glissé de la page 207 de *The Joy of Cooking* et voleté jusqu'au sol –, Gertrude avait refusé de se laisser aller au moindre rappel de sa jeunesse. Elle préférait se tourner vers l'avenir, imaginant une Rose adolescente au bal de début d'année, couronnée reine, ou une Rose adulte bras dessus bras dessous avec son futur mari, un membre des *Capstone** ou un sénateur. Elle n'attendait pas seulement de Rose que celle-ci s'en sorte, elle attendait que sa fille vive ses propres rêves avortés.

Ainsi, tous les soirs, quand elles se brossaient les dents ensemble au-dessus de l'unique lavabo, gargouillant en chœur, recrachant à tour de rôle, elles s'observaient dans le miroir impeccable et y voyaient un reflet déformé l'une de l'autre.

Qu'est-ce qui pouvait bien changer, maintenant? Avec Gertrude morte à un stade si précoce, les perceptions erronées de Rose ne seraient pas facilement rectifiées, et celles de Gertrude croupiraient dans sa tombe.

LES éloges funèbres ne trouvèrent pas d'écho en Rose. D'abord, elle avait été incapable d'identifier ne serait-ce que la première personne à prendre la parole; c'est seulement après coup que l'étrangère s'était présentée comme étant la première cousine de Gertrude du côté de son père, venue d'Atlanta

---

* Prestigieuse organisation composée d'étudiants sélectionnés pour servir d'ambassadeurs à l'université de l'Alabama.

pour l'événement. Elle appelait ça comme ça – un événement –, comme si c'était moins un enterrement qu'une exposition.

— Ça fait un p'tit moment depuis la dernière fois que ta mère et moi on s'est parlé, déclara la femme à un côté de la tête de Rose, qui ne se tourna pas pour l'écouter.

Les yeux de Rose s'étaient posés sur le rebord du cercueil dès qu'elle avait pénétré dans la pièce, et ils n'étaient pas près de se désengager. Leur bleu profond était la seule tache de couleur empêchant sa peau nue et son austère queue-de-cheval blonde de disparaître complètement dans la robe noire de matrone qui avalait son corps. Rose détestait porter des robes ; n'en possédait pas ; avait récupéré celle-ci dans la penderie de sa mère. Elle faisait deux tailles de trop. Aux épaules, la couture flottait sur sa silhouette rigide, qui ne daigna pas réagir quand la femme s'installa sur le banc d'église à côté du sien. Pas même un pâle sourire ou une moue de ses lèvres gercées.

— Bon d'accord, on pourrait dire que j'ai pas cassé les oreilles de Gertrude depuis le déluge, ajouta la femme, comme si Rose lui avait demandé des précisions.

Les mots furent suivis de cinq claquements brefs de la deuxième rangée de phalanges sur la main droite de Rose.

Dès l'instant où elle s'était assise seule au premier rang, et tout au long de la durée de l'office, Rose avait fait craquer et recraquer ses articulations, commençant par replier ses doigts dans ses paumes pour presser les grosses phalanges, puis tirant chaque doigt sur le côté pour faire claquer la deuxième rangée, enfin tortillant les extrémités d'avant en arrière pour délier l'articulation juste au-dessous de la naissance des ongles. Chaque doigt crépitait trois fois, bruyamment, avant qu'elle ne reprenne tout le processus à zéro. Sa manie créait l'illusion que des rafales d'arme automatique ricochaient contre le cercueil puis dans l'abside ; elle faisait sursauter les endeuillés.

— Doux Jésus ! s'exclama la femme d'un ton brusque en plaquant une main sur celles de Rose. Dieu m'est témoin, ça fait presque vingt ans que Gertrude m'a pas appelée, mais Seigneur, tu vas me rendre folle ! C'est comme essayer de prier dans une usine à pop-corn ! (Elle baissa la voix.) Tu vas te ruiner les mains si tu continues. Elles vont devenir laides. Et c'est tellement vulgaire ! Je veux dire, ta mère, elle en mourrait si… Oups ! Oh, chérie, je suis désolée. Je voulais dire que si elle était encore en vie, ça la tuerait de te voir… Et puis zut, à la fin !

L'inconnue s'écarta précipitamment de Rose, se couvrit vivement la bouche et se leva.

— Je prierai pour toi, souffla-t-elle en s'éloignant pour de bon.

Rose ne lui prêta pas attention. C'était quand elle faisait craquer ses doigts qu'elle réfléchissait le mieux. Elle pouvait les pétrir pendant plus d'une heure si elle était confrontée à un vrai casse-tête, et elle passait à ses orteils lorsque le fluide dans les jointures de ses doigts venait à manquer. Toutes les décisions importantes que prenait Rose, chaque pensée créative, débarquaient dans son esprit par voie d'appendice trituré. Gertrude avait toujours détesté cette habitude.

"Ce n'est pas poli (… digne d'une dame… de bon goût)!"

"Tu vas te donner de l'arthrite (… l'ostéoporose… le cancer des os)!"

"On va te prendre pour une sauvage (… une détraquée… une idiote)!"

Avant même d'être cuites à point, les meilleures idées de Rose mijotaient dans le jus des remontrances maternelles.

Dans les jours qui suivirent la mort de Gertrude, Rose continua d'entendre résonner tout aussi fort les réprimandes de sa mère tandis qu'elle faisait craquer et recraquer ses doigts, se demandant quoi dire lors de l'éloge funèbre. Elle les fit craquer si longtemps que ses mains lui faisaient mal lorsqu'elle finit par composer le numéro du prêtre pour lui demander s'il voulait bien organiser la cérémonie à sa place. Prononcerait-elle quelques mots? "Non." Souhaitait-elle sélectionner les textes, la musique? "Non, non." Et que pensait-elle de… "Vraiment, l'interrompit-elle, je vous serais extrêmement reconnaissante de bien vouloir tout prendre en charge."

Il n'eut d'autre choix que de passer tous les appels, prit les dispositions nécessaires et fit de la désertion de Rose un exercice de tolérance chrétienne. "Elle est tout simplement dévastée", murmurait-il pour justifier son détachement tandis qu'on défilait devant le cercueil aux côtés duquel la fille ne se tenait pas.

En fait, elle n'avait pas la plus petite idée de ce qu'elle pouvait dire. La répétition d'une journée – se lever, manger, travailler, dormir – ne suffisant pas à remplir un éloge funèbre, elle se trouvait à court de matière. Après tout, sa mère n'avait jamais rien accompli de remarquable, et Rose n'avait pas l'intention de se mettre à broder devant toute l'assemblée. C'était la directrice adjointe de Kinko's, le sous-fifre de Gertrude, qui s'en chargeait. Gertrude n'avait jamais apprécié son adjointe. D'ailleurs, moins d'une semaine avant sa mort, elle était rentrée un soir, excédée par l'incompétence de la femme. "Je jure par tous les saints", avait-elle dit, "cette femme est bête à manger du foin ! Aujourd'hui elle m'a tellement poussée à bout que si sa tête avait pris feu je ne me serais même pas arrêtée pour pisser dessus !"

Et maintenant l'assistante était là, une femme qui n'avait jamais franchi le seuil de la maison de Gertrude, qui était incapable de nommer sa couleur préférée ou de citer sa date de naissance ou d'avoir un commencement d'idée sur la façon dont Gertrude prenait ses œufs, et elle disait des choses telles que : "En votre nom à tous, les amis… inconsolable perte… a touché si profondément ma vie… dans nos cœurs pour toujours." Lorsqu'elle renifla dans son mouchoir, le geste ajouta foi à ses paroles, comme si, durant la semaine qui avait séparé la mort de Gertrude de son enterrement, elles étaient devenues intimes, et qu'elle était authentiquement peinée.

La mort déguisait en intimité nombre d'interactions banales.

Elles étaient toutes là. Toutes ces personnes dont les vies avaient à peine effleuré celle de Gertrude, toutes ces personnes qui, dans le courant d'une semaine de travail, avaient pris l'habitude, lorsqu'elles levaient la tête de leur tâche, de voir son visage familier, avec son sourire familier et sa robe familière. Au fil d'années qui s'étaient étirées en décennies, ces personnes en étaient venues à reconnaître sa silhouette, son pas régulier, ses goûts vestimentaires neutres – tout repassé, pans bien rentrés, chaussures confortables cirées –, si bien que même en l'apercevant de dos, quelqu'un pouvait lancer un "Salut, Gertrude !" avec assurance et ne jamais douter que ce serait bien elle qui se retournerait.

Le gérant du Rite Aid était assis au troisième rang, sa barbe blanche soigneusement taillée et peignée. Tous les lundis matins Gertrude lui avait souhaité "Bonne semaine !" en passant acheter le dernier numéro du magazine *People*. Il aurait pu se permettre de ne pas travailler, elle en était certaine, puisqu'il avait vendu six ans plus tôt au conglomérat Rite Aid le magasin que son grand-père avait construit et où son père s'était formé. Il était pourtant là tous les jours, ce qui faisait de lui un homme honnête et travailleur.

Derrière le gérant était assise la coiffeuse, seule personne à porter du rose, les pieds saucissonnés dans des souliers ouverts au talon égratigné, trop petits d'une pointure, mais une bonne affaire. Toutes les six semaines pendant huit ans, la femme en rose avait coupé les cheveux de Gertrude dans leur style habituel : ras, raides, ne nécessitant ni produits ni outils de coiffage. "Si on essayait quelque chose d'un peu différent", disait Gertrude toutes les trois visites environ, mais au fur et à mesure que la femme en rose coupait, avec Gertrude aux commandes ("un peu plus courts sur le dessus... un peu plus dégradés derrière..."), elles finissaient par donner à ses cheveux une forme qui n'était en rien plus radicale qu'une version moins longue de la coupe avec laquelle elle était entrée. "Ça m'plaît bien, ça" déclarait la femme en rose tandis qu'elle s'activait. "Vous êtes mignonne comme tout !" Ce à quoi Gertrude répondait, s'observant dans le miroir sous des angles variés : "Oui, oui, ça me plaît. C'est rafraîchissant, ce changement."

À l'extrême droite de la femme en rose, le long de l'allée centrale, étaient assis les collègues de Gertrude, pour la plupart de jeunes ados à l'air perdu, peu accoutumés à la bienséance catholique, jugeant quand il fallait s'asseoir ou se lever selon les mouvements de l'assemblée, mais excités d'être là. Une fille aux yeux maculés de noir se mit même à pleurer de grosses larmes striées de mascara qui coulaient sur son collier de chien, et quand elle se pencha en avant d'un air gêné pour essuyer les traces, ses cheveux coiffés en crête piquèrent la femme âgée devant elle, la réceptionniste du médecin de Gertrude, qui laissa échapper un cri surpris à l'instant même où on entamait le Psaume responsorial.

Toutes ces personnes pensaient connaître Gertrude et inversement, toutes prenaient leurs existences parallèles pour des vies partagées. Pourtant elle ignorait que la femme du pharmacien l'avait trompé quatre fois en trente-huit ans de mariage, chaque amourette durant au minimum un an, elle ne savait pas qu'il menaçait chaque fois de partir mais ne le faisait jamais parce qu'il ne se souvenait pas d'un seul jour où il n'avait pas été marié et qu'il ne savait pas cuisiner et qu'il ne savait pas pourquoi ni comment trier son linge. Elle ignorait que la femme en rose s'était fait avorter trois fois et votait démocrate afin de se réserver le droit de recommencer, mais participait au rassemblement annuel contre l'avortement et balançait des œufs sur la clinique qu'elle fréquentait parce que ça soulageait sa conscience. Elle ne connaissait même pas le prénom de la réceptionniste du médecin. Ainsi en est-il dans les villes qui sont petites sans l'être suffisamment.

Et si l'assemblée en deuil avait été honnête, elle n'aurait rien pu attester d'autre que les faits suivants : Gertrude se tenait au courant de la vie des célébrités, elle donnait un pourboire d'un dollar cinquante pour chaque coupe de cheveux à treize dollars et programmait son frottis annuel le premier jour ouvré après le Nouvel An. Il n'empêche, cela les reliait davantage à la cérémonie que les inconnus qui rôdaient, regardant bêtement, s'imaginant familiers du désastre et de ses participants parce que l'histoire s'était déroulée dans leurs propres foyers par le biais des actualités du soir. Après tout, Gertrude et Rose étaient apparues sur les écrans télé des habitants de la ville tous les jours pendant une semaine, à l'heure du dîner puis à celle du coucher – tandis que les téléspectateurs se déshabillaient, posaient les questions d'usage quant à la nature de leurs journées respectives et caressaient distraitement leurs conjoints sous les couvertures. Si bien que le jour des funérailles, toute la communauté s'habilla en noir et prit place derrière la fille, pauvre petite, pleurant avec elle, se retenant de lisser ses cheveux en l'absence de sa mère.

Mais lorsque ce fut terminé, Rose marcha seule jusque chez elle. Il n'y avait pas de courrier à rapporter. Pas de fleurs attendant sur le perron. La lumière du répondeur ne clignotait pas. Le jour des funérailles de sa mère, personne n'appela. La lumière éteinte cimenta ce fait. Des années après, bien qu'elle en ait eu l'idée lorsqu'elle faisait craquer ses articulations à l'enterrement de sa mère, elle visualiserait ce répondeur vide chaque fois qu'on lui demanderait ce qui avait bien pu lui passer par la tête pour faire ce qu'elle avait fait.

"Elle était tout ce qui me restait", murmurait-elle.

Ainsi démarra sa quête pour retrouver l'identité de la fille que sa mère avait tuée, avec une lumière qui refusait de clignoter.

PIEDS nus. Toute cette misérable journée – la tournure pernicieuse prise par les événements qui avaient mis fin à deux vies et en avaient poussé d'autres dans une chute libre irréversible –, Rose la précipita avec cet acte unique et anodin : elle enleva ses chaussures et posa ses pieds nus sur le tableau de bord réchauffé par le soleil.

Puis Gertrude scella leur destin.

"Retire tes pieds du tableau de bord." Ce n'était pas une question. Pas "Pourrais-tu retirer tes pieds, s'il te plaît ? Ça me déconcentre de conduire avec les petites empreintes de tes orteils sur le pare-brise." Non, un simple ordre : "Retire tes pieds du tableau de bord." Ce qui fit toute la différence.

La mission de la journée avait nécessité presque une semaine entière de préparatifs, et semblait être une bonne idée de prime abord. Tous les jours Gertrude avait fouillé dans leurs bureaux, leur remise, leur garde-manger, en prévision de l'expédition. Le mardi elle avait emballé la totalité de leurs conserves et les avait chargées dans le coffre, mais elle attendait d'avoir tout passé en revue, d'avoir une pleine cargaison avant de faire la livraison, parce qu'elle s'enorgueillissait d'être bien organisée. "Rien ne sert de passer par son derrière pour toucher son coude", aimait-elle répéter, avec verve.

Le vendredi, les vieilles robes récupérées dans la penderie, toujours sur le cintre pour conserver leur forme, reposaient sur la banquette arrière. Du shampoing Suave et des bouteilles d'après-shampoing vendus en lot à moitié prix et, conséquemment, achetés en gros, étaient alignés le long du plancher. Par-dessus était posé un ensemble jamais utilisé d'essuie-mains rouges bordés de houx issus des cadeaux échangés lors de la fête de Noël au bureau, lui-même surplombé d'un déboucheur à ventouse. Gertrude pensait que la ventouse serait particulièrement utile, avec tous ces cabinets et ces éviers gorgés d'eau, et une chose à laquelle personne d'autre ne penserait dans la précipitation générale pour inonder La Nouvelle-Orléans d'eau potable et de couches suite au passage de l'ouragan Katrina.

Quand arriva le samedi, la voiture était pleine à craquer d'objets hétéroclites et elles étaient prêtes à déposer leurs dons. S'installant dans le siège conducteur, Gertrude passa un bras derrière le siège passager, regardant par-dessus son épaule pour sortir de la place de parking en marche arrière. Ce faisant, elle lissa les cheveux blonds de Rose, soulagée d'avoir un jour de congé après une semaine et demie, heureuse de le passer à faire le bien avec sa fille.

— Des *manteaux*? demanda Rose alors qu'elle soulevait un tas de vieilles parkas du siège passager et les posait par terre pour faire de la place.

Cette simple question piqua Gertrude au vif – comme si Rose avait dit "Des manteaux, espèce d'idiote?" – d'autant plus qu'elle enchaîna avec :

— Des manteaux. Super idée. Les gens meurent d'insolation au Superdome[*] et toi tu leur envoies des manteaux.

---

[*] Grand stade couvert ayant servi de refuge de dernier ressort lors du passage de l'ouragan Katrina.

Au moment même où la phrase sortait de sa bouche, Rose aurait aimé pouvoir baisser le ton, la prononcer avec moins de sarcasme. Elle savait l'effort qu'avait demandé à sa mère ce rassemblement de dons, et elle était vraiment contente d'y participer. Elle avait même élargi leur contribution à la dernière minute. Dans le carton de romans que sa mère avait amassés, elle avait ajouté quelques livres de poche prélevés sur ses propres étagères – une pincée de Scout et Boo Radley, quelques George et Lennie, les indomptables Celia et Shug Avery – pour contrebalancer les fiers-à-bras turcs au torse nu et en pagne qui peuplaient les histoires de sa mère. Mais dès l'instant où elle vit la pile de manteaux et ouvrit la bouche, elle cracha du fiel, puis elle rendit sa mère responsable d'avoir provoqué sa rage – tout ça parce que Gertrude avait tripoté ses cheveux. Pour l'amour de Dieu, elles étaient sur le point de passer un bon moment ensemble, mais non ! Gertrude était incapable de monter en voiture sans tirer sur sa queue-de-cheval pour rappeler ses défauts à Rose.

Cela faisait plus d'un an que Gertrude la tannait pour qu'elle se coupe les cheveux. "Ils sont devenus tellement filasse", disait-elle en fixant la queue-de-cheval quotidienne d'un air chagrin. Une coupe plus courte ne contribuerait pas seulement à lui donner un peu de peps, notait Gertrude, elle pourrait également faire pour Rose ce que sa coupe d'après mariage avait fait pour Jennifer Aniston : minimiser son nez.

Rose aimait son nez. Elle aimait la facilité de son style de vie à queue-de-cheval. Elle trouvait que Jennifer Aniston avait une sale gueule avec ses cheveux courts. Rose déclara "Des manteaux ?" et claqua la portière, car ce qu'avait voulu dire le bout des doigts de sa mère, en lissant ses cheveux, c'était en réalité : "Tu n'es ni suffisamment jolie, ni suffisamment obéissante."

Et maintenant qu'elle avait rabaissé sa mère, elle en voulait à Gertrude pour le lissage de cheveux, mais aussi parce que cette dernière l'avait poussée à parler de façon si détestable. *J'aurais pu être gentille,* pensa-t-elle. *J'aurais pu passer une bonne journée si elle n'avait pas tout gâché en me tripotant comme ça.*

À partir de là, elles en vinrent presque aux mains.

D'abord elles se disputèrent à propos des manteaux, Rose refusant d'accepter l'argument de Gertrude, qui soutenait que des températures plus basses finiraient par s'abattre sur la Louisiane et ses habitants destitués.

Ensuite elles se disputèrent à propos d'où, exactement, elles allaient avec les manteaux incriminés et autres objets du quotidien. Rose soutenait que le siège de la Croix-Rouge à Tuscaloosa se trouvait à la sortie de la voie express, près du centre commercial, et Gertrude maintenait qu'elles devraient emprunter Bryant Drive au-delà du centre médical régional et tourner à hauteur de la coopérative de crédit d'Alabama.

— Je donne mon sang deux fois par an! Je suis quelqu'un d'altruiste! Ne me dis pas que je suis incapable de retrouver le bâtiment de la Croix-Rouge! fulmina Gertrude.

— C'est le centre de don du sang!

— Il y a un drapeau avec une croix rouge juste devant!

— Un drapeau n'est pas une invitation à déposer des manteaux sur le pas de la porte!

Gertrude explosa.

— Arrête de me parler comme si j'étais un ouvrier agricole qui venait de tomber d'un camion à navets! J'ai l'air d'avoir la peau noire?

Rose en eut le souffle coupé et, ne pouvant se lever et partir, elle se détourna délibérément pour regarder par la fenêtre du siège passager, aussi loin de sa mère que possible. Un bannissement. D'un ton qui exsudait un calme surnaturel, elle articula "Raciste" lentement, tandis qu'elles roulaient en direction du pont de la Black Warrior.

— Raciste? cracha Gertrude, se penchant en avant et à droite pour tenter de croiser le regard de Rose, entraînant le volant avec elle. C'est moi que tu traites de raciste? Alors, ce type-là, Connie West, peut la ramener au téléthon national et déclarer que "George Bush n'aime pas les Noirs" et que personne n'aide les gens à La Nouvelle-Orléans parce qu'ils sont noirs, et moi, qui cours partout pour essayer de leur donner ce que je peux, tu me traites de raciste?

La voiture zigzaguait de part et d'autre de la double ligne jaune pendant que Gertrude s'efforçait d'attirer l'attention de Rose.

Rose montra rageusement la route du doigt, son geste faisant office de cri – *Remets-toi dans ta voie!* – et fit face à sa mère.

— C'est Kanye.

— Quoi?

— Ça se prononce KAHN-yea. *Kanye* West. Pas Connie.

Puis elle se pencha pour éteindre la clim'.

— J'ai les pieds gelés.

— Rallume ça. Il fait presque trente-deux degrés dehors, dit Gertrude en se penchant pour la rallumer elle-même, ce qui les amena à se disputer, enfin, alors qu'elles approchaient des bancs de la Black Warrior River, pour établir si oui ou non trente-deux degrés pouvaient être considérés comme un temps chaud pour un premier samedi de septembre en Alabama.

Chaussures retirées. Pieds levés.

— Retire tes pieds du tableau de bord.

Doigts de pieds pressés avec insistance contre le pare-brise.

Un bras tendu, une tape pour les repousser.

LE rapport de police ne mentionne rien de tout ça. Il cite que "pour des raisons inconnues" la berline bleu marine conduite par Mme Gertrude Aikens en direction du sud vira à droite sur l'autoroute 69 à une heure incertaine en début de soirée, heurtant un piéton au pied du pont de la Black Warrior, avant de "catapulter [*sic*] dans le ravin" près de la rivière. L'agent chargé de l'enquête conclut qu'il n'y avait pas de témoins, bien que l'autoroute en question fût très fréquentée, parce que "Tous les chrétiens et leurs frères sont soit au match d'Alabama, soit chez eux en train de le regarder sur ESPN."

Il fallut donc attendre 9 h 45 le soir, après que Rose Aitkins eut été trouvée gisant inconsciente sur le bord de l'autoroute par trois hommes d'une cinquantaine d'années – arrêtés pour ivresse au volant par la suite – qui rentraient du stade Bryant-Denny, pour que des policiers soient appelés sur les lieux et découvrent la voiture et les corps de la conductrice et d'une femme inconnue.

La dernière note dans le carnet du policier indique : "Les Tide ont mis une branlée à Middle Tennessee, 26-7."

ROSE reprit conscience sous un ciel pourpre. Des nuances d'un violet plus profond mouchetaient l'horizon, jusqu'à ce que sa vision s'ajuste et que son esprit commence lentement à appréhender la scène, et que l'une des mouchetures se mette à couler, se révélant être du sang sur le pare-brise fracassé. Gertrude gargouilla ses trois dernières respirations et mourut, assise à ses côtés, pendant que Rose gaspillait les premières secondes cruciales à se demander pourquoi le soleil se couchait déjà.

Alors elle se tourna – attirée, peut-être, par le bruit des gargouillis – et vit sa mère. Elle ne la regarda qu'une seule fois, brièvement, avant de détourner les yeux et de ne plus jamais revoir Gertrude, puisque celle-ci serait enterrée dans un cercueil fermé à l'intérieur duquel Rose refuserait de regarder. Mais il n'en fallut pas plus pour entacher ses souvenirs. Dix-huit années d'images de sa mère furent remplacées par le jeune et délicat pin des marais méridional, l'arbre officiel de l'Alabama aux aiguilles effilées, qui traversait le pare-brise, traversait le siège conducteur. Son tronc fuselé coupait Gertrude en deux, une pomme de pin se balançant encore au bout de la brindille pressée en un baiser contre ses lèvres lacérées.

Rose se roula en une boule compacte sur le siège passager, nez contre genoux, talons contre entrejambe, bras autour des tibias, et ce faisant elle se rendit compte, enfin, qu'elle était toujours dans la voiture, qu'il y avait un arbre dans la voiture, que la voiture n'était pas sur la route, que sa mère était... Pourtant Rose – qui avait été protégée par l'airbag – se sentait étrangement bien. Elle avait le corps endolori, la tête lui tournait, mais elle pouvait bouger. Le sang qui s'accumulait, qui refroidissait partout : ce n'était pas le sien.

Seuls ses pieds la faisaient véritablement souffrir. Fourmillements et pulsations intenses sur toute leur surface. Un parfait triangle de verre était enfoncé dans la plante de son pied droit, émergeant entre son deuxième et son troisième orteil. Elle amena son pied vers son visage avec la main droite, prit le bout de son T-shirt dans la paume gauche et, s'en servant pour tirer, saisit l'éclat et le délogea. Il lui fallait des chaussures. Mais où est-ce qu'elles étaient passées, bon Dieu ? Elles n'étaient plus par terre sous elle, là où elles étaient... quand ? Il y avait un instant à peine. Il y avait un instant à peine, elle avait retiré ses chaussures et posé les pieds sur le tableau de bord. Peut-être qu'elles avaient glissé du côté de... Non ! Elle ne pouvait pas regarder à gauche. Elle ne pouvait pas regarder à gauche parce que... Parce que ! Il fallait qu'elle sorte de la voiture. Elle ne pouvait pas rester dans la voiture avec... Il fallait qu'elle sorte de la voiture ! Le tableau de bord : rouge. Le siège : rouge. Le toit : rouge et ruisselant. *Putain de merde, il y a du sang partout ! Sors de la voiture !* La poignée de la portière poisseuse patinait et dérapait dans sa main parce qu'elle était verrouillée, mais le petit loquet encastré plus bas dans l'encadrement était rouge et mouillé, et ses mains étaient si visqueuses qu'elle n'arrivait pas à l'attraper pour le tirer vers le haut, et le bouton de déverrouillage automatique se trouvait sur le siège conducteur de l'autre côté de... de l'autre côté de... *Et puis merde!* Elle sauta sur le siège et propulsa son épaule contre le verre fissuré de la portière côté passager jusqu'à ce que la vitre cède. Puis elle posa un pied nu sur le rebord et sauta du véhicule.

Elle atterrit de travers sur l'autre corps par terre sous elle. Sur les jambes de l'autre corps.

C'est alors qu'elle hurla.

Elle avait été le témoin silencieux de tous les autres bruits d'agonie et de dévalement – les crépitements du gravier, les gargouillis de sa mère, le grondement des arbres qui craquaient, les essieux qui se brisaient, le froissement du métal –, mais lorsqu'elle perdit l'équilibre et s'écroula sur les tibias fissurés et dénudés d'une inconnue, elle hurla de se trouver sur des jambes qui n'étaient pas les siennes. Alors même qu'elle tombait, elle partit à reculons, s'éloignant à quatre pattes de la voiture et de sa mère et des jambes de cette personne morte. Ses blessures se remplirent d'une boue de sang. Environ deux mètres plus loin, épuisée, elle s'évanouit.

La manière la plus simple d'échapper à la scène de l'accident aurait été de longer le lit de la rivière. Au lieu de quoi, ils la trouvèrent sur la route.

Appelez ça l'instinct. Appelez ça les symptômes d'une commotion. Appelez ça de la folie. Ou dites simplement que la route était le chemin familier du retour à la maison. Quoi qu'il en soit, lorsque Rose revint à elle, au lieu de se laisser glisser à travers les mauvaises herbes jusqu'en bas de la colline et de marcher le long des berges sablonneuses, où elle aurait pu rencontrer un pêcheur ou un plaisancier à qui demander de l'aide, Rose s'attaqua au bord escarpé du ravin. Elle essaya, pendant près d'une heure, d'éviter de faire demi-tour pour aller chercher des chaussures. Au verre dans ses pieds et à la boue dans ses blessures ouvertes s'ajoutèrent des cailloux, des épines et des petits morceaux de brindilles qu'elle retirait, assise, avant de tenter, encore et encore, toujours en vain, de grimper loin de la scène de l'accident. Elle lui tournait le dos, regardait en avant, regardait vers le haut.

Quand, enfin, elle capitula et retourna chercher des chaussures, la seule paire qu'elle avait repérée et dont elle pouvait facilement s'emparer, elle le fit en détournant les yeux.

Toute la durée de l'ascension elle essaya, essaya, de ne pas penser à la provenance des chaussures.

2

Rosebud Howard

Maman, sérieusement, j'crois qu'y faut qu'on parte d'ici

LES chaussures provenaient de La Nouvelle-Orléans.

Dire que Cilla Howard avait déménagé à La Nouvelle-Orléans reviendrait à dire qu'elle avait eu le choix, comme si le climat du centre de l'Alabama ne lui convenait pas et qu'elle avait voulu se rapprocher de la côte, ou qu'elle avait préféré l'exotisme de La Nouvelle-Orléans à l'aura intellectuelle de Tuscaloosa. Mais non. Pauvre, noire, enceinte, sans mari : la nuance n'avait rien eu à voir avec sa décision.

Il ne lui restait tout simplement plus personne dans l'Alabama. Y vivre seule avait été faisable, mais un bébé ajoutait des complications qu'elle ne parvenait pas à démêler. Ses collègues parmi le personnel de cuisine auraient pu l'aider, ils en étaient capables, ils étaient comme une famille adoptive pour elle, mais un nouveau-né introduit clandestinement tous les jours dans le foyer d'étudiantes finirait par être découvert. Oh, les étudiantes l'auraient trouvé mignon, au début – un bébé dans la cuisine ! – et peut-être qu'elles auraient proposé de s'en occuper une fois ou deux, la première semaine, pendant qu'elle dormait. L'auraient caressé de leurs mains manucurées, l'auraient trimballé contre leurs hanches décorées de monogrammes. Peut-être même qu'elles l'auraient câliné pour de vrai, mais sitôt que le bébé marron se serait réveillé et aurait tendu ses lèvres affamées pour téter les lettres grecques blanches et rutilantes inscrites en travers de leur poitrine*, ces filles l'auraient précipitamment rendu, dégoûtées, et c'en aurait été fini de tout ça. Quelques-unes, peut-être, auraient fait plus d'efforts, emprunté

---

* Référence aux fraternités et aux sororités dans les universités d'Amérique du Nord et dont les noms sont composés de deux ou trois lettres grecques.

la porte de derrière, se seraient faufilées par l'entrée des domestiques pendant que personne ne regardait, avec un cadeau : un hochet en argent, un mouchoir brodé, des chaussons molletonnés auxquels l'étiquette serait encore attachée. La bonne éducation et les bonnes manières leur auraient soufflé la réplique, et, les yeux brillants, elles auraient dit quelque chose comme : "J'ai tellement hâte d'avoir une famille à moi ; comme vous avez de la chance !" ou "J'ai laissé l'étiquette au cas où on vous en aurait déjà offert des douzaines lors de la fête prénatale, et que vous voudriez les échanger" ou "Les bébés sont de véritables dons du Seigneur ! Vous devez vous sentir tellement épanouie maintenant !" Mais dès que les mots se seraient échappés de leur bouche, elles auraient remarqué la farine sur sa robe, l'ourlet défait, l'éponge à récurer dans sa main, la poêle industrielle calcinée dans l'évier et – pouf ! – adieu les faux-semblants. Cilla ressemblait trop à une personne qu'elles ne souhaitaient pas être.

Même les plus gentilles se seraient plaintes, à la fin, quand le bébé aurait pleuré. Les bébés pleurent toujours. Puis elles auraient exprimé leur délicate déconfiture à la chef de maison, ou pire, à leurs parents, et Cilla aurait été interdite d'entrée un matin à 5 heures, en arrivant pour préparer la pâte à pancake. Priée de partir et de ne jamais revenir, comme c'était arrivé à Ada May le jour où la jolie pom-pom girl blonde avait trouvé un gros cheveu noir dans son eau et fait remarquer à son papa que la veille Ada May avait été vue en train de polir les couverts en argent sans sa résille.

Mieux valait partir par choix que par force. Alors, après que son homme se fut tué et eut été enterré dans une tombe dont personne ne pensa à lui indiquer l'emplacement, elle partit en quête de la seule famille qui lui restait, sa sœur en Louisiane.

Elle arriva à La Nouvelle-Orléans désespérée.

Difficile à croire, mais près de vingt ans plus tard, sa fille quitta La Nouvelle-Orléans plus désespérée encore. Portées disparues – Cilla en 1986, Rosebud en 2005 –, aucune des deux ne fut jamais officiellement retrouvée. Aucune des deux ne fut jamais officiellement recherchée. Juste deux filles noires de plus portées disparues dans un Sud qui en était plein. De fait, cependant, aucune des deux ne s'était enfuie *de* quoi que ce soit ; aucune des deux n'avait quoi que ce soit à fuir. Toutes deux fuyaient *vers* quelque chose.

Et la fille de Cilla, Rosebud, y était presque arrivée.

Avant que Gertrude ne l'arrête, avant que Gertrude ne la tue, Rosebud avait parcouru près de neuf cent cinquante kilomètres en moins de soixante-douze heures et remercié le ciel chaque minute d'avoir pensé à prendre une paire de baskets au moment de sa fuite.

Rosebud préférait marcher pieds nus. Hormis pendant les mois les plus froids, elle et sa mère choisissaient de déambuler dans le Lower Ninth Ward* sans chaussures, discutant main dans la main lors de leur balade quotidienne d'après dîner. Cilla avait pris cette habitude peu de temps après la naissance de sa fille, une façon de se familiariser avec leur nouveau quartier tout en occupant les heures creuses de la soirée. Tout le monde s'arrête et s'extasie devant un bébé emmailloté. Les matriarches aux cheveux grisonnants donnaient des conseils sur les remèdes contre le hoquet et les horaires de sommeil, et ses pairs d'une vingtaine d'années – la plupart trimballant déjà une kyrielle de bambins sans papa – recommandaient la crème Boudreaux pour les irritations de couches et des gouttes à l'alcool et au vinaigre pour les otites. Mais ce sont les paroles de l'épicier du coin qui marquèrent leurs vies à jamais. "Les bébés, c'est l'genre de bénédiction qui vous font voir la vie en rose", lança-t-il avec désinvolture.

"Sûr, ça. T'es ma p'tite Rosy", gazouilla Cilla contre la joue tiède de son bébé en passant devant la supérette ce soir-là, et Rosy est le surnom qui resta.

À mesure que Rosy grandissait, ces promenades nocturnes devinrent un rituel sacré – une occasion de troquer le récit de leurs journées respectives, de dévoiler des secrets, d'espionner des inconnus. Elles adoraient regarder à travers les fenêtres éclairées des maisons à bardeaux qui bordaient la rue, aimaient surprendre quelqu'un en train d'esquisser quelques pas sur le groove funky de la radio, ou jauger les compétences d'une cuisinière selon le nombre de fois où elle secouait la bouteille de Tabasco au-dessus de sa poêle à frire.

Quiconque aurait observé avec la même attention Cilla et Rosy les aurait crues sœurs, à la façon qu'elles avaient de se pencher l'une vers l'autre en pouffant. De magnifiques sœurs à la peau d'ébène. Cilla, version menue et débraillée de Fantasia Barrino, la gagnante d'*American*

---

* Quartier pauvre situé à l'est de La Nouvelle-Orléans.

29

Idol, toute en aplomb et voix retentissante ; Rosy, sa jumelle plus claire et plus sculpturale. Avec son mètre soixante-sept, Rosy avait quelques centimètres et une taille de bonnet de plus que sa mère, et n'eût été les dreadlocks et le ventre rebondi de Cilla, elles étaient assorties pour tout le reste : la jambe sinueuse, le pied léger ; des visages ronds ornés d'yeux plus ronds encore (presque entièrement noirs mais striés d'or, une éruption d'éclairs au cœur de la nuit) ; des lèvres chocolat gonflées en une moue perpétuelle, naturellement laquées. Au repos, chacun de leurs traits luttait pour accaparer l'attention. Mais lorsqu'elles souriaient, leurs pommettes saillantes prenaient le dessus, deux ballons rougis qui rebondissaient au-dessus de leur bouche grande ouverte par le rire, tête rejetée en arrière, rien de caché. Une telle jovialité incitait les gens à plaisanter avec elles. Lorsqu'elles croisaient le regard d'inconnus, Cilla ou Rosy lançaient un amical "Comment qu'ça va ?" depuis le trottoir, et un jour Fats Domino en personne répondit "Pas trop mal" et leur adressa un signe de la main depuis sa Cadillac rose tandis qu'elles traversaient l'avenue Saint-Claude en direction de la digue.

Rosy chérissait ce sentiment d'appartenance qui les rapprochait même des inconnus. "C'est comme si on était un peu moins seules au monde", aimait-elle dire lorsque la rumeur des supporters enthousiastes s'élevait des terrains de sport de Holy Cross, ou que le sifflet d'un bateau les saluait sur la berge du Mississippi.

"Rosy, ma fille", lui assurait sa mère quand elles faisaient demi-tour pour rentrer, la nuit chargée des parfums de pommade et de vétiver, "Ici, c'est le cœur et l'âme de la Louisiane noire et pauvre. Ces gens, c'est notre famille. Y a pas d'raison que tu t'sentes jamais seule par ici !"

Mais Rosy savait ce qu'un quartier accepterait et ce qu'il n'accepterait pas ; elle savait qu'il n'y avait plus qu'elles deux la seconde où elles franchissaient leur perron.

Avant que l'afflux d'eau entraîné par la rupture des digues n'oblitère leur petite maison, ce perron était distingué par deux cagettes à lait en plastique rose chapardées dans la rue un jour où elles étaient tombées d'un camion et avaient atterri dans le jardin. Elles étaient empilées l'une sur l'autre, à gauche de la porte. Ouvertures orientées vers l'extérieur, les rangements de fortune abritaient les chaussures qui ne pénétraient jamais la maison : une seule paire de claquettes, de sandales, de baskets, et d'escarpins noirs aux talons éraflés. Une paire pour chaque occasion. Toutes les chaussures faisaient un 39 pour accommoder le 38 de Rosy et le 40 de Cilla. Comme aucune des deux n'aimait particulièrement les chaussures, et puisqu'elles en portaient rarement en même temps, Cilla tolérait ses orteils serrés et Rosy ses talons glissants en échange de l'argent économisé grâce à ce partage.

Cilla avait pris l'habitude de se balader pieds nus tôt, dès qu'elle avait commencé à faire le ménage chez les autres. Elle apprit immédiatement à ne pas laisser de traces à l'intérieur, étant donné que cela ne ferait que lui compliquer la tâche. C'était tout du moins ainsi qu'elle le justifiait. Plus doux pour l'ego que la vérité : la population embourgeoisée au service de laquelle elle se trouvait préférait des domestiques sachant rester à leur place. Chaussures devant la porte de derrière. Résille sur les cheveux. Uniformes blancs amidonnés. Ces choses lui rendaient les journées plus faciles, mettaient un sourire détendu sur les visages blêmes dont elle s'occupait. Quand elle était chaussée, ils l'observaient avec méfiance, lui faisaient remarquer les taches qu'elle avait manquées, glissaient la petite monnaie dans leur portefeuille. Quand elle était déchaussée, ils lui proposaient un verre d'eau, prenaient des nouvelles de sa fille. La présence d'une femme noire aux pieds nus dans leur maison nourrissait chez les résidents du Garden District un sentiment de confort héréditaire, atavique.

C'est pourquoi elle en vint, au fil des ans, à rejeter presque entièrement les chaussures.

Le vieux Silas, propriétaire et gérant de l'épicerie du coin – le même homme qui avait inspiré le surnom de sa fille –, la poursuivit avec ça tous les jours des années durant.

"'Soir, Silas", disait Cilla lorsqu'elle passait au magasin après sa journée de travail, chaussures à la main, en quête de dîner. "Du poisson-chat, s'il vous plaît."

Penché au-dessus du comptoir à charcuterie, soupesant la quantité recommandée pour deux, Silas répondait : "'Soir, Cilla, chaussures, s'il vous plaît."

D'autres fois, en guise de salutation, à son "Où est-ce que vous planquez vos macaronis au fromage, Silas ?", il répondait "Où est-ce que vous planquez vos chaussures, Cilla ?"

Son "J'vois que vous avez toujours pas commandé le parfum de glace que j'vous ai demandé" lui soufflait son "J'vois que vous avez toujours rien fait à propos de vos fichus pieds nus".

Si elle rentrait et fonçait droit vers l'allée centrale, cachée par les céréales et les bonbons, à la recherche des condiments, Silas pouvait jauger son humeur et adapter ses réprimandes à la lourdeur de ses pas. Les mois de pas légers permettaient un batifolage flirteur ; quand elle était d'humeur particulièrement joueuse, elle levait un pied jusqu'au comptoir au moment de payer, les orteils vernis en teintes arc-en-ciel, une couleur différente à chaque doigt, et il endossait le rôle d'un homme cinquante ans plus jeune en s'exclamant : "Cilla, espèce de dévergondée, va ! Sortez d'ici avec vos pieds de Jézabel." Elle riait et l'ignorait, aspirait la fumée doucereuse de son tabac, la recrachait par-dessus sa tête. Les mois de pas lourds, ses jours sombres, le laissaient démuni, sans la moindre réponse à ses suppliques : "Allez, Cilla. Respectez les règles, vous voulez bien ? Mettez des chaussures sur ces pieds, ma fille."

Il en fut ainsi pendant des années, un rituel de fin de journée aussi immuable que la routine matinale qui l'inaugurait. Huit heures du matin tapantes : déposer Rosy en face, chez cette chère vieille Maya qui, dès la naissance de Rosy, s'en était occupée aussi bien qu'une nounou professionnelle l'aurait fait. Huit heures douze : surveiller le coin de la rue et scruter la chaussée pour le bus. Huit heures quatorze : se laisser emporter par le *cling cling cling* de la monnaie.

Toutes les journées démarraient et se terminaient exactement de la même manière.

C'est pourquoi, s'il avait été homme à remarquer ce genre de détail, Silas aurait compris que quelque chose était différent rien qu'en regardant l'horloge. Le jour où le badinage prit fin, Cilla débaula dans son épicerie avant la livraison quotidienne de lait. Par une chaleur de 36 °C, elle portait six couches de vêtements, avec un manteau par-dessus le tout, et plus de maquillage qu'une prostituée du Vieux Carré. Elle avait d'abord titubé jusque chez Maya, en équilibre instable sur les escarpins noirs, et si Maya n'avait pas été plus soucieuse de séparer Rosy de sa mère, de protéger l'enfant de la scène, elle aurait poursuivi Cilla dans la rue et l'aurait accostée au moment où cette dernière s'éloignait de l'arrêt de bus en divaguant pour se diriger vers l'épicerie de Silas. Mais telles qu'étaient les choses, Maya la surveilla depuis sa fenêtre ouverte, et quand Cilla pénétra dans la supérette, elle composa le numéro de Silas pour lui dire de la retenir, de la calmer, de lui offrir une tasse de café – se pouvait-il qu'elle soit saoule? –, mais le téléphone sonna dans le vide.

Mettez ça sur le compte d'une vision brouillée par l'âge, mettez ça sur le compte des Saints qui avaient perdu la veille à cause d'une maladresse de dernière minute que Silas rejouait dans son esprit, mettez ça sur le compte du téléphone qui commença à sonner la minute où Cilla rentra dans le magasin, noyant le claquement inhabituel de ses talons sur le sol. Quelle qu'en soit la raison, habitude ou inattention, Silas la vit et s'écria: "Chaussures, Cilla!" avant de noter les irrégularités, et lorsqu'il y regarda à deux fois, l'escarpin n'était déjà plus au pied de Cilla et volait à travers les airs dans sa direction. Il se retourna juste à temps pour que la chaussure l'atteigne en plein front, faisant claquer sa tête en arrière contre le rebord du rayonnage, et c'est ainsi qu'il en vint à se fracturer le crâne et à s'écrouler, inconscient, par terre derrière la caisse.

Les voisins durent y mettre du leur pour convaincre Silas de ne pas porter plainte, mais lorsqu'il sortit de l'hôpital Cilla avait déjà été internée de force, mise en observation et traitement sur ordre du juge, et les commérages incessants à propos de sa folie rendirent l'humiliation de Silas plus facile à digérer. Grâce à Maya, qui l'enjoignit de penser à l'enfant, Silas finit par changer d'avis. Il aimait bien l'enfant. Aimait la façon qu'elle avait de l'appeler 'Ilas. Attribuait ce petit nom à son affection, plutôt qu'à son zézaiement.

Il ne pouvait pas envoyer en prison le seul parent que la charmante fillette de six ans ait jamais connu.

CETTE première fois, Maya se débrouilla pour épargner à Rosy la vision de sa mère emmaillotée dans une camisole de force, sanglée à un brancard et emmenée. Mais durant les douze années subséquentes de sa vie, Rosy assista trop souvent à cette scène. Parfois, elle en était même à l'initiative. Passait l'appel. Conduisait les autorités à l'intérieur. Chaque fois, chaque putain de fois, elle se réveillait en pleine nuit, son esprit ayant rejoué le cauchemar des hommes en train de malmener sa mère pendant que Cilla criait et pleurait et les suppliait de ne pas l'emmener, et quand elle se redressait dans son lit, elle le trouvait trempé d'urine. Âgée de six ou de seize ans, peu importe, les nuits où ils emmenaient sa mère, elle faisait au lit.

Parfois, des années entières s'écoulaient entre deux épisodes. Des années entières de normalité. Les jours se transformaient en semaines puis en mois de petits déjeuners pris ensemble sur les chaises en vinyle rouge, Cilla sur celle qui était déchirée afin que les cuisses de Rosy ne soient pas éraflées lorsqu'elle poserait ses orteils sur les genoux de sa mère sous la table en Formica. Des mois jalonnés par les fêtes − festivals de jazz ou bals fais dodo ou bals de krewe lors du Carnaval − dans lesquelles elles se glissaient si possible et, si ça ne l'était pas, qu'elles écoutaient depuis le trottoir, sandwichs dans une main, doublons dans l'autre, tandis que la foule les dépassait en chahutant. Cilla inventait des histoires sur ce qui se tramait lors de ces événements dont elles étaient exclues pour que Rosy − yeux fermés, imagination grande ouverte − puisse imaginer des femmes à l'air canaille et coiffées de plumes tournoyant sur les improvisations des saxophones, et puisse se voir ainsi comme une participante à la liesse plutôt que comme une spectatrice. Facile, en tant qu'enfant, de se blottir contre sa mère et de se sentir en sécurité parmi l'afflux tapageur des touristes, des colporteurs et des forains de La Nouvelle-Orléans ; plus facile encore d'être si habituée à la sécurité que les changements subtils de Cilla advenaient sans qu'elle les remarque. Pour la jeune Rosy, passer d'un pique-nique improvisé *sous* les arbres à un pique-nique perché *dans* les arbres causait plus d'empressement que d'alarme.

À vrai dire, avant qu'elle en sache assez pour savoir de quoi il retournait, elle vivait les phases maniaques de Cilla comme un pur amusement. S'il arrive à toutes les mères de gambader dans les parcs et de tremper un orteil dans les fontaines, seule sa mère à elle gambadait sur le terre-plein de l'autoroute et plongeait la tête la première dans les fontaines. Avant qu'elle n'atteigne l'âge de raison, avant le début des inhibitions et la crainte des conséquences, ces traits rendaient sa mère exceptionnelle aux yeux de Rosy. La folie était comme un bonus.

Tout ça prit fin aux portes de Disney World.

Rosy avait presque onze ans, Cilla trente. Le voyage démarra au clair de lune.

— Arrête de faire la morte ! dit Cilla en sautant sur le lit qu'elles partageaient, les mains plantées de part et d'autre des joues de Rosy, sourire fou hérissé de dents brillantes, lèvres vermeilles empestant le tabac.

Lorsqu'elle était sous traitement, Cilla arrêtait toujours de fumer. Elle n'avait pas les moyens de se payer ce luxe. Lorsqu'elle était en phase maniaque, elle fumait. Et fumait, et fumait encore. Un jour, Rosy sut que le moment était venu d'appeler quand elle rentra et trouva Cilla assise en tailleur par terre dans la cuisine, une cartouche de Lucky Strike vidée en pile à ses côtés, en train de manger des cigarettes. Quand Rosy pénétra dans la pièce et posa ses manuels d'algèbre sur la table, Cilla leva les yeux, tendit une main vers Rosy, une cigarette en équilibre sur la paume, et cessa momentanément de mâcher pour demander :

— T'as faim ?

— Non merci, répondit Rosy, feignant l'indifférence. Je viens de manger.

— Mmm, c'est bon, répliqua Cilla, coupant l'offrande en deux avec les dents. Tu m'dis si tu changes d'avis !

Ce jour-là, comme elle avait pris l'habitude de le faire dans ces moments, Rosy quitta la cuisine en quête de linge sale. Le linge avait toujours besoin d'être lavé ces jours-là, Cilla ayant coutume de vider la commode commune, de souiller les cols de chaque chemise qu'elles possédaient avec son rouge à lèvres, et de renverser de la teinture pour cheveux sur le tapis de bain. Rouge, cette fois. Mais au-delà de l'hygiène, faire la lessive lui servait d'excuse pour quitter la maison sans donner l'alerte et l'occupait suffisamment longtemps pour éviter la débâcle. Elle bipa l'agent Hamilton depuis le téléphone payant du lavomatic.

Elle avait mémorisé son numéro des années plus tôt, lors d'une occasion semblable. Il avait toujours la gentillesse d'envoyer un policier directement au lavomatic avec l'ordonnance d'urgence du juge pour que Cilla ne puisse voir Rosy la lire. Avant qu'elle ne commence à se glisser hors de la maison et à se cacher au coin de la rue, la première fois qu'elle avait été en âge de déclencher elle-même la procédure en usant du téléphone de la maison, les auxiliaires médicaux commirent l'erreur de lui tendre les papiers en présence de sa mère. Elle n'avait rien fait de plus qu'esquisser un geste pour les prendre quand Cilla lui mordit le bras, laissant un trou qui requit sept points de suture. Rosy fit la route jusqu'à l'hôpital à l'avant de l'ambulance, aux côtés du conducteur qui n'arrêtait pas de rire, gesticulant en direction de sa mère sanglée à l'arrière, et répétant :

— Je n'arrive pas à croire qu'elle t'ait mordue ! Elle t'a vraiment mordue ! Elle t'a pas loupée, hein ?

Tandis que le docteur tenait la main droite de Rosy en l'air, une aiguille prête à transpercer sa peau couleur moka, l'agent Hamilton glissa une carte professionnelle dans sa main gauche intacte et dit :

— Si ça se reproduit...

— *Quand* ça se reproduit, corrigea-t-elle.

— Quand ça se reproduit, acquiesça-t-il, tu vas te réfugier dans un endroit tranquille avant de nous appeler. Pas la peine que vous vous retrouviez de nouveau toutes les deux à l'hôpital. Tu me dis où t'es, et je t'envoie quelqu'un pour s'occuper de tout ça.

L'officier Hamilton tint parole et, en outre, il ne manqua jamais d'enjoindre l'ambulance d'approcher la maison sans sirène ni gyrophare, une gentillesse que Rosy appréciait particulièrement, parce que cela attirait moins de monde. Mère et fille étaient suffisamment humiliées dans ces moments-là sans avoir à affronter un public superflu. Rosy elle-même ne supportait pas d'en être témoin ; elle attendait au lavomatic que ça passe, relisant l'étiquette des détergents jusqu'à ce que des termes comme "tensioactif anionique" lui deviennent aussi familiers que son propre prénom. Dans ce lieu saturé d'électricité statique, c'était la honte qui lui collait à la peau. Même avec tous les sèche-linge vides en train de tourner, même quand elle activait autant de machines qu'elle trouvait de pièces, les hurlements de sa mère continuaient de résonner dans tout le quartier, coupant à travers le bruit, déchirant Rosy comme au premier jour.

Les hurlements lui rappelaient, invariablement, Disney World, l'hystérie à l'entrée qui avait scellé le moment où elle quittait l'enfance pour devenir la gardienne de sa mère.

— Arrête de faire la morte, dit Cilla. J'veux m'lever ! J'arrive pas à dormir !

Elle rebondissait sur ses mains et ses genoux, à califourchon sur sa fille, secouant son corps pour la réveiller. Culbute... culbute... pirouette – Cilla tournoyait en l'air et atterrissait avec un *boing* retentissant sur le matelas, le visage tourné vers le haut, le regard au plafond.

— J'ai une idée ! cria-t-elle, en agitant les pieds et en tapant dans ses mains. Viens ! Debout !

Le réveil indiquait 11 h 42 en caractères rouges et brillants, projetant un halo sinistre au-dessus de la femme échevelée qui prenait l'enfant toujours endormie dans ses bras et se précipitait dehors. La porte resta grande ouverte toute la nuit, la maison sans protection, la radio à plein tube, toutes les lumières allumées, les clés et le porte-monnaie oubliés sur le comptoir de la cuisine à côté d'une barre chocolatée en train de fondre et de huit sacs de poulet grillé Popeye, encore tiède.

Cilla n'emporta rien de plus dans la nuit froide que son enfant somnolente en pyjama et un unique pilon de poulet.

Quand Rosy se réveilla au matin, elles étaient sur l'autoroute de la Floride, cap au sud, à une heure environ d'Orlando. Les huit heures précédentes, Cilla avait parlé sans discontinuer au camionneur qui les avait ramassées devant le restaurant de l'I-10 juste à la sortie de la ville, vers une heure du matin. Après son "Z'allez où ?" initial, il n'avait pas prononcé une seule phrase complète, et au bout de deux heures il ne s'était même plus donné la peine d'émettre les "hmm" et les "aha" d'usage. Inutile. Le commentaire de Cilla leur fit traverser trois États, le corps de Rosy blotti entre eux, sa tête sur la cuisse de Cilla, ses cheveux graissés d'huile de paume après neuf cents kilomètres de caresses constantes de sa mère. Le camionneur ne leur demanda jamais pourquoi elles voyageaient de nuit, ne fit aucune allusion à leur pyjama, ne tenta pas d'endiguer les délires de Cilla. Il avait contemplé la même route silencieuse pendant nombre de nuits interminables ; la folie de Cilla était une distraction bienvenue. Avec un au revoir empreint de nostalgie, il les déposa à l'entrée du parc d'attractions peu de temps après son ouverture.

Rosy fit tout ce qu'elle put pour rester dans le camion. Sa vie entière, elle avait rêvé d'une telle excursion, supplié sa mère de l'emmener chaque été, boudé devant ses justifications de pas d'argent, pas de temps, pas question. Et maintenant qu'elle était enfin là, elle regimbait ; il y avait des règles de bienséance à Disney World, évidentes même pour une enfant de dix ans. Rosy s'agrippa à la portière, criant : "Maman, arrête ! Tu me fais honte ! On est en pyjama !", tandis que Cilla l'empoignait par la taille et tirait de toutes ses forces jusqu'à ce qu'elle lâche prise. Cilla se fraya un chemin à travers les files d'attente, traînant Rosy par le poignet, un bras libre tendu devant elle pour écarter les gens, criant "Scusez-moi, 'scusez-moi !" tout en fonçant vers le guichet.

Rosy résista tout du long, bousculant un petit garçon en s'arrachant à sa mère, se faisant renverser à son tour par le grand frère du bambin qui rapprocha son visage du sien et grogna "Sale nègre!" avant de relever son frère en larmes et d'enjamber Rosy. Les fesses par terre, la tête enfoncée dans les genoux, Rosy se sentit invisible, merveilleusement invisible, et elle ne bougea plus. Mains sur la tête, roulée en boule, orteils repliés sous les cuisses, elle se fit toute petite, imperceptible, cachée. Et la foule l'enveloppa complètement. La file s'écartait autour d'elle mais se reformait de l'autre côté, continuait d'avancer, tous regardant alentour comme pour chercher celle qui viendrait sauver l'enfant-motte parmi eux. Quelques-uns haussèrent les épaules : *Que faire ?* Une femme esquissa un geste dans sa direction, se ravisa, se rétracta. Continua d'avancer.

Entre-temps, Cilla avait atteint le guichet.

— Deux tickets! cria-t-elle, réalisant alors seulement qu'elle n'avait pas d'argent, promettant d'envoyer un chèque plus tard.

Déjà perturbée par le comportement de Rosy – elle n'avait même pas remarqué que cette dernière n'était plus à ses côtés –, l'humeur de Cilla vira de belliqueuse à enragée lorsqu'on lui refusa l'entrée du parc.

— Mais madame…, commença la guichetière, avant que la rage de Cilla ne l'interrompe.

— Mais madame…, recommençait la jeune fille au moment où Cilla reprenait sa respiration, sans jamais parvenir à prononcer autre chose que ces deux mots.

— Mais madame…, parvint enfin à placer la gentille étudiante après que Cilla l'eut traitée de "pute" et de "connasse" et de "salope de péquenaude" et se fut arrêtée, un instant, pour réfléchir à une meilleure insulte… Il y a un code vestimentaire!

— Z'avez un problème avec la façon dont j'm'habille? T'aimes pas mes fringues, sale pétasse blanche? Tu préfères comme ça? demanda-t-elle en caquetant, puis elle arracha sa chemise de nuit par-dessus sa tête et se tint nue comme un ver devant l'entrée de Disney World, fouettant le visage de l'employée avec le vêtement imbibé de sueur.

Alertée par les cris et les jurons de la foule, Rosy finit par lever la tête et aperçut sa mère nue entre les jambes qui pivotaient tandis que des parents faisaient volte-face pour presser le visage de leurs enfants contre leurs ventres. Rosy mourut. Quelque chose mourut. Son premier réflexe fut de ne pas bouger, de rester cachée, de rester aussi loin de sa mère que possible. Elle jeta même un regard en arrière pour voir si, dans la confusion générale, il lui serait possible de fuir à quatre pattes sans qu'on la remarque.

Mais quand un agent de sécurité – qui esquiva les crachats de Cilla et, ne parvenant pas à l'attraper, fut griffé à la joue – l'allongea d'un coup de matraque sur la clavicule, le hurlement de Cilla capta à nouveau l'attention de Rosy.

— Arrêtez! Arrêtez! hurla Rosy en se levant d'un bond pour se précipiter vers Cilla : Arrêtez! C'est ma maman! Arrêtez! menaça-t-elle.

Sans pleurer, sans trembler. Autoritaire. Le gardien fit même un pas en arrière. Rosy étendit son corps, à plat ventre, sur celui de sa mère, pour la protéger. Des regards. Des matraques. Veillant à ne pas trop s'éloigner pour éviter d'exposer à nouveau le corps de Cilla, elle allongea le bras et attrapa la chemise de nuit, la passa par-dessus la tête de sa mère, en tirant pour recouvrir sa poitrine et son entrejambe. Puis elle enveloppa Cilla dans ses bras, où sa mère continua à hurler de douleur, mais à une fréquence plus basse.

— C'est ma maman, dit-elle en regardant le gardien, le fixant jusqu'à ce qu'il détourne les yeux. Ma maman. Elle est malade. Appelez une ambulance.

Elles y étaient : le point de non-retour. Cilla l'enfant. Rosy l'adulte.

Rosy devint rapidement une psychométricienne et une pharmacologue amatrice, elle contrôlait les humeurs et les médicaments de sa mère avec diligence, adaptant autant qu'elle le pouvait les circonstances extérieures aux variations internes de Cilla. Ce n'était pas de tout repos. Cela nécessitait des soins, une vigilance, un calme constants.

Les orages ne se terminent jamais bien, au sens propre comme au sens figuré.

C'est pourquoi elle avait espéré ne pas devoir en arriver là. Avait espéré que ça passerait. Détestait avoir à dire ce qu'elle dit.

— Maman, sérieusement, j'crois qu'y faut qu'on parte d'ici.

La pluie tombait en rafales, cognant contre les fenêtres quand le vent soufflait, martelant le bitume détrempé quand il se calmait. La maison avait encore l'électricité.

— C'est un catégorie 5 maintenant. Impact demain. Avec des vents à deux cent quatre-vingts kilomètres à l'heure.

Elle adoptait un ton mesuré, même pour parler d'un ouragan ; avec Cilla, l'anxiété pouvait conduire à l'hystérie.

Cilla passa la tête par la porte des toilettes, son mascara dans la main, une lance noire braquée sur Rosy.

— Hé ho, vous sentez ce vent à deux cent quatre-vingts kilomètres à l'heure ? Oh, oh, j'le sens qui vient ! taquina-t-elle, se suspendant à l'embrasure de la porte, projetant la partie supérieure de son corps dans le couloir. Attrape-moi, p'tite Rosy, attrape-moi ! Sinon l'vent va m'emporter loin d'ici !

Sur ce, elle éclata de rire et disparut à nouveau dans la salle de bain. Elle se tut juste un instant, la bouche grande ouverte, les lèvres plaquées contre ses dents en un O crispé pendant qu'elle appliquait une deuxième couche de mascara sur les cils de son œil gauche, puis sur ceux de son œil droit. Clin d'œil. Clin d'œil. Clin d'œil, clin d'œil pour faire migrer le maquillage vers les cils inférieurs.

— Ma fille, t'as intérêt à mettre tes beaux habits si tu m'accompagnes. La messe est à 10 h 30 et tu sais que le sermon du révérend Armour n'attend personne. (Une brève pause, puis :) Même pas ton ouragan Katrina ! et elle se tordit à nouveau de rire.

Rose se laissa glisser de l'ottomane et s'agenouilla devant la télé, écoutant attentivement par-dessus les gloussements de Cilla, les mains contre l'écran, appuyant fort sur le téléviseur, cherchant un présage dans le teint du présentateur. Il semblait pâle. Épuisé. Ça la rendait nerveuse. Elle porta l'ongle de son pouce à ses dents de devant, le rongea jusqu'à la racine et en sectionna l'extrémité. Puis elle retourna son pouce et mâchonna la chair à vif tout en l'écoutant. Elle soutint son regard avec le sien, l'adjurant intérieurement : *Dites-moi, vraiment, qu'est-ce qu'on doit faire ?*

Elle faisait plus confiance à Brian Williams de MSNBC qu'au maire de La Nouvelle-Orléans. Les Blancs écoutaient Nagin, bien sûr, mais ils prenaient leurs jambes à leur cou chaque fois qu'il arrivait quelque chose de fâcheux en ville. Ils avaient commencé à attendre devant les stations essence dans leurs 4 x 4 la veille au soir, en files bien ordonnées, quand le maire avait scrupuleusement encouragé les résidents à évacuer les lieux. Ce matin, il y avait quarante minutes environ, il était de nouveau apparu à la télévision, l'air plus affolé, donnant l'ordre d'évacuer la ville, comme s'il y avait le moindre espoir que ce soit appliqué. "La houle de l'orage va certainement renverser notre système de digues."

Qu'est-ce qu'il en savait?

Mais Brian Williams… lui, il savait. Il n'y avait qu'à regarder son costume. Il valait de l'argent. Un homme avec autant d'argent savait certainement de quoi il parlait.

Soudain le présentateur porta la main droite à son oreille et leva la main gauche en l'air, vers la caméra. Brian parlait avec un invité du centre météorologique de Sidell, en Louisiane, au sujet de leur "bulletin météo urgent", quand il dut brusquement couper la parole au météorologue.

— Je suis désolé de vous interrompre, dit Brian, ô combien poliment, mais j'ai sous les yeux un rapport de Robert Ricks, météorologue au centre météorologique de La Nouvelle-Orléans/Bâton Rouge, publié il a un instant, à 10 h 11, HAC. Je vais le lire dans sa totalité :

> Dégâts dévastateurs attendus avec le passage de l'ouragan Katrina, un ouragan puissant à la force sans précédent, d'une intensité égale à celle de l'ouragan Camille, en 1969. La majeure partie de la ville sera inhabitable pendant plusieurs semaines, peut-être plus. Au moins la moitié des maisons de construction solide vont subir des dommages au niveau des murs et du toit. Tous les toits à pignons vont s'effondrer, ce qui va entraîner de sérieux dégâts, voire détruire les maisons.
>
> La plupart des bâtiments industriels ne seront plus fonctionnels. On s'attend à un effondrement partiel ou intégral des murs et des toits. Toutes les habitations à hauteur limitée ayant une ossature en bois seront sinistrées. Les habitations à hauteur limitée construites sur une dalle en béton subiront des dégâts importants, dont des dommages au niveau des murs et du toit.
>
> Les tours de bureaux et d'habitation vont tanguer dangereusement, certaines au point de s'écrouler complètement. Toutes les fenêtres vont exploser.
>
> De nombreux débris seront aéroportés, dont des objets lourds tels que des appareils ménagers, voire de petits véhicules. Les 4x4 et les camions légers seront emportés. Les débris volants provoqueront des dommages supplémentaires. Les personnes, les animaux domestiques et le bétail exposés risquent une mort certaine s'ils sont touchés.

Les coupures de courant dureront des semaines entières, la plupart des poteaux télégraphiques s'écrouleront et les transformateurs seront détruits. Les pénuries d'eau causeront des souffrances humaines exceptionnelles selon les critères modernes. La plupart des arbres indigènes seront cassés net ou déracinés. Seuls les plus robustes resteront debout, mais perdront toutes leurs feuilles. Peu de cultures résisteront. Le bétail mourra s'il reste exposé au vent.

Une alerte aux vents violents est déclenchée quand des vents prolongés d'une force quasi égale à un ouragan, ou des bourrasques fréquentes d'une force égale ou supérieure à celle d'un ouragan, sont attendus dans les prochaines douze à vingt-quatre heures.

Dès que les vents de force cyclonique ou de tempête tropicale auront commencé de souffler, ne vous aventurez pas dehors !

Saloperie d'ouragan, pensa Rosy. Six mois plus tôt, en apprenant qu'elle avait obtenu une bourse complète pour Tulane, une camarade de classe lui avait demandé si elle comptait accepter. "Tu rigoles ? avait-elle répliqué. Seule une catastrophe naturelle pourrait me retenir !"

Une catastrophe naturelle, sans blague. Tant pis pour l'inscription ce matin.

Elle se força à se lever pour dire à Cilla de faire ses bagages afin qu'elles puissent attraper un des bus réaffectés qui passeraient dans le quartier à midi pour acheminer les résidents vers un "refuge de dernier ressort". Mais Cilla était là, juste derrière elle, les mains sur les hanches, souriante.

— Si ça, c'est pas des conneries, chantonna Cilla en sortant d'un pas nonchalant pour aller à l'église. 'Sont fous s'ils croient que j'vais abandonner ma baraque pour une histoire de vent !

Juste avant qu'une bourrasque ne claque la porte dans son dos, lui coupant la parole.

Rosy fit les bagages en son absence. Elle tripla les sacs en papier marron qu'elles rangeaient sous l'évier pour servir de poubelle et en remplit quatre (deux par femme, un dans chaque main) avec tous les indispensables. Elle estimait qu'elles passeraient au maximum deux jours hors de la maison, mais prit des affaires pour quatre au cas où. Elle emballa le lithium de Cilla dans un sachet hermétique, pour plus de sûreté, puis, réflexion faite, fixa le sachet au sweat-shirt calé tout au fond du sac avec une épingle à nourrice, pour l'arrimer si elles se faisaient bousculer par la foule. Elles ne pouvaient en aucun cas se permettre de perdre ces médicaments. En plus des vêtements, elle avait glissé une lampe de poche, une barre chocolatée, une lime à ongles et une paire de boules Quiès qu'elle avait trouvée dans le tiroir vide-poches en cherchant des piles – qui sait où elles dormiraient ce soir ? Enfin, sur le dessus, elle cala la boîte à bijoux de sa mère. Puis elle aligna les quatre sacs près de la porte d'entrée et se rassit devant la télé.

Au crépuscule, quand Cilla rentra, huit heures plus tard que prévu, avec une marmite remplie de crevettes et de roux, suivie par un cortège d'invités et déclarant à la cantonade "On va se faire une soirée spéciale ouragan !", elles avaient loupé le dernier bus et se trouvaient prises au piège, les proies du désastre, dans le Lower Ninth Ward.

3

Rose

Tout le monde appartient à quelqu'un.
Tout le monde vient de quelque part.

C'ÉTAIT le lundi 12 septembre. Deux jours après l'enterrement de Gertrude. Neuf jours après l'accident. Quatorze jours après le passage de l'ouragan Katrina qui avait poussé Gertrude à inspecter leurs penderies et à jeter des manteaux élimés en travers du siège passager de sa voiture. Les pieds de Rose étaient moins douloureux, mais ses mains l'étaient davantage. Depuis plus d'une semaine, elle faisait craquer ses articulations surmenées en continu tout en élaborant sa stratégie, et quand elle se retrouva assise, immobile et seule, avalée par une chaise d'interrogatoire en bois dans la salle de patrouille du poste de Tuscaloosa, elle recommença à les faire craquer d'impatience. Tout ce qu'elle projetait de faire reposait sur l'issue de l'heure à venir. Il lui fallait convaincre le policier, obtenir de lui ce dont elle avait besoin, et elle avait délibérément travesti sa véritable nature pour que la balance penche de son côté.

Elle avait l'impression d'être une des traînées classées X qui ornaient les couvertures des romans sentimentaux ridicules de sa mère, même si tous ses efforts pour se pomponner n'avaient abouti à rien de plus grivois qu'une version "accord parental conseillé", une séductrice quelque peu empruntée. Quoi qu'il en fût, elle décida de ne pas s'en soucier tant que jouer la carte du sexe fonctionnerait.

Elle avait imaginé ce rôle parce qu'elle ne pensait pas arriver à ses fins avec un fonctionnaire en restant elle-même; clairement elle ne séduirait pas le policier par une conversation spirituelle sur leurs centres d'intérêt communs. Il collectionnait probablement les fusils ou quelque autre objet violent, alors qu'elle collectionnait les éditions reliées des livres ayant

45

remporté le prix Pulitzer ou le National Book Award depuis 1987, année de sa naissance, et qu'elle en était à la moitié de sa quatrième relecture de l'ensemble. Et elle ne croyait pas non plus qu'ils se découvriraient des goûts ou des styles en commun. Il cultivait certainement un penchant pour l'alcool aux rallyes NASCAR, alors que la fascination de Rose pour le réalisme magique des écrivains latino-américains l'avait conduite à faire une étude informelle des plasticiens Tooker et Wyeth, qui s'était ensuite muée en fixation sur l'art populaire américain en général.

Elle savait que même s'il lançait la discussion habituelle sur les stars du moment, elle serait incapable de le suivre, puisqu'elle préférait la revue littéraire dominicale du *New York Times* aux émissions de télévision, les analyses politiques de la radio NPR au top 20 des tubes country de WTXT, et qu'elle ne se souvenait même plus de la dernière fois où elle était allée au cinéma. Ce jour-là, pour la seule et unique fois de sa vie, elle se dit que prendre exemple sur la fausse connexion de sa mère avec le monde – forgée à grand renfort de talk-shows, de magazines à potins hollywoodiens et de critiques de films à succès – lui serait utile. Les policiers allaient sûrement au cinéma pour se détendre. Si seulement elle avait une idée de ce qui s'y jouait.

Rose porta sa main droite à sa bouche et se mordit un ongle, mais elle sursauta et le recracha aussitôt, rebutée et surprise par le goût du vernis. Le parfum âcre de l'acétate lui donna un haut-le-cœur. Sans se retourner complètement, elle jeta un coup d'œil à droite, à gauche : quelqu'un avait-il remarqué ? Détends-toi, s'exhorta-t-elle. Sois cool. Il fallait qu'elle occupe ses mains pour éviter de se ronger les ongles. Elle les posa sur ses cuisses, lissa sa robe, se tapota les genoux. S'agrippa au rebord de la chaise, tritura un vieux chewing-gum séché en dessous, se toucha les cheveux.

Ayant grandi sans père – il avait quitté sa mère avant qu'elle ne soit née – et n'ayant jamais eu de petit ami, Rose avait très peu d'échanges avec les hommes. De fait, aucun homme n'était jamais entré dans l'appartement mis à part le concierge, et encore, deux fois seulement : la première pour déboucher un broyeur d'ordures trop chargé, la deuxième pour changer une bobine de chauffage dans un foyer électrique. Les livreurs étaient chaleureusement accueillis sur le pas-de-porte, et tout aussi chaleureusement invités à repartir ; les relations avec ses camarades de classe se limitaient à des échanges en cours ; pour la plupart, les voisins étaient anonymes et passaient inaperçus. Pourtant, partout autour d'elle, Rose voyait des femmes manipuler quotidiennement des hommes à des fins personnelles : la dame au magasin, qui scrutait l'intérieur de son porte-monnaie d'un air affligé, se penchait au-dessus du comptoir dans son chemisier affriolant et traçait le contour de son décolleté du bout des doigts en murmurant : "On dirait que je suis un tout petit peu à court aujourd'hui", et se voyait offrir la totalité de ses achats, avec un sourire en prime. La pom-pom girl qui appuyait sa jupe courte et sa cuisse dénudée contre le rebord du bureau du professeur d'histoire en disant : "Ma maman était encore malade hier soir, alors j'ai dû faire à manger pour toute la famille et mettre les petits au lit…", tout en tripotant une mèche bouclée, ce qui lui valait un A pour son devoir inexistant.

Rose avait pris leurs leçons sensuelles au sérieux. Elle avait appelé pour vérifier l'emploi du temps du policier, puis elle était arrivée tôt, vingt minutes avant le début de son service, pour se donner le temps de rassembler ses esprits. Elle s'était sentie ridicule en marchant de l'appartement à la rue, puis en montant l'escalier qui menait au poste. Dieu soit béni pour l'heure matinale et l'anonymat du taxi ; personne ne la reconnut en route. Sa robe moulante, sa peau surexposée, ses cheveux dénoués bafouaient ses principes féministes, et ses joues avaient été suffisamment empourprées par la honte pour qu'elle n'ait pas eu à mettre de blush par-dessus les autres couleurs artificielles dont elle avait tartiné son visage. Mais quand elle se retrouva seule à côté du bureau du policier, attendant son arrivée, ayant trouvé de quoi s'occuper les mains, elle se détendit. S'enhardit. Tout ça en vaudra la peine, pensa-t-elle en ajustant son décolleté, si j'arrive à le convaincre d'ouvrir pour moi le dossier de la fille morte.

Ce matin-là, l'inspecteur McAffrey arriva au poste quinze minutes en avance, comme il le faisait souvent, pour étudier son emploi du temps au calme avant le tapage du changement d'équipe.

— Salut Mac ! lui lança le réceptionniste dans l'antichambre. Y a une sacrée poupée qui t'attend à l'intérieur !

L'homme se pencha au-dessus de son bureau pour suivre le regard de Mac, qui observait la jeune femme par la porte entrouverte : elle leur tournait le dos, assise tout au fond de la pièce. McAffrey fixa ses cheveux blonds cascadant autour de la fermeture éclair de sa robe d'été rose à motifs floraux. La fille entortillait sans cesse la même boucle dénouée autour d'un doigt fraîchement manucuré.

— T'as rien de mieux à faire ? demanda McAffrey, assénant un coup de poing jovial à l'épaule de son collègue, le renvoyant derrière son bureau tandis que lui rejoignait la salle d'interrogatoire à grands pas.

Tout en marchant, McAffrey lissa son uniforme sur son torse puissant et rentra le ventre à bière qui lui était récemment poussé. Fallait bien l'avouer, la femme était à tomber, mais ce fut son parfum qui l'acheva. Il pouvait la sentir à deux mètres. Elle sentait comme Pâques. Ou la vanille. Non, un gâteau au citron. Elle sentait comme quelque chose qu'il aurait aimé lécher. Cette idée le troubla et l'agaça. Il n'était pas ce genre d'homme, plus maintenant. Il valait mieux que ça. Nom de Dieu, s'enjoignit-il, reprends-toi !

Ça faisait longtemps. Plus jeune, il avait eu la réputation parmi les flics du coin d'être un sacré tombeur, un coucheur invétéré, quelqu'un qui ne partait jamais d'une fête ou d'un bar sans trophée à son bras. Mais vers la trentaine, il avait commencé à se sentir de plus en plus vide après chaque nouvelle histoire sans lendemain, et à quarante ans il avait décidé que ses conquêtes étaient pathétiques, et lui plus encore. Ainsi, arrivé au milieu de cette décennie, il se résigna au célibat, choisissant d'épouser d'autres passions. Il pêchait, brassait lui-même une bière qui avait un sacré coup de fouet, et quand il devint inspecteur, il se consacra tout entier à la cause des maltraitances sur mineurs. Il avait les meilleurs résultats de l'Alabama pour ce qui était de mettre les pédophiles en prison, et il avait rouvert – et résolu – plus d'affaires non classées d'enfants assassinés que n'importe qui d'autre dans un rayon de cinq États. Les gamins, c'était sa cause sacrée.

Toujours est-il que la silhouette d'une femme si délicieusement parfumée éveillait en lui les sensations de cet homme vingt ans plus jeune.

La veille, Rose avait passé près d'une heure à flâner dans le département maquillage du grand magasin Parisian à la recherche d'un parfum, quelque chose avec une touche de cannelle, de vanille, de lavande et d'encens, bouquet jugé "le plus susceptible d'entraîner une liaison". Pour une raison quelconque, cette information s'était logée dans sa mémoire au cours d'une soirée déjà ancienne, malgré tous ses efforts pour ignorer l'habitude qu'avait sa mère de lire, l'un après l'autre et à haute voix, des extraits d'articles mièvres dans les magazines féminins qu'elle achetait chaque semaine au drugstore. De l'avis de Rose, ces torchons étaient un gaspillage de ressources inconsidéré, que seules les foutues enveloppes Prize Patrol surpassaient.

— Chaque centime que tu mets dans ces magazines est une contribution directe à l'abêtissement des femmes américaines, s'insurgeait-elle.

— Ah ouais, Madame J'suis-tellement-snob-qu'à-force-de-me-promener-le-nez-en-l'air-j'risque-de-me-noyer-dans-une-averse, répondit une fois Gertrude. Alors dis-moi un peu : est-ce que toi, tu peux citer les quatre parfums les plus susceptibles d'entraîner une liaison ?

Rose avait reniflé tellement de parfums en déambulant dans le grand magasin qu'elle s'était réveillée ce matin avec un mal de tête. À la fin, elle s'était décidée pour une fragrance qui lui évoquait un moment passé à siroter une citronnade dans un jardin, un gâteau dans la poche.

— Mon copain l'aime *beaucoup*, celui-là, lui déclara la vendeuse avec un clin d'œil. Vous savez où en mettre, pas vrai, pour les rendre tous fous ?

Rose n'en avait pas la moindre idée. Elle ne sortait pas avec des garçons, n'allait pas à l'université, ne fréquentait pas les salons de coiffure. Elle mettait de la crème solaire et se faisait une queue-de-cheval et comptait doubler le nombre de cours qu'elle suivait au centre universitaire de premier cycle avant de faire un transfert vers l'université à proprement parler afin d'obtenir rapidement sa licence ; elle avait déjà jeté son dévolu sur le prestigieux master de création littéraire proposé par l'université de l'Iowa. Ses meilleurs amis étaient ses livres et un bas de jogging confortable. Elle sentait le savon.

— Donnez-moi votre poignet, lui avait indiqué la fille, y vaporisant du parfum ainsi qu'à l'arrière des oreilles et dans l'air au-dessus de la tête de Rose pour que les perles brumeuses retombent dans ses cheveux.

Lorsque Rose mentionna qu'il lui fallait aussi une robe, la vendeuse désigna le centre commercial du doigt et dit :

— La sélection la plus sexy est dans ce magasin-là, de l'autre côté de l'allée.

La réaction initiale de l'inspecteur McAffrey lorsqu'il l'aborda et lui tendit une main en guise de salut fit penser à Rose que tout avait fonctionné. Il eut le souffle coupé. Elle prit la main qu'il lui offrait dans la sienne et la serra chaleureusement entre ses deux paumes tandis qu'il la dévisageait. Sa poignée de main était vigoureuse, mais son visage était doux – plus rond et jovial que ciselé –, et l'âge l'avait pourvu de bajoues et de pattes d'oie qui tempéraient sa carrure imposante. Quand elle lui lança son sourire laqué et demanda à voir les effets personnels de la fille morte, sa main se fit moite, mais il ne demanda jamais "Quoi ?" ou "Pourquoi ?", il ne balaya même pas la pièce des yeux pour voir si quelqu'un avait remarqué son inconvenance. Il retira simplement sa main de celle de Rose, fouilla dans son bureau et lui passa les documents comme s'il distribuait régulièrement les possessions des victimes de crimes quand on les lui demandait avec sincérité, comme si tout ça était éthique.

— C'est... euh... tout ce qu'elle avait sur elle. Quand on a, euh... (à cet instant il se racla la gorge comme un garçon timide et baissa les yeux, navré d'avoir à prononcer ces paroles) dégagé son corps de sous la voiture.

Il marqua une pause, attendant de voir la réaction de Rose. Mais elle continua à le regarder. Calme. Suppliante. Alors il poursuivit.

— Je veux dire, elle n'avait pas d'autre forme d'identification sur elle. Pas d'argent hormis quelques pièces. Rien d'autre que cette carte de visite, cette page d'annuaire et ce reçu du City Cafe.

La décharge sensuelle qui avait traversé McAffrey lorsqu'il s'était approché, les yeux rivés sur le dos de la femme, s'était dissipée dès la seconde où il avait contourné son bureau pour lui faire face et reconnu Rose comme étant la fille de l'accident. Nul homme honnête ne peut offrir à une fille la protection de ses bras – ni sa propre enfant emmaillotée, ni une adolescente ramassée, couverte de sang et docile, sur le gravier au bord de la route, tard un soir d'été – et ensuite la considérer autrement que comme sa propre enfant. Le changement immédiat de perspective – de sexuelle à paternelle – le sidéra au point qu'il ne réfléchit pas, se contentant de réagir, quand elle demanda à voir les affaires de la fille morte.

Il avait eu l'occasion, une fois, d'être père. Ne l'avait su qu'un an après que la femme eut avorté, quand elle l'avait annoncé d'un ton désinvolte en se levant du lit d'hôtel qu'ils avaient l'habitude de partager une fois par an lors de la conférence nationale des forces de police. Il ne pouvait pas lui en vouloir, pas vraiment, mais il ne lui adressa plus jamais la parole, et il fut surpris et humilié de sangloter dans la douche après son départ. Ensuite, il jura de ne plus jamais y penser et ne l'avait pas fait pendant plusieurs années, n'avait jamais assimilé la ferveur avec laquelle il s'acharnait sur les dossiers d'enfants disparus à un désir de retrouver l'enfant qu'il avait lui-même perdu. Mais plus il vieillissait, plus il se résignait à sa solitude, et plus il devait faire d'efforts pour étouffer ses regrets.

Puis il découvrit le corps de Rose sur le bas-côté de la route. Lorsqu'il la prit dans ses bras et murmura "Tiens bon, ma belle, les secours arrivent", il fut frappé par l'idée qu'elle aurait pu être son enfant, que, si le bébé avait été en vie, il aurait eu l'âge de cette fille, et il la serra comme si elle l'était, tiède contre sa poitrine, sa joue mal rasée contre son visage meurtri, lui promettant la sécurité dans ses bras musclés. Il l'étreignit comme il n'avait jamais étreint auparavant quelqu'un du sexe opposé, toutes ses pulsions habituelles supplantées par la même troublante bouffée de sentiments protecteurs et paternels qui lui avait fait honte dans la fameuse salle de bain de l'hôtel, deux décennies plus tôt.

Maintenant il était déconcerté et gêné de voir la fille jouer avec ses cheveux, lui parler en ramenant ses boucles autour de son décolleté avec des ongles trop vifs.

— J'ai regardé le journal télévisé, la première nuit à l'hôpital, dit-elle. Ils l'ont qualifiée de "fugueuse non identifiée". Mais comment savez-vous qu'il s'agit d'une fugueuse ? Qu'est-ce qui vous dit qu'elle n'est pas du coin ?

Avant toute chose, il était désolé pour elle. Elle avait sept jours de retard sur les actualités, et il ne s'expliquait pas comment elle s'était débrouillée pour se cloîtrer au point d'éviter les dernières nouvelles concernant le sujet le plus brûlant de la ville cette semaine : elle-même. Mon Dieu, pensa-t-il, comme cette fille doit se sentir seule. Cela l'inquiéta. La fit soudain apparaître comme une enfant en mal de protection. Elle n'était encore, après tout, qu'une adolescente. Il tendit la main pour la consoler, mais eut un mouvement de recul quand elle blottit sensuellement son épaule contre sa paume ouverte.

— Arrêtez, s'il vous plaît, dit-il.

Elle s'écarta brusquement de lui et rougit violemment des joues jusqu'à la poitrine, mais il poursuivit avec douceur :

— Je veux vous aider. Je veux vous aider parce que vous le méritez. C'est tout.

Puis il prit un sweat-shirt réglementaire bleu marine sur le dos de sa chaise et le lui tendit.

— Ils mettent toujours la climatisation trop fort ici, si vous voulez mon avis, dit-il. Vous avez sûrement un peu froid avec juste cette robe. Enfilez donc ça.

Rose obéit. Elle posa le petit tas de preuves sur le bureau de McAffrey le temps d'enfiler le sweat-shirt par-dessus sa tête et de dégager ses cheveux du col. Avant de rouler les manches pour libérer ses mains, elle rassembla la paperasserie sur ses genoux et se pencha dessus avec convoitise. Mais il n'avait pas l'intention de la lui retirer. Il se contenta de siroter son café, lui laissant le temps de l'examiner.

Lorsqu'elle prit et déplia la page d'annuaire écornée, la carte de visite d'une inconnue et le reçu d'un restaurant local s'en échappèrent et atterrirent sur ses genoux. Elle retourna plusieurs fois la Page Blanche, vérifiant s'il y avait la moindre note, le moindre nom encerclé, le moindre indice. Rien. Elle venait de commencer à replier la feuille, détournant son attention de la liste de noms rangés par ordre alphabétique, lorsqu'elle réalisa, avec un sursaut, laquelle des centaines de pages de l'annuaire elle avait en main. Elle laissa tomber la feuille comme si celle-ci l'avait brûlée, puis la cueillit en l'air tout aussi vivement tandis qu'elle voletait vers le sol. C'était un signe. Elle en était sûre. Elle n'avait pas besoin d'un signe, mais c'en était un.

Elle parcourut la liste avec l'index droit, et trouva ce qu'elle cherchait. Se trouva. G. & R. Aikens.......... (205) 348-9223. Gertrude et Rose. Une entrée unique parmi des milliers. Elle rapprocha la feuille de son visage, la laissa lui parler. Elle l'entendit haut et fort : Vous devez me retrouver.

McAffrey la regarda attentivement, but une autre longue gorgée de sa Thermos, reprit son sang-froid. Ses ecchymoses se résorbent, pensa-t-il. Yeux au beurre noir presque estompés. Elle est vraiment jolie de jour, malgré le maquillage appliqué à la truelle. Mais plus il observait son comportement étrange – la façon dont elle avait lâché la feuille, l'avait rattrapée, puis avait collé son nez dessus – plus il s'interrogeait sur les effets à long terme d'une commotion.

— Je vous ai déjà trouvée, dit-il.

Rose leva la tête comme si sa voix l'avait fait sursauter.

— Pardon ?

— Je vous ai déjà trouvée, dit-il.

Elle fronça les sourcils et lui lança un regard mauvais, comme s'il était fou.

— Bon OK, ce sont les frères Burns et le jeune Justice qui vous ont trouvée, mais j'étais le premier sur les lieux. J'ai appelé une ambulance. Vous ne vous en souvenez pas ?

— Mais de quoi parlez-vous ? Pourquoi vous me dites ça ? demanda-t-elle.

Il secoua la tête. Contrarié, il répliqua :

— Vous venez de dire "Vous devez me retrouver" et moi je vous dis que c'est fait.

— Ah, ah oui.

Rose ne s'était pas rendu compte qu'elle avait parlé tout haut. Quelle honte.

— Je suis désolée. Bien sûr, inspecteur.

Maintenant elle craignait de l'avoir encore plus agacé – d'abord le ridicule subterfuge sexy, puis ce fichu ton dont elle avait le secret – et d'avoir tout gâché. Son visage s'affaissa. Elle avait gâché trop de choses cette semaine pour gâcher ça en plus.

Le regard de Rose acheva McAffrey. Il eut une bouffée de pitié pour la fille – blessée, orpheline, visiblement troublée.

— OK. Si on reprenait tout à zéro, proposa-t-il avec gentillesse, s'avançant pour venir s'appuyer contre le rebord de son bureau, plus près d'elle. Qu'est-ce que vous faites ici, ma belle ? Pourquoi vous attachez tant d'importance à ce qui est arrivé à cette fille ?

Sa sincérité la désarçonna. Si au début elle s'était méfiée de lui, troublée par son aptitude à percer si rapidement son comportement, sa franchise ultérieure, la douceur de ses manières la reconquirent. Elle décida d'être simplement elle-même. De lui confier sa vérité. Son besoin de connaître l'identité de la fille avait été si fort, ses manigances pour y parvenir l'avaient tant obnubilée qu'elle ne s'était pas consciemment posé la question du pourquoi, mais quand il lui demanda, elle sut qu'elle savait. Donc, fini la comédie. Elle replia tendrement la page de l'annuaire autour de la carte de visite et du reçu, les serra entre ses paumes, rassembla le tout sous son menton et renifla instinctivement le papier, inhalant profondément, yeux fermés. Inhalant Rosy.

— Parce qu'elle appartenait à quelqu'un.

Elle le regarda droit dans les yeux et l'implora en silence : Vous me suivez ? Comprendrez-vous ?

— Elle appartenait à quelqu'un, n'est-ce pas ?

Comme il ne réagissait pas, elle répondit à sa propre question dans un souffle.

— Tout le monde appartient à quelqu'un. Tout le monde vient de quelque part.

L'inspecteur plissa les yeux, attentif. Il l'écoutait vraiment, il essayait vraiment de comprendre.

— Et s'ils n'apprennent jamais ce qui lui est arrivé? poursuivit-elle. Vous savez ce que ça fait, de ne jamais savoir? Quand il vous manque des pans entiers de ce à quoi et à qui vous êtes censé appartenir?

Ouaip, je sais, pensa-t-il.

Rose baissa les yeux sur son giron, tripota les maigres possessions de la fille, soupira. Puis elle se laissa aller en arrière dans la chaise gargantuesque et releva les genoux, talons posés en équilibre sur le rebord du siège, tirant instinctivement sur l'ourlet de sa robe et le resserrant autour de ses chevilles, par souci de bienséance.

— Aux infos, tous les soirs, dès la minute où l'ouragan Katrina a frappé, ils ont commencé à montrer les survivants dans La Nouvelle-Orléans qui brandissaient des photos, qui suppliaient: "Avez-vous vu cette personne?"

Elle posa de nouveau le regard sur le détective, toujours appuyé contre un coin du bureau.

— Vous vous souvenez quand la même chose est arrivée après le 11 Septembre? (Elle se tut un instant avant d'ajouter:) C'était il y a quatre ans hier.

Comme si un flic avait besoin qu'on le lui rappelle.

— J'ai vu les tours tomber, comme tout le monde, mais ça avait quelque chose de tellement surréaliste, dit-elle. J'aurais presque pu imaginer que ça n'était pas vraiment arrivé. Mais les murs avec tous ces visages scotchés dessus, et la façon dont les proches brandissaient des photos devant la caméra et disaient "C'est mon fils, il travaillait au 57e étage", ou "Ma femme est courtière chez Cantor Fitzgerald, l'avez-vous vue?", mon Dieu, ça m'a tuée. Chaque fois que je voyais un visage, je fondais en larmes. Les présentateurs annonçaient "Trois mille personnes portées disparues", et ça n'éveillait rien en moi, comme s'ils parlaient d'une cargaison perdue de… stylos, ou quoi… Puis une femme se précipitait en brandissant la photo d'un homme portant une casquette, le bras passé autour des épaules d'un ami, avec un sourire un peu de travers et de grosses fossettes, elle montrait l'image et disait "Mon mari…", et je pouvais à peine à respirer!

"Je n'arrête pas de penser aux albums photo de ces gens, les photos qu'ils ont arrachées pour les montrer aux caméras. Imaginez le reste de ces albums. Rien que des pages blanches après ça.

"Vous savez comme ils n'arrêtent pas de dire, avec l'ouragan Katrina, qu'on ne saura jamais le compte exact, ni qui a disparu, ou de quelle manière ? À quoi vont ressembler les albums photo de ces familles-là ? Ni photos, ni réponses, ni rien.

Elle se passa la main dans les cheveux, les rassemblant derrière son crâne jusqu'à les tenir tous serrés dans son poing, une queue-de-cheval de fortune, puis elle reposa sa joue contre le creux de son coude plié et balaya la pièce d'un regard absent.

— Les pages blanches vous hantent, chuchota-t-elle. Je ne peux pas être la cause de la page blanche de quelqu'un.

Ils se dévisagèrent un moment.

— D'accord, dit McAffrey. Suivez-moi.

Il lui dit tout ce qu'il savait, lui présenta les événements dans l'ordre chronologique tandis qu'ils déambulaient côte à côte dans la rue en direction du magasin de donuts Krispy Kreme, où le néon PRÊT À CONSOMMER rougissait toutes les demi-heures, dès que les beignets glacés étaient éjectés, tout moelleux et fumants, du tapis roulant. À chaque coin de rue, quand ils bifurquaient, il plaçait une main dans son dos pour l'éloigner de la chaussée avec douceur, la détourner du bord du trottoir, avant de reprendre sa position côté route. Par deux fois il se baissa pour ramasser des détritus et les jeter dans une poubelle voisine, sans pour autant s'interrompre dans son récit.

Ils avaient diffusé une photo mortuaire dans le bulletin d'informations local le lendemain de l'accident. Ça les avait embêtés d'en arriver là, puisqu'ils préféraient prévenir les familles en personne, mais ils sentaient tous depuis le début que la fille n'était pas du coin, alors ils avaient montré sa photo. Son corps portait des marques prouvant qu'elle avait été soignée dans un hôpital quelques jours avant sa mort, mais aucun des employés aux urgences des centres hospitaliers de Tuscaloosa ou de Northport ne l'avait reconnue. Personne non plus pour l'identifier dans les hôpitaux aux abords de Birmingham ou de Montgomery. Les empreintes digitales n'avaient donné aucun résultat. Doc Cabbott, le médecin légiste, avait fait un sacré bon boulot sur elle, l'avait arrangée pour que son visage ait l'air moins cabossé. La photo n'était pas aussi effrayante qu'elle aurait pu l'être.

Une dame avait téléphoné deux jours après, mardi matin. Avait dit qu'elle n'arrivait pas à oublier la photo de la fille, qui ressemblait beaucoup à une fille qu'elle avait trouvée endormie sur les marches de First Baptist, à Greensboro, en allant au bureau de l'église pour rattraper du classement en retard samedi matin dernier, le 3 septembre, vers 10 heures.

— Des sermons.

— Pardon ?

— Des sermons, dit McAffrey. La dame classait des sermons.

Ça lui faisait plaisir de se rappeler ce détail.

— Ah. Des sermons. Je vois. Et la fille ?

— Rosy.

— En fait, je préfère qu'on m'appelle Rose.

— Non, dit-il délicatement en poussant la porte du Krispy Kreme avant de faire un pas de côté, la laissant entrer avant lui. (Ils furent accueillis par le parfum douceâtre de la levure gonflée et du sucre fondu.) Rosy, c'est le nom de l'autre fille.

Il lui laissa un moment pour digérer l'information, la guidant jusqu'à une table dans un coin au fond. C'est seulement après avoir tiré une chaise pour elle, puis s'être lui-même assis, qu'il reprit.

— Rosy, c'est le prénom qu'elle a donné à la femme de l'église. Bizarre, non ?

Elle était arrivée par le Greyhound la nuit du vendredi 2 septembre. Elle ne connaissait personne, n'avait pas un centime en poche. Elle avait passé la nuit sur les marches, et c'était là que la secrétaire l'avait trouvée samedi matin. Elle disait qu'elle avait tout perdu dans l'ouragan et qu'elle était venue ici dans l'espoir de retrouver des proches pour les aider, elle et sa mère. La secrétaire avait pensé que le pasteur pourrait peut-être l'aider à les localiser, mais il était parti pour la journée assister à une réunion sur le renouveau de la foi, alors elle l'avait laissée dormir un moment dans le bureau. Puis elle lui avait prêté de l'argent prélevé dans la petite caisse et l'avait déposée au City Cafe pour qu'elle puisse avaler un repas. La fille avait dit qu'elle reviendrait à pied plus tard dans la soirée pour voir le pasteur et c'était là que…

— C'est là qu'on l'a tuée, dit Rose.

— C'est là qu'elle est morte, répliqua McAffrey.

Le néon rouge s'illumina, éclairant les mots PRÊT À CONSOMMER. Rangée après rangée, des beignets glacés se déversaient du bac d'huile, ricochaient sur le tapis roulant et atterrissaient sur des plateaux que les employés en tablier glissaient dans la vitrine. McAffrey bondit sur ses pieds et se dirigea vers la vitrine avant que le premier beignet ne fût sorti du tunnel de refroidissement.

Seule à la table, Rose appuya son menton contre sa main, remarquant alors seulement qu'elle tenait toujours les papiers – la page de l'annuaire, le reçu et la carte de visite – serrés en une boule compacte dans son poing. Elle ne les avait relâchés qu'une seule fois, temporairement, les déposant sur le bord du lavabo dans les toilettes du poste de police le temps de se laver le visage, avant qu'ils ne se dirigent vers le Krispy Kreme. Elle s'était aspergé la peau d'eau froide, l'avait sauvagement frottée avec des poignées de papier toilette, jusqu'à ce que les feuilles soient devenues aussi pourpres, bleues et noires qu'un hématome. Elle avait poursuivi jusqu'à ce que le visage dans le miroir lui ressemblât à nouveau. Puis elle avait retiré le sweat-shirt de l'inspecteur pour le nouer autour de ses épaules, un châle de fortune ; il faisait trop chaud pour le mettre dehors, mais ainsi porté, il protégeait sa pudeur. Enfin, en passant devant le bureau du policier à l'accueil, elle avait piqué un élastique et noué ses cheveux en queue-de-cheval habituelle avant de rejoindre McAffrey, qui patientait dehors sous le soleil éclatant.

À présent la monnaie de celui-ci tintait bruyamment en atterrissant au fond du bocal à pourboire tandis qu'il faisait demi-tour et revenait vers elle, un beignet fumant et un verre de jus d'orange tendus en offrande. Par politesse, elle prit une petite bouchée avant de pousser la nourriture sur le côté :

— Et ça ? demanda-t-elle tout en dépliant la page de l'annuaire sur la table. Qu'est-ce que vous dites de ça ?

Il dévora la moitié d'un beignet en une seule bouchée qu'il avala rapidement.

— On n'en dit rien. Y a pas de notes. Y a rien. On sait que la fille s'appelle Rosebud Howard – on a découvert ça il y a quelques jours à peine –, mais la page qu'elle avait sur elle était une page de A. Donc c'est pas comme si on connaissait le nom de famille qu'elle cherchait, le sien ne correspond à aucun des noms listés sur cette page.

Lorsque Rose prit la page, le reçu et la carte de visite s'en échappèrent.

— Quant au reçu du City Cafe... il est inutile, poursuivit-il. Tout ce qu'il nous dit, c'est qu'elle a payé en liquide pour un plat de viande avec trois accompagnements et du thé glacé. Comme tout le monde là-bas ce jour-là.

Il but une gorgée de café et dit :

— Au moins, elle aura eu un dernier repas convenable. J'veux bien être pendu si leur porridge au fromage et leurs petits pains sont pas les meilleurs trucs que j'aie jamais goûtés !

Rose fréquentait le City Cafe pour leur thé glacé. Plus de thé que vous ne pouviez en boire, un verre qui n'était jamais vide. Qui la remplissait jusqu'aux orteils. Soudain elle vit la fille noire sous la voiture, du thé glacé s'écoulant de son corps par les jambes ensanglantées. Le sang au thé glacé qui avait éclaboussé son propre corps lorsqu'elle avait sauté de la voiture pour atterrir sur les jambes de la fille. Elle se crut sur le point de vomir. Elle n'avait pas mangé grand-chose depuis près de neuf jours, tant elle était lasse de voir remonter tout ce qu'elle réussissait à faire descendre. Elle sentit à nouveau l'odeur du sang au thé glacé et sa bouche se remplit de salive annonçant la nausée. Elle ferma les yeux, porta une main à son front pour se ressaisir, se calmer.

Quand elle reporta son attention sur McAffrey, six rides profondes lui barraient le front, entre les sourcils. Plus bienveillantes que des rides réprobatrices. De la pure sollicitude.

— Ça va, l'assura-t-elle. Vraiment. (Elle repoussa le beignet plus loin.) Continuez. Et la carte de visite ? Ça, c'est quelque chose de précis.

Il dut élever la voix. Le café se remplissait d'autres clients, des gens attirés par le rougeoiement du néon, la promesse de beignets fraîchement glacés.

— La carte de visite ne nous sert à rien dans l'immédiat. On n'arrive pas à joindre le numéro. Ça doit être une ligne fixe, et les lignes sont encore coupées à La Nouvelle-Orléans, à cause de l'ouragan. Toute la zone est un foutoir inimaginable. Y a déjà pas suffisamment de flics sur place pour gérer les pillards et les tireurs isolés, alors ils vont certainement pas nous aider à remonter la piste d'une carte de visite.

Tandis qu'il parlait, un autre policier traversa le café dans leur direction. Le flic s'arrêta derrière Rose, renifla l'air, sourit en la dévisageant. Semblable à celui du Joker, son sourire s'agrandit, les extrémités étirées par la présomption lorsqu'il se tourna vers McAffrey et hocha la tête.

— Salut, Mac! le taquina-t-il tout en allongeant un bras entre eux pour piquer un beignet sur le plateau. Tu vas pas me mettre hors-jeu maintenant, pas vrai?

McAffrey secoua la tête. Il dit à son coéquipier que Rose était la fille de l'accident dont ils s'étaient occupés la semaine dernière et lui expliqua la raison de sa venue.

— Bonjour, lança nonchalamment Rose, avant de reporter son attention sur McAffrey. OK, donc les téléphones ne marchent pas et la police là-bas ne peut pas vous aider. Alors vous avez dépêché quelqu'un pour interroger la femme qui figure sur la carte de visite?

L'absurdité de sa question choqua McAffrey, mais il dissimula sa surprise, que seul trahissait le léger agrandissement de ses yeux, parce qu'il y avait une semaine à peine, il avait pris le corps de cette fille dans ses bras. Il avait pressé sa tête contre son torse et décollé de sa joue une mèche raidie par la boue et le sang séché. Encouragé par cette intimité, augmentée aujourd'hui de son affection grandissante pour elle, il lui pardonna sa véhémence. Mais son coéquipier éclata de rire.

— Vous vous foutez de moi? demanda le flic.

Rose fit volte-face pour le défier tandis que McAffrey bondissait de sa chaise, une main sur l'épaule de Rose, l'autre levée, paume ouverte, doigts écartés, comme pour retenir son coéquipier.

— Elle se fout de moi? répéta le flic en reculant, le regard posé sur son coéquipier, mais le doigt pointé sur Rose.

— Laisse tomber, mec…, le pressa Mac.

Le policier ne l'écouta pas.

— On a déjà perdu, quoi? Quatre jours la semaine dernière à traquer des passagers de bus, tout ça pour apprendre qu'on n'avait rien d'autre qu'une nouvelle autostoppeuse noire sur les bras, et maintenant vous… (il s'arrêta pour fusiller Rose du regard)… vous voulez qu'on lâche notre boulot pour se rendre dans cet endroit de merde et y découvrir, quoi, hein? Que notre morte a piqué une carte de visite en plus de Dieu sait quoi quand elle est entrée par effraction dans la boutique de cette femme avec une bande de pillards? C'est ça?

— Ça suffit, insista Mac, s'interposant entre son coéquipier et Rose. Écoute, je vais la raccompagner chez elle. Je te propose de bouffer ces beignets à ma place et je te retrouve au poste dans une demi-heure.

Ce n'était pas une question, c'était un ordre. Sa voix était conciliante, paternelle, mesurée. Cette modulation et ce ton lui avaient valu le surnom de Père ; ses collègues appelaient la salle d'interrogatoire son confessionnal. Ses talents d'orateur avaient pour effets conjugués de donner aux gens l'envie de se tenir plus droits, de mieux se conduire, de fournir la bonne réponse. De se calmer.

Son coéquipier s'enfonça dans le siège libéré tandis que McAffrey tendait une main à Rose pour l'aider à se lever puis la guidait hors du café. Ils plissaient tous deux les yeux dans la lumière pendant qu'il s'occupait d'elle, la tranquillisait. Phrase par phrase, il les ramena au sujet qui les préoccupait.

— Alors on a procédé à une vérification des antécédents de cette dame, celle de la carte de visite (il lui prit la carte, contrôla le nom) Jennifer Goldberg. Elle n'a aucun lien de parenté avec notre victime. C'est une femme blanche de trente-cinq ans, du Midwest, elle vient juste d'emménager à Gretna, à la sortie de La Nouvelle-Orléans. Elle a un genre de commerce de fleurs. Qui sait où cette fille a pris cette carte ou pourquoi elle l'avait sur elle... P'têt qu'elle a acheté des fleurs, il y a mille possibilités...

Il pensait au pillage, aussi, mais ne le dit pas. Il préféra parler des tracts alertant d'une disparition inquiétante qu'ils avaient distribués dans tout le Sud en se concentrant sur les trois États dont on pouvait dire avec certitude qu'elle les avait traversés : l'Alabama, le Mississippi, la Louisiane. Le département des immatriculations et des permis de conduire n'avait rien trouvé dans ses archives qui puisse correspondre à son nom et à sa tranche d'âge, que Doc avait estimé être, dans le mille, entre seize et vingt et un ans. Il se trouve qu'elle avait dix-huit ans. Ils avaient même essayé en changeant l'orthographe de son nom. Rosebud Howard paraissait plutôt simple, mais certaines personnes écrivaient les noms les plus simples des façons les plus compliquées. Ils avaient appris son nom complet en faisant des recherches sur les passagers du bus. La secrétaire de l'église était sûre qu'elle s'appelait Rosy, mais puisque dans le bus personne ne portait ce nom, ou un nom approchant, ils avaient fini par contacter les passagers individuellement pour leur demander s'ils reconnaissaient ou utilisaient eux-mêmes le surnom Rosy. Ça leur avait pris quatre jours, à son coéquipier et lui. Il leur avait fallu attendre d'arriver à l'avant-dernier passager pour comprendre. Une infirmière urgentiste de Natchez, dans le

Mississippi, avait utilisé son propre nom pour acheter un billet à la fille, d'où la confusion.

Tandis qu'ils traversaient la route, McAffrey sortit un calepin de sa poche arrière, qu'il feuilleta pour trouver confirmation des faits.

— Amanda Worthington. C'est son nom. À l'infirmière. On avait une liste des passagers par ordre alphabétique, dit-il en levant les yeux au ciel, pensant au temps qu'il avait perdu en appelant tous les fichus noms jusqu'aux W. Elle travaille de minuit à midi à l'hôpital communal de Natchez.

Le billet avait coûté soixante-huit dollars. Amanda l'avait payé avec sa propre carte de crédit. La victime était une de ses patientes, et à la fin de son service, elle l'avait déposée à la station de bus. Le bus était parti à 2 h 20 dans l'après-midi, vendredi dernier, le 2 septembre. L'infirmière n'avait plus eu de nouvelles après ça.

McAffrey laissa Rose l'attendre sur le trottoir devant le poste et courut chercher la voiture de fonction au parking pour la raccompagner. Il récupéra ses clés puis enfonça son calepin dans sa poche fraîchement vidée. Il n'y avait pas grand-chose à revoir. Il se souvint du cri qu'Amanda avait poussé lorsqu'il s'était présenté au téléphone, lui expliquant qu'il tentait de localiser une jeune femme du nom de Rosy arrivée à Tuscaloosa par bus la semaine dernière.

— Oh non, avait-elle immédiatement répondu. Écoutez, je sais qu'ils demandent le nom du passager quand on achète un billet, mais elle n'avait ni papiers d'identité ni argent, et j'ai juste voulu lui rendre service. C'est un délit en Alabama ? De faire ça ? Je veux dire, je sais qu'ils sont devenus un peu paranos dans les avions avec ce genre de trucs, depuis le 11 Septembre, mais c'est aussi le cas pour les bus maintenant ? Je n'avais pas l'intention de…

Il lui avait assuré qu'elle n'avait commis aucun délit. Il se demandait simplement si elle pouvait lui dire quelque chose à propos de cette fille, ce qui se résumait au contenu de son dossier d'hôpital que la réglementation interdisait à l'infirmière de divulguer. En réponse à ses questions sur la raison de son appel – "Je suis responsable de quelque chose ? Est-ce que la fille à fait quelque chose de mal ?" –, il lui avait répété qu'elle n'avait rien fait de mal. Il cherchait seulement à obtenir des informations parce que la fille était décédée. Percutée par une voiture. La nouvelle avait coupé le souffle de l'infirmière, puis l'avait fait tousser. Du moins il avait cru qu'elle toussait, quelque chose de coincé dans sa gorge, puis il avait réalisé : elle pleurait. Des sanglots déchirants.

— Madame ? avait-il répété encore et encore, madame, est-ce que ça va aller ?

En réponse, si doucement qu'il n'avait pas entendu le "clic", elle avait raccroché.

Il ne dit rien de tout ça à Rose quand elle s'installa dans la voiture. Il parla peu pendant les dix minutes que dura le trajet, se contentant d'observer en silence tandis que les moucherons prenaient le pare-brise d'assaut. Lorsqu'elle finit par se pencher vers lui pour le relancer : "Inspecteur ?", il reprit sa liturgie. Il lui raconta qu'ils avaient trouvé le nom complet de la fille grâce aux dossiers de l'hôpital. Ils n'y avaient pas trouvé grand-chose d'autre. Elle n'avait pas d'assurance, n'avait pas donné d'adresse, était partie sans payer. Elle leur avait servi la même histoire qu'ailleurs : elle avait tout perdu dans l'ouragan ; elle allait à Tuscaloosa pour tenter de retrouver des membres de sa famille. Mais après une semaine de couverture télévisuelle, et après qu'ils eurent publié dans le journal son nom complet, qu'ils avaient enfin obtenu, personne d'autre que la secrétaire de l'église ne s'était manifesté.

Rose soupira :

— Alors elle s'est blessée pendant l'ouragan ? C'est pour ça qu'elle était à l'hôpital ?

— J'en sais rien.

— Comment ça, vous n'en savez rien ?

— Je sais pas si elle s'est blessée pendant l'ouragan.

— Comment pouvez-vous ne pas savoir ? Vous avez consulté son dossier médical.

Guidé par Rose, il arrêta la voiture devant son immeuble puis regarda ailleurs, nerveux :

— Doc Cabbott, le médecin légiste, c'est lui qui a toutes ces infos. Le dossier a été envoyé directement à la morgue.

— Mais vous l'avez lu.

Il prit sa tête entre ses mains. Ferma les yeux.

Tout à coup elle comprit : ce n'était pas seulement l'ouragan.

— Qu'est-ce qui lui est arrivé ?

McAffrey avait beau être inspecteur de police, il était aussi un homme du Sud. Un vrai gentleman.

— Ça n'a rien à voir avec vous, ou avec ce qui s'est passé pendant l'accident.

Il se précipita hors de la voiture et en fit rapidement le tour pour lui ouvrir la portière, mais elle l'attendait déjà dehors lorsqu'il contourna le capot.

— Qu'est-ce qui lui est arrivé ? insista-t-elle.

— Pas la peine de vous torturer avec ça, ma belle, murmura-t-il, l'implora-t-il. Ça vaut pas le coup.

4

Rosy

Maman, ça va être pire que tout ce qu'on a connu avant.

CHAQUE fois que Rosy se faisait mal, chaque fois qu'elle avait peur, chaque fois que, petite, elle envoyait valser ses chaussures et courait se réfugier dans le giron de sa mère, se rongeant les ongles jusqu'au sang, Cilla lui chantait une chanson. Du tréfonds de sa mémoire, elle exhumait des centaines de chansons : des airs entendus enfant, ou chantés dans la chorale de l'église, ou cueillis au hasard lorsqu'ils lui parvenaient depuis la radio d'une maison anonyme aux fenêtres ouvertes sous lesquelles elle s'arrêtait en pleine rue, écoutant attentivement, enregistrant. Cilla n'avait jamais été une grande lectrice – pas de *Bonsoir lune* ou de livre du Dr Seuss pour sa fille –, mais elle avait une chanson pour chaque occasion et avait ainsi baigné l'enfance de Rosy de mélodies intemporelles, l'avait réveillée tous les jours en chantonnant contre sa joue le doux réconfort de *Move on Up a Little Higher* de Mahalia Jackson, tendres mots d'un matin où les fardeaux s'allégeraient et les soucis s'envoleraient.

De même, pas de *Pont de Londres* ou de *Fais dodo* pour Rosy ; rien de si banal. Chaque fois qu'elle pleurait pour un bobo, Cilla la consolait avec une adaptation personnelle de *Mary Don't You Weep* d'Aretha Franklin, et, jusqu'à ce qu'elle ait été assez grande pour faire une recherche en ligne à la bibliothèque, Rosy avait cru que la chanson s'intitulait *Rosy Don't You Weep, Don't You Mourn*. Quand Aretha Franklin chantait sur l'armée de Pharaon se noyant, Cilla évoquait Rosy se cognant l'orteil ou perdant une dent.

Puis Rosy grandit et perdit confiance en la voix de Cilla.

Dans les heures qui suivirent la soirée spéciale ouragan, alors que s'assombrissait le ciel, la cuisine retentissait de chants – *Surely God Is Able* de Kurt Carr – rythmés par le bruit de l'eau qui coulait, des pots qui se cognaient les uns aux autres lorsqu'on les posait pour les faire sécher, du ténor de plus en plus grave de l'orage dehors. Des joyeux convives, il ne restait que Maya – cette chère vieille Maya qui, du jour de la naissance de Rosy, était passée de voisine à nounou à quasi-parent. Au soprano de Cilla se joignait le mezzo-soprano de Maya tandis qu'elles récuraient, louant la puissance de Dieu qui calmait les tempêtes, chassait les nuages sombres du ciel et donnait foi en des lendemains meilleurs.

C'est ça, ouais, des lendemains meilleurs. Genre. Bien que Cilla ait remarqué les nuages qui s'amoncelaient, elle continuait à chantonner comme si l'électricité n'avait pas été coupée une heure plus tôt, peu de temps après la ligne téléphonique. Cilla et Maya faisaient la vaisselle à la lumière des bougies, mais le vent soufflait de plus en plus fort, s'engouffrant par la vitre fissurée ; les bougies ne tiendraient pas longtemps.

— Rosy ma fille, appela Maya depuis l'autre pièce. Y commence à faire un peu trop venteux pour nous par ici. Sois un amour et viens fermer la fenêtre, tu veux ?

Rosy marcha jusqu'à la cuisine, glissa sur une flaque et s'étala sur le dos en plein milieu de la pièce. Elle resta étendue là, bras et jambes écartés, immobile, ne sachant s'il valait mieux rire devant l'absurdité de la situation ou faire un croche-pied à sa mère, ou succomber à la peur et courir se cacher dans le placard à balais comme elle le faisait quand elle était encore suffisamment petite pour y loger et compter les poils sur la brosse. Elle n'avait jamais réussi à les compter tous, mais quand elle sortait enfin, la source de sa peur avait disparu.

Pas aujourd'hui.

— Le toit fuit, dit Rosy, presque calme, puis elle répéta la phrase en se laissant gagner par la peur, la colère et la frustration : Le. Toit. Fuit. (Personne ne lui prêta attention avant qu'elle ne se mette à crier :) Le toit fuit ! On ne peut pas rester…

— Doux Jésus ma fille, on dirait que tu parles de l'apocalypse avec ton "le toit fuit". Y a pas de toit qui fuit ! dit Cilla en riant. Maya vient d'renverser l'eau d'un pot qu'elle a mis à sécher. Allez, relève-toi et essaie de te calmer !

Rosy se redressa mais ne se leva pas. Elle s'appuya sur une main placée presque exactement au-dessus de l'empreinte qu'elle avait dessinée par terre le jour de son huitième anniversaire. Cette année-là, le vieux Silas lui avait offert une boîte de feutres – des feutres indélébiles au lieu des Crayolas lavables à l'eau – et, avant que Cilla ait pu l'arrêter, elle avait irrémédiablement tracé les contours de ses deux mains sur le sol de la cuisine et entrepris de vernir chaque doigt d'une couleur différente. "T'as vu Maman? Mes mains sont comme les tiennes !" avait-elle claironné en apercevant Cilla dans l'embrasure de la porte. Parce qu'elle avait presque terminé, Cilla l'avait laissée vernir les deux derniers doigts avant de confisquer les feutres. Mais l'année suivante, elle avait ressorti un feutre indélébile, et en avait donné un à Rosy au matin de chacun des anniversaires subséquents. À présent, onze contours de mains de largeur croissante bariolaient le sol de la cuisine.

Rosy leva les yeux sur Cilla et Maya, qui cherchaient à retrouver la mélodie qu'elles chantaient avant d'être interrompues par sa chute. Maya fredonnait en do mineur, reprenant le refrain, quand Cilla déclara connaître une chanson mieux adaptée à la situation.

— Un hymne funèbre, peut-être ? ironisa Rosy.

Cilla regarda Rosy, fulminant sur le linoléum, et leva les yeux au ciel.

— En fait, j'pense à celle sur le garçon qui criait au loup. Ou celle qui parle du rabat-joie. Qu'est-ce que t'en dis, Maya ?

— Chérie, lève-toi, l'exhorta Maya. T'es aussi nerveuse qu'un chat à grande queue dans une chambre pleine de fauteuils à bascule. Tu sais qu'on s'en prend un comme ça tous les deux, trois ans ; y a juste quelques nuages, comme ça arrive parfois. Bon sang, l'année dernière, ils criaient à l'ouragan et ils l'appelaient… Comment ils l'appelaient, déjà ?

— Ivan le Terrible, lui rappela Rosy.

— C'est ça ! Ivan le Terrible. Et y se sont retrouvés avec presque toute la ville à camper sur l'I-10 et la Airline Highway. Ils étaient tous assis là sur la route, dans leurs voitures. Les vieux là-bas, ils mouraient à force de rester assis dans les embouteillages. Et nous ? Nous autres, on mangeait des crevettes à la maison en jouant aux cartes, on s'payait du bon temps pendant que ce vieil Ivan le Terrible descendait plus bas sur la côte.

— Pas si terrible que ça, dit Cilla.

— Ivan était seulement un catégorie 4, dit Rosy en se levant pour prendre le torchon des mains arthritiques de Maya. Assieds-toi Maya, je vais essuyer. (Elle tira une chaise jusqu'au lavabo et demanda :) Tu veux une chaise pour tes pieds, aussi ?

— J'dis pas non, ma belle.

— Ivan était un quatre et il a dévié à la dernière minute, poursuivit Rosy. (Maya déposa son corps fatigué sur la chaise – une main sur le dossier, l'autre sur le comptoir, abaissant lentement son derrière. Cilla tendit à Rosy une écumoire dégoulinante.) Katrina est un cinq. (Elle s'interrompit pour les laisser digérer cette information.) Et vous savez ce qu'ils disent – ce n'est pas seulement l'orage, c'est ce qui risque d'arriver si les digues cèdent. La ville serait frappée de plein fouet…

— La ville sera pas frappée de plein fouet, trancha Cilla.

— Alors t'es météorologue maintenant, Maman ? Ça fait quoi de toi, au juste ? Une femme de ménage qui prédit l'avenir et la météo à ses heures perdues ?

— Arrête Rosy, non mais tu t'entends, oui ? l'interrompit Maya.

Rosy et Cilla ne savaient que trop bien se provoquer mutuellement. Aucune des deux ne le supportait, toutes deux le faisaient, Maya tempérait. La voisine comme arbitre.

— Au mois d'août, tous les ans depuis près de quarante fichues années, ils disent qu'on va s'en prendre un gros, poursuivit Maya. Ça fait des décennies qu'ils nous annoncent l'apocalypse, mais ces foutus orages finissent toujours par faire demi-tour. Y a trop de bons gris-gris suspendus au-dessus de cette ville ! Entre les catholiques, les baptistes et le méli-mélo des Caraïbes… Bon sang, côté Dieu, on peut dire qu'on a assuré nos arrières !

Cilla retira le bouchon de vidange, et l'eau tourbillonna dans l'évier. Rosy se hissa sur le comptoir et rangea le pot que Cilla venait de lui passer sur une étagère. Elle laissa pendre ses jambes, et Maya saisit délicatement un de ses pieds, comme si c'était un chaton lové sur ses genoux. À l'instant même où Rosy dit "J'ai un mauvais pressentiment, je pense qu'on aurait dû partir, ce coup-ci", une rafale moucha les bougies.

Dans l'obscurité, Cilla attrapa la pochette d'allumettes sur la cuisinière. Leurs visages s'illuminèrent à nouveau.

— Et, à ton avis, on aurait fait comment pour partir ? demanda Cilla. On n'a pas de voiture, et j'vois pas de bus dehors qui nous propose un aller gratuit jusqu'à Houston.

— Plus maintenant, siffla Rosy en foudroyant sa mère du regard.

— Oh là là. Assez parlé des bus loupés de c't'après-midi ! Où c'est qu'ils les emmènent, les gens, de toute façon ? Un "refuge de dernier ressort", comme notre excellent maire il appelle ça ? Il le voit comment, son "refuge de dernier ressort" pour nous aut' Five-Fours* ? J'vous parie que c'est pas un endroit où il irait, lui ! Ces refuges de la Croix-Rouge – je les ai vus à la télé – ils ont pas l'air terribles, tout ce monde entassé dans un gymnase. Mais au moins ils distribuent de la nourriture, des lits de camp et des couvertures. Bon sang, j'en ai même vu qui donnaient de quoi dessiner aux gamins et des ours en peluche, après la tornade en Alabama. Mais y a pas de refuges de la Croix-Rouge par ici. Y viennent pas à La Nouvelle-Orléans. Ils vont partout ailleurs, mais pas à La Nouvelle-Orléans ! Alors où est-ce que tu veux qu'on aille ?

— Au Palais des congrès, dit Rosy. Au Superdome.

— Au Superdome ? Tais-toi ! Maintenant tu parles comme si Dieu t'avait donné moins de bon sens qu'à une oie. J'irai jamais me planquer dans le Superdome ! Tu t'rappelles en 98 après l'ouragan Georges, les négros ont tout démoli. Combien de personnes ils avaient fourré là-bas ?

— Quatorze mille.

— C'est ça ! Quatorze mille personnes fourrées là-dedans, assez furieuses et affamées pour te donner envie de taper ta propre mère. Ça volait, ça cassait tout, ça... (Elle se ravisa, agita la main avec dédain.) Là-bas, c'est le terrain de jeu du diable ! Pourquoi j'irais m'entasser là-bas, avec quatorze mille autres négros abandonnés ? C'est n'importe quoi.

Maya intervint à nouveau :

— Écoute ma belle. Ça rime à rien de s'mettre dans un état pareil à cause du noir. On avait pas l'électricité quand Georges est passé, non plus. Ça nous a pas tuées.

— On est dans une maison, dans une ville dans les États-Unis d'Amérique ! s'indigna Cilla. On est protégées !

— Protégées par quoi, exactement ? lança Rosy d'un ton hargneux. Les dix mille housses mortuaires qui nous attendent dans les bureaux de la FEMA**, au centre-ville ?

Maya fixa Cilla avec insistance, comme pour lui dire de ne pas attiser la rage de Rosy. Cilla, une fois n'est pas coutume, en tint compte.

---

* Surnom que se donnent les habitants du *Ninth Ward* (Neuvième circonscription) : 5 (*Five*) + 4 *(Four)* = 9.

** Acronyme de *Federal Emergency Management Agency* (Agence fédérale des situations d'urgence).

— S'il te plaît, écoute, dit Rosy, tâchant de retrouver son calme. Ça va être pire que tout ce qu'on a connu avant, Maman. Et toi, Maya, tu verras. Ça sera encore pire que Betsy.

— Ma maison a survécu à Betsy, y a pas de problème, répliqua Maya, vexée.

— T'as dit qu'il y avait un mètre cinquante d'eau là-dedans après Betsy. Tu racontes que...

— Ouais, ben ça a séché! l'interrompit Maya. Et pendant les quarante années qui ont suivi, pas une seule goutte d'eau d'un seul orage n'est entrée dans ma maison!

— Georges était un Catégorie 2. Ivan était un Catégorie 4. Betsy un 3. Katrina est un 5. La différence est énorme.

— Ouais, ben on peut plus rien y faire maintenant, dit Cilla, mettant un terme à la discussion. Alors moi j'vais m'coucher.

Ensemble, elles raccompagnèrent Maya à la porte, qu'elles lui tinrent ouverte contre la tempête. Trop âgée pour courir, elle se laissa tremper par la pluie; une fois sur le trottoir, elle se tourna pour leur faire face. Puis elle renversa la tête en arrière, bouche ouverte, et capta suffisamment d'eau pour la recracher en un arc de cercle déformé par le vent vers Rosy et Cilla, blotties l'une contre l'autre dans l'embrasure de la porte. Elle obtint l'effet escompté : Rosy et Cilla éclatèrent de rire. Puis elle leva les mains en l'air et agita les bras au-dessus de sa tête, comme pour prouver que le ciel sombre n'était pas tombé suffisamment bas pour l'impressionner, et cria :

— Rosy, si tu vois venir les cavaliers, tu cours chez Maya! C'est tout en briques, et tu connais l'histoire, le loup n'en vient pas à bout! Moi et ma maison, on survivra même à l'apocalypse.

Un coup de tonnerre noya leurs rires tandis que Maya remontait sa jupe et traversait la route déserte, pataugeant jusqu'à sa maison.

Rosy n'arrivait pas à dormir. Toutes les quelques heures, après avoir tourné et somnolé par intermittence, elle se levait et allait à la porte sur la pointe des pieds pour jauger le temps. Pluie. Toujours plus de vent. Des objets cognaient contre la maison. Lors de son troisième ou quatrième trajet entre sa chambre et l'entrée, le vent lui arracha la porte grillagée des mains lorsqu'elle essaya de la fermer, la faisant claquer si violemment contre la façade que la moitié de la poignée s'encastra dans les bardeaux. Rosy dut s'arc-bouter, un pied contre le mur, pour la déloger, tandis que la pluie lui transperçait la peau.

Trop trempée pour se recoucher, elle extirpa la lampe de poche des sacs qu'elle avait préparés et la braqua dans tous les coins de la maison. Elle fut agréablement surprise : pas de fuites apparentes. Comme elle s'ennuyait, elle fit des ombres chinoises sur le mur jusqu'à ce qu'elle ait épuisé son répertoire, puis elle se laissa glisser au sol et sortit la boîte à bijoux de Cilla du sac le plus proche. Sa mère ne possédait pas de bijoux ; la boîte faisait plutôt office de coffret à trousseau recélant des souvenirs de jeunesse : la clé de la première maison où Cilla avait vécu. Le filtre de la première cigarette qu'elle avait fumée. Un dessin au crayon de couleur, tout en gribouillis, signé "Rosy, cinq ans" de la main de sa mère. Une photo de Cilla plus jeune, dans une cuisine, entourée d'autres cuisinières et de femmes de ménage ; une dame plus âgée dont l'afro indomptable s'échappait d'une résille avait passé un bras autour de ses épaules, et une inscription au dos indiquait : "Ada May et la bande, maison Kappa Alpha Theta, 1985." Quelques autocollants. Une bague d'humeur. Une libellule pétrifiée. Une liste des épices requises pour faire griller le poisson-chat, rédigée d'une écriture tremblotante. L'annonce d'une messe pour un dénommé Bubba Brown, mort noyé à quinze ans. Une carte de la Saint-Valentin signée BB en lettres juvéniles, que Rosy interpréta comme la signature de Bubba, avec la question : "Seras-tu mienne ?". Des boutons de rose séchés. Onze en tout.

La notice nécrologique de son père.

Elle déplia le papier journal jauni et le lut pour la énième fois. Ni elle ni sa mère n'étaient mentionnées. Ses parents n'étaient pas mariés, ce qui voulait dire que Cilla et son fœtus n'avaient pas droit au statut de survivants. Rosy scruta la photo et essaya de s'y retrouver. Plus que toute autre chose, pensa-t-elle, elle avait ses oreilles. Pour le reste, elle était le portrait craché de sa mère, mais ses oreilles étaient à lui. De gros lobes décollés, une drôle d'encoche à l'extrémité de l'oreille droite, presque une déchirure, qu'elle tripotait chaque fois qu'elle regardait la photo. Quand elle détaillait son visage, elle s'attendait à ce qu'il éveille en elle une reconnaissance latente, une familiarité. Chaque fois qu'elle dépliait le papier, son cœur battait d'anticipation, accélérant son pouls, mais aujourd'hui, comme tous les autres jours : rien. Juste la photo d'un homme mort dans la section décès du journal. Rosy ne sentait rien d'autre que l'encoche, au bout de son doigt, mais pas au fond de son cœur.

La notice nécrologique ne précisait pas les détails de sa mort, parce qu'on ne parlait pas si ouvertement des suicides à l'époque. Elle évoquait une "chute sur le campus". Cilla, en revanche, n'était pas du genre à édulcorer une histoire croustillante, et elle avait divulgué à Rosy tout ce qu'elle savait de la moindre personne ou du moindre événement ayant affecté leurs vies. Récemment, elles en étaient venues à qualifier cette tendance d'honnêteté compulsive.

"Compulsivement honnête" avait répondu Rosy un an plus tôt, quand Cilla avait demandé à sa fille de la décrire en trois mots ou moins. Rosy était rentrée de la bibliothèque avec le dernier formulaire d'inscription à Survivor, qu'elle complétait sur la table de la cuisine. Cilla regardait religieusement Survivor ; elle avait suivi chacune des neuf saisons tournées à ce jour, et convaincre Rosy de s'y inscrire était sa dernière combine en date pour les sortir de la pauvreté.

— Si vous pouviez exercer le mandat politique de votre choix, lequel choisiriez-vous et pourquoi ? lut Rosy. Tout le monde va répondre "président", alors je vais dire "maire". Histoire de faire flipper ton pote Ray Nagin !

Cilla grogna en entendant prononcer le nom de Nagin. Puis elle cria :

— Je sais ! J'vais être ambassadrice. Aux Bahamas !

Elle ne posait pas sa candidature, mais elle n'avait pas l'intention de se priver du plaisir d'imaginer ses propres réponses.

Rosy éclata de rire :

— Ambassadeur n'est pas un mandat politique. C'est une nomination politique faite par le président.

— Alors t'as intérêt à répondre président, ma fille ! Prochaine question !

Limitée à trois mots pour se décrire, Rosy choisit "ingénieuse", "intrépide" et "curieuse".

— Pour moi, je dis "joyeuse", "sexy", et "sacrée bonne cuisinière" ! dit Cilla.

Rosy sourit à sa mère :

— Trop de mots.

— C'est passqu'il y a trop de femme en moi pour une question si réductrice ! Tu dirais pas ça ?

— Je dirais "compulsivement honnête".

— Ça fait seulement deux mots.

Rosy sourit de nouveau :

— Pas besoin de plus.

La première fois que Rosy avait demandé comment son père était mort, elle devait avoir six ans à peine. "Il a sauté du Carillon Denny", avait répondu Cilla. Pendant plusieurs semaines, Rosy avait scruté avec méfiance le carillon suspendu au-dessus du porche, puis elle avait pensé à demander des précisions et appris que le Carillon Denny était un vieux clocher surplombant la pelouse centrale de l'université de l'Alabama.

— Mais comment il est mort ? avait demandé la petite.

— Ben il est mort à l'atterrissage.

Toujours perplexe :

— Alors pourquoi il a sauté ?

— J'sais pas quoi te dire, Rosy ma fille. J'sais pas quoi te dire. Personne n'a de raison assez bonne pour sauter d'un foutu clocher. N'oublie pas ça ! Y a pas de raison de faire un truc pareil, jamais.

Les autres détails lui avaient été révélés au compte-gouttes.

Une fois, alors qu'elle était embourbée dans un épisode dépressif, Cilla avait pleuré des jours durant au sujet de "joueurs pleins de sang". Elle s'était mise dans un tel état qu'elle avait fini par faire de l'hyperventilation sous la douche, s'était évanouie et avait dû passer plusieurs jours à l'hôpital, après que la balafre sur son front eut été recousue, pour qu'on réajuste le dosage de ses médicaments.

À son retour, elle n'avait plus le moindre souvenir des "joueurs pleins de sang" mais, après quelques jours de repos, Rosy l'avait trouvée qui l'attendait sur les marches du collège quand la cloche avait sonné la fin de la journée.

— Ça me revient, avait dit Cilla. Je t'ai déjà parlé de 1961 ?

Oui, Rosy se rappelait l'avoir entendue divaguer au sujet de cette année-là.

— Billy Neighbors, All-American en 1961, et Pat Tramell, sacré Meilleur joueur. Ils partagent une plaque sur l'allée des célébrités.

— Qui ? demanda Rosy. Quoi ?

Elles tournèrent le coin de la rue, main dans la main, et se dirigèrent vers leur maison.

— Les capitaines de l'équipe Crimson Tide ont tous eu droit à leur nom sur des dalles en ciment, avec l'empreinte de leurs mains et de leurs pieds, à Tuscaloosa. C'est une tradition qui dure depuis les années 1940 ou 1950. Tous les noms des capitaines sont au pied du Carillon Denny. Billy Neighbors et Pat Trammell partagent une plaque au coin de la rue où ton papa s'est écrasé. Il a atterri pile sur les empreintes de main. Ma parole, y avait du sang partout sur les joueurs ! Ils ont nettoyé comme ils pouvaient, mais n'empêche, chaque fois que je marchais dans cette rue après ça, je t'assure que je pouvais sentir les mains sanguinolentes de Billy Neighbors et Pat Tramell qui essayaient de m'attraper les chevilles. J'ai fini par faire un détour rien que pour les éviter. J'suis plus jamais passée par là.

Si Cilla n'hésitait pas à révéler les détails de la mort de son amant, elle ne faisait pas non plus mystère des détails de sa vie. Du moins ceux qu'elle connaissait. Ils travaillaient dans le même foyer d'étudiantes, mais ils n'appartenaient pas au même monde. C'était un étudiant qui acceptait des petits boulots pour se faire un peu d'argent de poche ; servir des repas aux étudiantes lui assurait le couvert gratuit, et mieux encore : une invitation à toutes les fêtes des filles. Cilla, en revanche, n'était qu'une aide-ménagère sans avenir, ce qui donnait à leurs ébats une aura clandestine. Au début, ce n'était rien de plus que des regards échangés lorsqu'ils se croisaient dans la cuisine, mais c'étaient des regards qu'elle pouvait *sentir*. Puis, tout à fait par hasard, ils s'étaient rencontrés à la foire des arts populaires de Northport un samedi d'automne. Elle était venue voir la courtepointe Martin Luther King de Nora Ezell sur laquelle tout le monde s'extasiait, et elle l'avait reconnu, penché au-dessus d'une statue de loup taillée dans un morceau de bois, examinant les contours lisses de sa croupe. Les premières paroles qu'elle lui avait adressées – "J'savais pas que t'étais un homme-loup" – les firent tous les deux rire avec leur sous-entendu. En l'espace de cinq minutes, il lui avait confié sa passion secrète pour la sculpture sur bois, et le lendemain, quand elle avait enfoncé la main dans la poche de son pull-over en rentrant du boulot, elle y avait découvert un talisman en bois sculpté. Il n'en avait pas fallu plus. Ils étaient lancés.

Plus Rosy grandissait, plus les descriptions s'étoffaient.

— Et le sexe… hmm… c'était tellement bon.

Vers la fin de l'adolescence de Rosy, Cilla marquait une pause à ce passage du récit et disait :

— Onze fois seulement. Onze fois, et t'as vu avec quoi j'ai fini!

Après quoi elle souriait et pinçait la joue de Rosy. Puis elle cessait de sourire et agitait un doigt devant le visage de sa fille:

— Tu pratiques la contraception? J'veux pas de bébés ni de SIDA par ici!

— Maman, laisse-moi tranquille! disait toujours Rosy.

— En tout cas, n'oublie pas…

— Je sais, je sais. J'ai qu'à demander.

Pour son dix-septième anniversaire, Cilla avait offert un sac à main à Rosy. Avec une boîte de capotes à l'intérieur.

— Au cas où il arrive un truc auquel tu t'attendais pas! s'était-elle esclaffée.

Rosy s'était contentée de lever les yeux au ciel. Toutes les choses que sa mère ignorait. À dix-sept ans, Rosy n'avait plus besoin de capotes.

Rosy avait couché pour la première fois à quatorze ans, après la tombée de la nuit, au pied du toboggan sur le terrain de jeux Bonart. Ç'avait été un coït bâclé auquel elle avait succombé la première fois que le mâle alpha du collège avait daigné lui adresser la parole – "Salut, toi. T'as quelqu'un?" – la cueillant au coin de rue où elle traînait avec ses copines, dégustant des granités à leur magasin préféré. Rosy n'était pas la plus belle, encore moins la plus populaire, mais c'était la seule qui s'était bornée à hausser les épaules quand il avait demandé "Ils vous attendent à quelle heure, vos parents et tout?" En plus, elle souriait à ses blagues et disait "Ouais, t'as raison", faisant mine de comprendre ses bons mots même quand ce n'était pas le cas, tout en dessinant des cercles nerveux sur le trottoir du bout de l'orteil. C'était ce qui avait emporté l'affaire. Il avait super envie de baiser et le temps manquait pour convaincre les plus sûres d'elles, les plus en vue. La docilité de celle-ci lui garantirait d'obtenir ce qu'il voulait. Un choix facile. Pas de souci.

Il se la tapa trois fois de plus au cours des deux semaines qui suivirent, ce qui, elle en était persuadée, signifiait qu'il tenait à elle. Peu de temps après, quand il ne se donna même pas la peine de la saluer lorsqu'elle le croisa en faisant les courses chez Silas, elle pensa qu'il était simplement distrait, entouré de ses potes et occupé à choisir entre le Slim Jim et le bœuf séché. Pourtant elle sentit son regard sur elle, quand elle lui tourna le dos pour régler ses achats. Silas, quant à lui, regarda derrière elle avec une moue menaçante, sans toucher aux billets sur le comptoir.

— Qu'est-ce qu'il y a, Silas?

— J'aime pas la manière dont ces petits voyous te regardent, répondit-il en les dévisageant.

Rosy jeta un œil par-dessus son épaule. Trois garçons lui sourirent largement. L'un d'eux alla jusqu'à lever la main en même temps que les sourcils, lui lançant un "Comment ça va?" d'un hochement de la tête. Elle rougit et fit un sourire béat à Silas:

— J'vous jure, dit-elle. C'est mes potes.

Silas la regarda comme si une corne venait de lui pousser sur le front:

— Ma fille, ces garçons sont les "potes" de personne. Ils sont plus sournois qu'un nœud de serpents. (Puis il leva la voix afin qu'elle porte jusqu'au rayon viande fumée.) J'veux voir personne en train de draguer dans mon épicerie à moins de vouloir s'faire botter le train!

— Oh, Silas, murmura-t-elle en lui tapotant la main.

C'était un vieux monsieur, il ne pouvait pas comprendre. Elle, elle savait. Ils l'aimaient bien.

Le meilleur pote de Toboggan fut son deuxième coup, deux semaines après sa rentrée en seconde. "Devriez tous passer à la fête de Monté samedi soir", lança-t-il en passant nonchalamment devant la table où elle mangeait, lui donnant un coup de coude tout en remontant son jean à mi-cuisses. Malgré ses attentes, la fête démarra de manière plutôt solitaire. Elle passa les deux premières heures adossée au mur du salon, ignorée des danseurs et des junkies. Mais quand Pantalon-qui-tombe arriva enfin, il se dirigea droit sur elle, remplaça le verre de punch qu'elle buvait à petites gorgées par une bière, puis une autre, puis un whisky. Une fois qu'elle fut bien bourrée, il l'entraîna dans une chambre et ferma la porte à clé. À son "Qu'est-ce que…?" bafouillé, il répondit que ses potes et lui étaient pratiquement frères; ils partageaient tout.

Elle en enchaîna douze autres au cours des deux années qui suivirent.

Le sexe ne la dérangeait pas. C'était OK, sympa la plupart du temps. Mais c'était l'avant et le juste après qui lui plaisaient le plus. Le sourire d'un garçon à l'autre bout d'une foule, ses mouvements étudiés pour se rapprocher de Rosy – ramassant une bière par-ci, chipant une taffe par-là –, qui avait bien conscience d'être son point de mire. Elle adorait la bouffée d'adrénaline que lui procurait le fait de savoir que, en dépit de toutes les jolies filles présentes, c'était elle qui avait été ciblée. C'est moi qu'il veut! La plupart d'entre eux n'avaient même pas à franchir les derniers mètres qui les séparaient. Se sentant en veine, Rosy se levait et allait à leur rencontre. Ensuite elle les baisait pour passer à la deuxième étape : leurs bras qui l'étreignaient encore avant qu'ils ne roulent sur le côté, des bras d'homme, denses et forts. Un bouclier musclé qui l'entourait alors qu'elle était le plus vulnérable, quelques secondes addictives de détente – être la protégée, au lieu d'être la protectrice, par contraste avec la réalité quotidienne de la vie avec sa mère, qui requérait d'elle une veille constante.

Quatorze garçons en vingt-quatre mois pour étancher sa soif d'instants fugaces dans l'étreinte réconfortante de quelqu'un de plus fort qu'elle.

Très vite, elle rejoignit le troupeau, absorbée dans le cercle des fêtards et des soûlards, où tout le monde couchait avec tout le monde. Une grande famille de baiseurs. Tout ce que Rosy pensait avoir jamais voulu. Jusqu'à ce qu'une histoire fasse le tour de la classe à la fin du jour de la rentrée, en première, au sujet d'une fille qui avait sauté trois mecs dans la même nuit, dont deux en même temps sous une couverture sur l'escalier, lors d'une fête dans la cité du Vieux Carré. Ce qui n'était pas tout à fait exact ; elle avait seulement sauté deux mecs cette nuit-là, le premier en levrette sur la banquette arrière d'une Oldsmobile avant la fête – brève pause dans une petite rue déserte pendant que sa copine faisait les cent pas dehors, fumant une cigarette et criant : "Vous en avez encore pour longtemps, là ?" – le deuxième sur le capot d'une voiture tandis que la fête battait son plein à l'intérieur. Certes, à un moment donné elle s'était blottie sous une couverture avec deux garçons sur l'escalier tagué de couleurs vives, l'un caressant son téton à travers son chemisier, l'autre, plus direct, une main plongée dans sa culotte, enfonçant son doigt en elle. Mais elle n'avait pas baisé en public non plus ! Et d'ailleurs, pour conserver les apparences, elle avait gardé son corps immobile sous le plaid en crochet tandis qu'on montait l'escalier autour d'eux, faisant comme si tout était normal, juste un haussement d'épaules ici ou là pour s'assurer que les mains dissimulées des garçons œuvraient dans des zones distinctes, ne souhaitant pas que l'un découvre ce que l'autre faisait et inversement, mais ne souhaitant pas non plus les repousser, car elle voulait qu'ils la désirent tous les deux. Lorsque Monsieur Téton s'était éclipsé pour prendre une bière, elle avait pris la direction du parking avec celui qui portait déjà son odeur sur lui. C'était le demi offensif phare de l'équipe, après tout. L'autre n'était qu'un receveur. Plus tard dans la nuit, se remémorant l'émotion de leurs caresses, elle s'était félicitée d'avoir réussi à éviter qu'ils sachent combien leurs mains avaient été près de se toucher lors de leur pelotage en tandem.

Puis elle était allée en cours et s'était rendu compte qu'ils savaient depuis le début.

Monsieur Téton et Demi Offensif Phare adoraient cette histoire, ayant découvert et ajouté Monsieur Banquette à l'aventure, se vantant de s'être livrés à un gang bang. Dieu merci, ils n'avaient pas divulgué son prénom. À midi, tout le lycée était au courant et avançait des hypothèses sur l'identité de la fille. Rosy avait carrément dû s'asseoir à table avec ses copines et traiter la fille de pute à crack, terrifiée de se voir percée à jour, malade de honte quand même les vraies salopes avaient renchéri : "Jamais je ferai ça ! C'te pute n'a aucune classe !" Et à une table de là étaient assis ses peloteurs, affichant des sourires fiers et narquois. Elle se rendit compte que ce n'était pas pour la protéger qu'ils avaient tu son identité. En omettant de la nommer, ils conservaient toute l'attention braquée sur eux. Ils n'en avaient absolument rien à foutre d'elle.

Ce jour-là, Rosy quitta le lycée avant la fin des cours et rentra chez elle, où l'attendaient aspirine, kleenex, et une diffusion d'Oprah qui la toucha au cœur, l'obligeant à se regarder en face : des invités déploraient la vague de promiscuité qui sévissait chez les filles sans père. Elle se percha sur le rebord de sa chaise et écouta, clouée sur place, des psychologues décrire non seulement les statistiques – grossesses adolescentes en hausse, MST endémiques – qui concernaient ces filles, mais également leur manque de confiance en elles ; un amour propre si bas que la course à la popularité de Rosy n'avait fait que masquer. Elle sanglota comme si elle assistait à sa propre veillée funéraire, regardant avec compassion dans la tombe qu'elle s'était elle-même creusée. Puis quelqu'un du nom de Dr Sellers se tourna et la regarda droit dans les yeux, la caméra zoomant au point que le visage du docteur touchait presque celui de Rosy quand il prit la parole : "On pourrait croire que l'amour d'une mère suffit. Or nous assistons à une épidémie de jeunes filles rejetant l'amour qui leur est offert en faveur d'une quête infructueuse de l'amour paternel qui leur était dû, mais qu'elles n'ont jamais reçu. Et dans leur désespoir, elles substituent l'amour du premier venu à celui qui leur manque."

Rosy inspira profondément, essuya ses larmes et cligna des yeux devant l'écran de télévision. Elle vit sa propre image reflétée par le verre, penchée en avant sur le canapé, comme si elle était une des invitées, aujourd'hui plus forte, aujourd'hui plus sûre d'elle, évoquant d'une voix ferme le passé qu'elle avait réussi à surmonter. Puis Oprah s'inclina vers Rosy, comme si elle s'apprêtait à lui prendre la main, et prononça les paroles qui provoquèrent véritablement le changement, lui soutenant qu'elle devait s'aimer et se contenter de cet amour. "Alors seulement..., répéta Rosy après Oprah, à voix haute, comme une promesse à elle-même... serez-vous en mesure d'arrêter de chercher l'amour auprès de quelqu'un d'autre."

Et ce fut terminé. Quand Cilla lui donna une boîte de capotes pour son dix-septième anniversaire, Rosy avait déjà renoncé au sexe pour le statut social, ou pour quoi que ce soit d'autre. Elle avait goûté à la popularité traditionnelle, et cela ne lui convenait pas. La popularité traditionnelle l'avait laissée assise à une table à se traiter elle-même de salope, en compagnie de gens qui acquiesçaient et trouvaient ça drôle. C'en était fini, ces conneries. Alors, pendant que les autres continuaient à faire la fête, elle allait à la bibliothèque à bicyclette, aiguisait son amour de la recherche, rendait tous les devoirs facultatifs, révisait pour les classes préparatoires à l'université, et terminait l'année première de sa classe. Elle prit également l'habitude d'écouter des livres audio, un magnétophone perpétuellement glissé dans la poche arrière, articulant les mots en même temps que le lecteur, afin de perdre l'accent du Ninth Ward qui risquait de lui porter préjudice. Quand elle commença à présenter des demandes de bourses d'études, elle estimait pouvoir, si elle se concentrait, passer pour une Américaine moyenne de n'importe où aux États-Unis. Ses efforts lui valurent une entrée gratuite pour Tulane, frais de scolarité, gîte et couvert, toutes dépenses comprises. Elle accepta de bonne grâce la bourse d'études mais déclina le gîte et le couvert, préférant une allocation annuelle lui permettant de vivre à la maison, où elle pourrait veiller sur sa mère tout en étudiant. L'argent payerait le loyer et plus encore. Cilla n'aurait plus besoin de travailler aussi dur ou aussi tard ; pour la première fois, Rosy payerait sa part.

Ce matin-là, sans Katrina, elle aurait pénétré dans une salle de classe à Tulane et commencé une nouvelle vie. Au lieu de ça, assise par terre dans le couloir sombre pendant que Cilla dormait et que l'orage s'abattait sur la ville, Rosy braquait la lampe de poche sur la notice nécrologique de son père et la parcourait une nouvelle fois : "...figurait sur la liste du doyen chaque semestre... préadmis à l'école de médecine de l'université de l'Alabama, à Birmingham... cité dans le bottin mondain des lycées américains ainsi que dans celui des universités et des établissements d'études supérieures..." Rosy avait fait tant d'efforts pour être à la hauteur de son excellence académique qu'elle ne pouvait imaginer ce qui avait bien pu lui passer par la tête pour tout abandonner en se suicidant. Mais pourquoi ? s'interrogea-t-elle à nouveau.

Pourtant, malgré tous les détails non sollicités dont Cilla l'avait abreuvée sur leur amourette, Rosy n'avait jamais obtenu de réponses aux questions qui comptaient le plus. Pas de réponse à cette question-là, ni aux autres : qui était sa famille ? Que faisaient-ils ? Cilla balayait systématiquement ces interrogations d'un geste. "J'sais pas, Rosy ma fille, on n'a pas eu le temps de parler de tout ça." Puis elle reprenait la litanie qu'elles connaissaient toutes deux par cœur : "Il venait de Tuscaloosa. Il avait des yeux marron qui viraient au vert quand il riait ou qu'il commençait à transpirer. C'qui veut dire que ses yeux étaient surtout verts quand il était avec moi !" Elle faisait un sourire malicieux et levait un sourcil en soupirant à l'évocation de ce souvenir. "Il pouvait rester immobile, à pêcher pendant des heures, sans parler, sur le bord de la digue, et quand il était concentré comme ça, je lui dénouais les muscles en massant ses épaules. Il était mince, mais tout en muscles. Il aimait m'raconter des histoires sur l'époque où il était lanceur pour les Jaguars au lycée Northridge, le jour où il avait effectué un blanchissage*..."

Soudain quelque chose se fracassa dehors, et d'instinct, Rosy se baissa vivement. La fenêtre d'un voisin pulvérisée par le vent déchaîné ? Un arbre dans un pare-brise ? Ils étaient au plus fort de la tempête, et elle avait peur. Recroquevillée par terre tandis que le tonnerre grondait au-delà, elle ferma les yeux et tâcha de se calmer en imaginant son père en train de fêter son exploit sportif avec sa première bière, faisant tournoyer le porte-clés que son père lui avait offert pour son seizième anniversaire autour de son petit doigt. Elle vit ses lèvres, bleuies par une baignade dans l'eau froide, alors qu'il se penchait pour embrasser sa mère. Cilla la berçait de ces histoires lorsqu'elles étaient pelotonnées côte à côte dans le lit.

---

* Au base-ball, un lanceur effectue un blanchissage lorsqu'il empêche l'équipe adverse de marquer des points au cours d'une partie.

Mais elle imaginait d'autres choses, aussi, des détails que Cilla ne souhaitait pas divulguer, des secrets que sa mère prononçait à voix haute quand elle croyait son enfant profondément endormie : ses tentatives maladroites pour défaire les boutons de son chemisier la première fois ; il en avait arraché un dans son empressement, l'avait enfoncé dans l'herbe, si bien que, quand Cilla l'avait recousu le soir même, le bouton avait un parfum de trèfle. Cette façon qu'il avait de caresser son téton avec son pouce calleux, la faisant jouir rien qu'au contact de sa main. Rosy savait si bien ce qu'il avait fait des onze boutons de rose qu'elle pouvait presque sentir leur parfum, évaporé depuis longtemps, lorsqu'elle les cueillit, un par un, dans l'écrin tapissé de velours, les tenant délicatement dans le creux de ses paumes tandis que dehors l'ouragan faisait rage.

Son père avait jadis effleuré la paume de Cilla avec ces boutons, traçant des cercles de pétales sur la peau tendre de sa main et à l'intérieur de son poignet, avant de dessiner des cercles à d'autres endroits, sur d'autres fleurs, avec les corolles rosées. Onze boutons de rose. Onze rendez-vous.

Chaque semaine pendant près de vingt ans, Cilla avait évoqué tout cela à voix haute, pour que perdure ce souvenir dans la chambre avec elle, dans son cœur, tandis que l'enfant respirait calmement à ses côtés, feignant le sommeil. Ainsi, Rosy découvrit la grâce de son père tout en veillant sur sa mère, sachant que son prénom venait des fleurs qui avaient servi de préliminaires à ses parents.

L'AUBE naquit dans la pénombre le 29 août 2005. Le ciel, toujours gris, toujours en pleurs, ne reflétait pas le passage des heures. Rosy était au lit, pas vraiment endormie, mais pas vraiment réveillée, quand elle entendit un grondement. Pas un fracas – rien d'aussi fort ou d'aussi franchement alarmant – mais tout de même menaçant. Comme si une rumeur venue des entrailles mêmes de la terre remontait entre les lattes du plancher, jusque dans ses os. Pas un séisme. Pas aussi saccadé. La terre qui parlait. Elle resta allongée, parfaitement immobile, et ça recommença. Une vibration qui allait crescendo. Elle se leva, encore vêtue des habits de la veille.

— T'as senti ça ? demanda Cilla, inquiète, depuis son côté du lit.

Elle s'était retournée pour faire face à sa fille.

— Ouais. C'était quoi ? s'enquit Rosy, troublée que le bruit ait également réveillé sa mère – Cilla avait un sommeil de plomb.

— Je sais pas, répondit-elle, mais elle sauta hors du lit et enfila un pantalon, dans lequel elle fourra les pans de sa chemise de nuit tout en suivant Rosy jusqu'à la porte d'entrée.

Chaque pas était leur dernier dans cette pièce, sur ce plancher, sur ce centimètre carré là en particulier. Elles ne reviendraient jamais plus.

D'autres habitants, une poignée disséminée dans tout le Ninth Ward, s'habillaient également à la hâte derrière leurs minces cloisons de plâtre, percevant un changement, s'interrogeant les uns les autres : "T'as entendu ? C'était quoi ?" Ils ne parvenaient pas à identifier le bruit, fatalement ignorants qu'ils étaient de ce qui fondait sur eux. Mais dans les semaines qui suivirent le désastre, quand les survivants commencèrent à évoquer le grondement qui les avait réveillés ce matin-là, ils supposèrent que les barges avaient rompu leurs amarres sur le canal industriel qui longeait le quartier, faisant retentir un dernier avertissement : le *boom boom boom* sinistre des bateaux percutant les digues. Brisant les parois.

L'horloge du couloir indiquait 7 h 45. Rosy enjamba la boîte à bijoux par terre et ouvrit la porte. Cilla, derrière elle, se baissa pour ramasser l'écrin. C'est pour cette raison qu'il était entre ses mains, seule possession sauvée de la maison, quand Rosy hurla et qu'elles détalèrent.

ELLES devancèrent les eaux de crue jusqu'à la maison de Maya, mais uniquement parce que cette dernière habitait juste en face. Le torrent d'eau qui fonçait sur les femmes suspendit momentanément son cours à un pâté de maisons de là, quand un toit tournoyant sur son arête se coinça entre deux voitures. La vague repoussa les obstacles sur le côté, mais l'interruption leur donna le temps de se précipiter sur la porte de Maya, de monter l'escalier en courant, et de se hisser suffisamment haut pour attraper la corde et tirer l'échelle du grenier à elles. Elles poussèrent la vieille femme devant tandis que l'eau engloutissait la cage d'escalier. Cilla referma la trappe, Rosy poussa par-dessus un coffre sur lequel les trois femmes se jetèrent, comme si l'inondation était un géant qu'elles pouvaient cantonner à l'autre pièce. Elles s'assirent en silence, abasourdies. Au loin, quelqu'un hurla, un hurlement qui n'en finissait pas, comme une plainte d'enfant arraché aux bras de sa mère. Sous elles, quelque chose de métallique se plia dans un grognement. Le tonnerre claquait tout autour, encore et encore, mais au bout du troisième ou quatrième coup, elles comprirent que ce n'était pas le tonnerre. C'était les maisons. Toutes les maisons en bois emportées par la vague s'encastraient dans la façade en briques de Maya et se désagrégeaient. Les murs en ciment tremblèrent, mais tinrent bon. Maya regarda Rosy. Rosy regarda Cilla. Cilla, la dernière des trois à être montée à l'échelle, avait le pantalon mouillé jusqu'à mi-mollet. Quand elle baissa les yeux pour examiner ses jambes trempées, elle vit que le courant s'infiltrait de part et d'autre des charnières de la trappe. Rosy aussi remarqua les chevrons qui se tachaient au fur et à mesure que l'isolant s'imbibait. Mais avant que l'une ou l'autre ait pu mentionner les eaux qui montaient, Maya passa un bras autour des épaules de Rosy, l'autre autour de celles de Cilla, et elle brisa le silence.

— Qu'est-ce que vous avez apporté là, mes chéries ? demanda-t-elle, comme si elle s'enquérait d'un cadeau qu'un invité aurait oublié d'offrir et qui se trouverait toujours entre ses mains.

À ce moment-là, Cilla remarqua qu'elle n'avait pas lâché la boîte à bijoux, alors que Rosy serrait dans son poing leur paire de baskets commune nouées ensemble aux lacets. Rosy les avait attachées ainsi en rentrant de la bibliothèque, l'autre jour. Le port des chaussures était obligatoire à la bibliothèque, mais Rosy préférait pédaler pieds nus, alors elle les avait nouées ensemble, jetées par-dessus le guidon, puis balancées sur la cagette à côté de la porte avant d'entrer dans la maison. Les cagettes avaient disparu, elles s'étaient envolées dès les premières heures de l'orage ; les autres chaussures avaient été emportées par le vent. Mais les lacets noués des baskets s'étaient pris dans un crochet suspendu et lui avaient fouetté le visage quand elle avait sauté du porche, alors elle les avait attrapés en se précipitant au-devant des eaux déchaînées, vers la maison de Maya.

En dépit des déflagrations et du fracas au dehors, alors que les eaux du Mississippi et du lac Pontchartrain enflaient au-dessous d'elle, coincée dans le grenier d'une voisine, Rosy ne ressentit réellement la peur qu'au moment où elle enfila les baskets. Tandis qu'elle pensait à ce qu'elle avait emporté de la maison, elle s'était soudain rendu compte que les sacs qu'elle avait préparés – ceux qui contenaient les médicaments de Cilla, placés dans un sachet étanche pour plus de sûreté, épinglés à un sweat-shirt pour une sécurité optimale – avaient été oubliés, probablement engloutis par les flots désormais.

Malgré tout ce qui faisait rage autour d'elle, rien ne lui faisait plus peur que d'avoir perdu le lithium de sa mère.

5

Rose

La mandra és la mare tots els vicis.

ROSE n'arrivait pas à chasser l'étrange sentiment de trahison qui l'habitait, l'impression de ramener une inconnue à l'appartement tout en laissant sa mère dehors. Elle aurait pu abandonner les chaussures – soustraites aux pieds de la fille morte – à l'extérieur, à côté du paillasson, mais elle ne le fit pas. Elle y pensa, cela dit. Elle ne pensa pas à grand-chose d'autre lorsque l'infirmière la conduisit du lit d'hôpital au taxi qui attendait devant l'entrée. "Je peux marcher", avait-elle annoncé, mais l'infirmière avait répondu que le fauteuil roulant était obligatoire, probablement une bonne chose puisque les chaussures enserraient ses pieds comme des blocs de ciment; elle avait besoin de temps pour s'habituer à les soulever, ce qu'elle fit tandis qu'on la poussait dans les couloirs.

Elle signa son propre formulaire de décharge tôt le lundi matin, 5 septembre – trente-six heures après que l'inspecteur McAffrey lui eut murmuré sur le bas-côté de la route "Tiens bon, ma belle, les secours arrivent", avant de la hisser dans l'ambulance et de l'accompagner jusqu'à l'hôpital. Il avait veillé sur elle jusqu'à ce qu'ils commencent à découper ses habits ensanglantés pour en libérer son corps. Il était sorti en détournant le regard alors qu'une infirmière urgentiste faisait glisser les chaussures des pieds de Rose directement dans un sac plastique qu'elle avait ensuite scellé, étiqueté et mis de côté.

Le sac était réapparu lundi matin.

— Je vous ai ramené de quoi vous habiller pour le retour à la maison, ma belle, dit l'infirmière tout en se permettant de dénouer la blouse d'hôpital de Rose puis de tenir en l'air un nouveau vêtement pour qu'elle y glisse les bras.

Lors du changement d'équipe, l'infirmière avait discuté avec l'assistante sociale des habits qu'il fallait passer à Rose avant de la renvoyer chez elle. D'habitude, les membres de la famille apportaient des vêtements propres aux patients, mais à elle, personne n'avait rien apporté. Personne n'était venu, point barre. Comment se faisait-il qu'aucun proche n'ait rendu visite à cette fille qui se retrouvait orpheline? se demandaient-elles. Qui l'accompagnerait dans sa guérison et son deuil? Se retrouverait-elle toute seule une fois de retour chez elle? Comment sa santé mentale en serait-elle affectée? Se pourrait-il qu'elle soit sujette à...

— Une blouse jetable.

L'infirmière et l'assistante sociale se tournèrent pour regarder l'interne qui se tenait derrière elles.

— Renvoyez-la chez elle en blouse jetable, dit-il, et donnez-moi sa feuille de température. Il faut que je la signe avant ma tournée, et je suis déjà en retard.

Il griffonna son nom à la hâte et dit, en balançant la feuille à l'assistante sociale :

— Allez, les filles, sortez-la d'ici. On a besoin du lit.

Ainsi, restée sans réponse, la question du bien-être de Rose s'évapora quand l'infirmière partit chercher la blouse dans le placard à fournitures et que l'assistante sociale reporta son attention sur les dilemmes plus faciles à résoudre de gestion de la douleur et de placement à long terme des vingt-quatre autres patients du service.

— Je sais qu'elle est un peu grande, mais je vais la resserrer à la taille et ça fera l'affaire jusqu'à ce que vous soyez chez vous, dit l'infirmière, bavardant de cette manière artificielle qu'adoptent certaines femmes pour masquer leur tristesse. Beaucoup de gens trouvent ces blouses vraiment confortables. D'ailleurs, on a eu des soucis parce qu'on n'arrêtait pas de nous les voler. Mais depuis l'invention de la version jetable, qui selon les docteurs n'est pas aussi confortable que les blouses en coton, on a moins de lessive à faire et c'est beaucoup moins cher à remplacer quand les patients partent avec! Mettez-la à la poubelle dès que vous serez rentrée, pas besoin de nous la rendre. En revanche, on a vos chaussures!

— Ce ne sont pas mes chaussures, dit Rose quand l'infirmière ouvrit le sac et en sortit les baskets de la morte.

— Bien sûr que si, ma belle, dit-elle en tendant le sac étiqueté à Rose, avant de lui enfiler péniblement les chaussures mouchetées de sang et de boue.

Rose comptait protester, répéter que les chaussures ne lui appartenaient pas malgré ce que disait l'étiquette du service, mais avant de pouvoir trouver une explication valable au fait qu'elle les ait eues aux pieds en arrivant à l'hôpital, elle se demanda pourquoi elle les avait chaussées, d'abord? Elle se rappelait les avoir jetées sur le plancher de la voiture – les ballerines rouges qu'elle adorait parce qu'elles étaient légèrement sophistiquées mais hyperconfortables – puis avoir appuyé ses orteils contre le pare-brise. Elle se rappelait aussi sa détermination à laisser de nouvelles empreintes au lieu de simplement recouvrir les traces existantes, parce que les traces d'orteils sur le pare-brise emmerdaient sa mère et qu'elle avait très envie d'emmerder sa mère. Mais pourquoi? se demanda Rose. Pourquoi se disputait-on?

Puis une vision d'arbres en train de voler vers elle l'envahit, et dans un ralenti horrifique elle vit à nouveau les branches converger vers la voiture, son propre corps pressé contre la ceinture de sécurité, essayant instinctivement de s'enfouir dans le giron de sa mère, comme elle le faisait petite dès qu'un chien courait dans sa direction, après qu'elle avait été mordue par un chow-chow au parc. Gertrude la prenait toujours dans ses bras, en hauteur, loin du danger, elle transformait ça en jeu, se laissant aller à un "ouououououououou" euphorique tout en faisant tournoyer la petite Rose dans les airs. Les bras de sa mère ne lui avaient jamais fait défaut à l'époque, alors à dix-huit ans elle avait plongé vers eux au moment où elle en avait le plus désespérément besoin, après tant d'années à fuir leur étreinte. Mais Gertrude l'avait arrêtée avant que leurs corps ne se rejoignent. Les ongles de la main droite de sa mère s'étaient accrochés au tissu de son chemisier et lui avaient sauvé la vie en la repoussant, en la plaquant, pour l'immobiliser, contre le siège passager. La dernière parole entre elles fut la voix de Gertrude qui hurlait: "Roooooose!"

Le souvenir lui coupa le souffle. Elle dut avoir l'air paniqué, parce que l'infirmière la regarda et demanda:

— Je les ai trop serrées?

Et voilà que les chaussures de l'inconnue étaient de nouveau à ses pieds, et Rose comprit que c'était là leur vraie place.

Elle ne les enlèverait peut-être jamais. Elles lui appartenaient maintenant. Laisser dehors une possession si cathectique aurait été comme abandonner ses propres pieds tandis qu'elle pénétrait dans l'appartement, véritablement seule pour la première fois de sa vie.

SEPT interminables journées s'étaient écoulées entre la mort de Gertrude, le samedi, et son enterrement une semaine plus tard. Durant les trois jours qui suivirent son retour à l'appartement, Rose n'ouvrit pas un store, n'alluma pas même une lumière. Quand il passait suffisamment de soleil entre les lamelles pour lui permettre de lire, elle s'attaquait à la traduction par Andrew Hurley des *Fictions complètes* de Jorge Luis Borges, mais au bout du deuxième jour elle se rendit compte que, dans son brouillard, elle relisait sans cesse les quatre mêmes chapitres de *L'Histoire universelle de l'infamie*, et elle jeta le livre par terre. Mais la plupart du temps, elle dormait. Dans le lit de sa mère, visage pressé contre l'oreiller rembourré en duvet d'oie, un des rares luxes de Gertrude. Son corps avait besoin de temps pour se remettre de la commotion, des ecchymoses, et son esprit avait soif d'obscurité.

Jeudi, lorsqu'elle émergea de la matrice qu'était la chambre de sa mère, elle regarda l'appartement d'un œil neuf. D'abord, elle prit une brique de jus d'orange dans le frigo, inclina le bec vers sa bouche et se mit à boire. Elle n'avait jamais fait ça avant ; la bienséance régnait dans leur foyer. Mais ce foyer n'était plus le *leur*. Elle traversa les pièces de l'appartement avec le jus, tirant brutalement les rideaux tandis qu'elle buvait, vidant le carton tout en baignant l'espace de soleil.

Tout remonta plus tard, une poussée âcre, quand elle arracha les draps du lit pour les laver et trébucha sur les chaussures qui, telles des sentinelles, avaient été placées avec précision au pied du lit de Gertrude, leurs lacets méticuleusement refaits. Elle régurgita également le souvenir du corps brisé de l'inconnue dans cette même position, étalée par terre, les pieds emmêlés dans ses chaussures. Elle ne se serait peut-être jamais relevée si elle n'avait eu tant de choses à faire. Elle ne pouvait laisser les souvenirs contrecarrer son besoin impérieux de purger. Elle jeta les draps dans la machine à laver, la blouse fripée dans la poubelle, son propre corps nu et contusionné dans la baignoire.

Presque aussitôt, cependant, elle bondit hors de l'eau et retourna chercher les chaussures. Elle les tenait coincées sous un bras, réhydratant la boue séchée, maculant le côté de son sein gauche. Elle les serrait en même temps que le téléphone, qu'elle avait aussi attrapé lors de sa ruée toute nue à travers l'appartement. Tout en composant le numéro des renseignements, elle évalua mentalement la quantité de sacs en plastique amassés sous l'évier, ainsi que les sacs-poubelle stockés dans la remise, estimant qu'elles en avaient suffisamment accumulés pour contenir tous les vêtements de Gertrude ; elle organisa alors un ramassage en début de soirée avec le bénévole de l'association caritative *United Way*. Avant de parcourir la totalité du chemin détrempé de la baignoire aux chaussures et vice-versa, avant de s'immerger à nouveau dans l'eau à côté des baskets qui reposaient sur le rebord de la baignoire pendant qu'elle se baignait, elle avait élaboré un plan qui lui permettrait de tenir jusqu'à la nuit. Tant qu'elle resterait occupée, elle était sûre de ne pas craquer.

L'oisiveté est mère de tous les vices, pensa-t-elle, mais c'est la voix de Gertrude qu'elle entendit en écho, formulant les choses autrement : "*La mandra és la mare des tots els vicis.*" Gertrude avait recours au catalan – la langue de sa mère depuis longtemps disparue – pour reprocher son indolence à Rose chaque fois que celle-ci paressait dans l'appartement, se plaignant de n'avoir rien d'intéressant à faire. Gertrude utilisait l'expression non pas pour faire honneur à ses racines, mais par simple habitude, puisqu'elle ne l'avait jamais entendu prononcer d'une autre manière.

Le père de Gertrude, soldat dans sa jeunesse, avait servi un temps aux alentours de Barcelone. Il était rentré au pays, à l'entrepôt militaire d'Anniston où il travaillait comme mécanicien, accompagné d'une épouse espagnole et enceinte. À sa fille, il ne parlait jamais que de la composante "épouse" de cette proposition, et Gertrude, adolescente curieuse, avait déduit la composante "enceinte" toute seule, en comptant à rebours à partir de sa date de naissance. Elle avait laissé son père aller à la tombe, foudroyé par une crise cardiaque six semaines après la naissance de sa petite-fille Rose, sans jamais lui dire qu'elle était au courant de leur imprudence.

L'histoire de la rencontre de ses parents, que son père évoquait souvent et avec plaisir, avait bercé son enfance. Lui : en uniforme, en quête de douceurs espagnoles. Elle : derrière le comptoir, occupée à cuire du pain dans la *panaderia*, de la farine sur le nez. Elle s'était tournée pour prendre sa commande, au lieu de quoi elle avait éternué, aspergeant sa tenue amidonnée de traînées de poudre blanche. Troublé par le contact de sa peau quand elle tendit le bras pour l'épousseter, et s'emmêlant dans les phrases étrangères, il lui présenta par erreur ses excuses alors qu'il souhaitait l'excuser elle, ce qui le fit bafouiller de manière incompréhensible.

Quand il se tut enfin, elle lui répondit dans un anglais scolaire: "Mais c'est à moi qu'il appartient de demander des excuses à vous."

"Et moi j'aurais voulu qu'on ait toute une vie pour continuer à se demander et à se présenter des excuses", concluait son père chaque fois.

Leur histoire n'avait pas duré plus longtemps qu'une période de gestation. La mère de Gertrude, morte en couches, n'avait rien transmis d'autre que son ADN à sa fille; ce fut le père qui donna vie à la mère tout en élevant la fille qu'elle lui avait laissée. Il consacra sa vie à lui raconter l'histoire de leur idylle: les récits détaillés de leurs premiers rendez-vous passés à préparer le pain aux heures sombres du petit matin, les virées à moto sur les routes de campagne que les touristes ne remarquaient jamais, les jeux de saute-flaque à minuit dans les rues pavées. Il vint un temps où, adulte, Gertrude comprit brutalement que ses parents n'avaient vraiment connu qu'une suite de rendez-vous galants et que, au fil des ans, elle avait été le témoin par procuration de toute leur vie de couple, assise sur les genoux de son père, à écouter ses histoires. Elle connaissait la couleur des boucles d'oreilles que sa mère portait à leur mariage; la forme de ses ongles, l'emplacement précis de chaque meuble – comment il avait été acheté et où – dans leur première (et unique) maison, sur la base militaire d'Anniston. Elle savait que juste avant de mourir, sa mère avait tendu le bras pour toucher de son index droit la joue gauche de son bébé, disant dans un dernier sourire: *Ets maca.*

— Tu es belle. Et quand elle a dit ça, tu lui as immédiatement souri! répétait toujours son père à ce moment précis, qui venait clore tous ses récits sur la vie de sa mère. Va pas croire ce qu'ils disent sur les bébés qui seraient pas capables de sourire avant d'avoir deux mois! J'étais là. Je te tenais dans mes bras, Gertie. Et t'as souri à ta maman. La dernière chose qu'elle a vue ici-bas, c'est ton sourire. Maintenant, file, disait-il en la chassant de ses genoux. Ta mère me botterait les fesses si elle nous voyait traîner comme ça, à nous raconter des histoires. Elle disait toujours: *"La mandra és la mare de tots els vicis."*

Et c'est ainsi que l'expression catalane avait été transmise par un ouvrier de l'Alabama à sa fille, puis à sa petite-fille – le seul héritage méditerranéen de Rose, parce que les conversations à propos de sa grand-mère avaient pris fin le jour où son grand-père était mort. Gertrude s'enorgueillissait de vivre dans le présent et non dans le passé. Tout ce qui était douloureux, elle l'effaçait de sa mémoire. Seule cette expression s'était faufilée, de génération en génération, prononcée avec un accent du sud des États-Unis qui annulait pratiquement ses origines barcelonaises.

Le matin du 11 septembre 2001, cependant, les mots prirent un sens nouveau, associés pour toujours dans l'esprit de Rose à l'effondrement des deux tours.

En cette matinée de fin d'été, Gertrude commençait à 8 heures chez Kinko's ; habillée et maquillée, sourcils épilés, portant une jupe repassée, sa tasse à café rincée, elle finissait sa tartine en laissant distraitement l'émission matinale *Today* lui tenir compagnie, quand elle entendit Matt Lauer annoncer un événement majeur. Les événements majeurs l'intriguaient, tout comme les camions de pompier et les sirènes d'alerte aux tornades. Rose devait régulièrement lui enjoindre de ne pas suivre les ambulances qui pénétraient dans leur résidence. ("Mon Dieu, Maman, t'es une fouineuse de la pire espèce !") Sans souhaiter pour autant que quiconque fût blessé, Gertrude ne pouvait s'empêcher de se précipiter sur les lieux dans l'espoir d'avoir une histoire à raconter au travail le lendemain. Remarquablement mutique au sujet des désastres qui avaient jalonné sa propre vie – la mort prématurée de sa mère, le départ inopportun de son mari –, elle comblait le vide en évoquant le malheur des autres.

Alors elle regarda sa montre, 7 h 52, s'assit sur le rebord du canapé et attendit la fin des publicités, se disant qu'elle aurait peut-être le temps de tout écouter avant d'aller au travail. Réalisant que ses collègues étaient probablement déjà en route, elle savoura l'idée de débarquer avec un scoop. Secrètement, elle espérait que ce serait une tragédie, quelque chose du même acabit qu'un massacre dans une école. Elle se mordit la lèvre d'impatience.

Elle l'avait, son histoire, enfin. Dieu du Ciel ! Le World Trade Center en flammes ! Matt dit qu'un petit avion avait heurté la tour nord, mais Gertrude n'en crut rien. Comment quelqu'un pouvait-il accidentellement heurter quelque chose de si énorme ? Et un petit avion ne pouvait occasionner tant de dégâts. Elle analysait les images vidéo si attentivement qu'elle en oublia de consulter sa montre avant 8 h 02. Déjà en retard, sans compter les cinq minutes de trajet, elle esquissa, pour éteindre la télévision, un geste qui la plaça nez à nez avec la tour sud quand cette dernière explosa dans son téléviseur.

Elle se laissa glisser à genoux sur le sol, posa une main sur l'écran et frappa Katie Couric au visage en l'insultant pour qu'elle déguerpisse de l'écran. Gertrude voulait revoir la séquence.

Ça y était, enfin. Un meilleur plan, filmé sous un autre angle. Il s'agissait d'un jet. Avec son obsession pour les désastres, Gertrude comprit instinctivement ce qui était en train de se passer.

— Rose ! cria-t-elle, alors qu'un témoin oculaire – un producteur connecté par téléphone – se demandait tout haut s'il se pouvait qu'il y ait des problèmes de contrôle de la circulation aérienne.

— Rose ! Debout ! On attaque les États-Unis !

Quand Rose se précipita hors de sa chambre, les yeux ensommeillés, elle entendit sa mère crier :

— On attaque notre pays !

Elles restèrent assises ensemble par terre, se tenant la main sans même s'en rendre compte, jusqu'à 9 h 30, lorsque Katie Couric et Matt Lauer revinrent s'asseoir aux côtés de Tom Brokaw. Puis elles s'installèrent dans le canapé. À midi, quand démarra le reportage spécial de Tom "L'Amérique ciblée par des attentats", Rose prit une boîte de céréales en revenant des toilettes, qu'elles disposèrent entre elles deux et mangèrent sans lait, à même le carton, attentives aux allées et venues de leurs mains respectives, évitant de se cogner. Juste avant que ne commence le reportage spécial de Katie et Matt, à 4 heures, se rendant compte qu'elles étaient restées assises sans parler, clouées sur place, plus de huit heures d'affilée, que Gertrude était toujours en talons et qu'elle-même était toujours en pyjama, Rose essaya d'alléger l'humeur macabre :

— *La mandra és la mare de tots els vicis.*

Ce à quoi Gertrude répondit :

— *I, com a mare, cal respectar-la.*

Rose, qui n'avait jamais entendu cette réplique catalane auparavant, lança un regard interrogateur à sa mère.

— Si l'oisiveté est mère de tous les vices, traduisit Gertrude, alors nous devons la respecter comme une mère.

Puis elle passa un bras autour des épaules de sa fille, ce que Rose permit, et elles regardèrent les actualités jusqu'à s'endormir, saines et sauves, blotties l'une contre l'autre, tandis que Tom continuait de narrer leurs rêves de terreur, d'atrocités et de carnage se déroulant juste derrière leur porte.

Chaque 11 septembre qui suivirent, sans se consulter au préalable, elles reprenaient leurs places sur le canapé peu de temps après 7 heures pour honorer les morts ensemble. Rose, en pyjama – une entorse que Gertrude n'aurait jamais permise en d'autres circonstances –, apportait une boîte de céréales et disait: *"La mandra és la mare des tots els vicis."*

Gertrude prenait la main de sa fille, que Rose lui laissait exceptionnellement tenir pendant ces quelques heures, et répondait: *"I, com a mare, cal respectar-la."*

Elles ne pleuraient pas seulement les inconnus tombés à New York, à Washington, DC, et dans un champ en Pennsylvanie, elles pleuraient aussi ceux qui, dans leurs propres vies, leur manquaient tant mais dont elles ne parlaient jamais. Rose portait une attention particulière aux enfants brandissant des photos de leur père disparu; Gertrude scrutait les femmes adultes en quête de parents volatilisés, d'époux parti.

Elles s'asseyaient ensemble. Elles regardaient ensemble. Elles pleuraient séparément, en communion avec des fantômes trop personnels.

La voisine soupçonnait Rose d'avoir perdu la tête. Dans l'accident, vous comprenez. Pauvre petite, il ne pouvait y avoir d'autre explication.

Depuis plusieurs jours, elle observait l'appartement; elle avait réuni de quoi préparer un succotash en prévision du retour de la jeune femme. Il n'avait pas été facile d'empêcher son mari et ses trois enfants de grignoter les ingrédients. Par deux fois elle avait surpris son homme sur le point de trancher une tomate, qu'elle avait dû arracher de ses mains noires et calleuses.

— Lâche ça tout de suite! C'est pas pour toi! C'est pour la pauvre petite d'en face qui a sa mère qu'est morte!

— Tu la connais même pas, gémit-il.

— C'est not' voisine!

— T'en as jamais rien eu à faire avant.

— Avant, sa mère était pas morte!

— Et passque sa mère est morte, j'ai pas le droit de manger ce qu'y a chez moi ?

À ces mots, la femme posa les deux poings sur les hanches, planta brutalement son pied droit sur le lino devant elle tout en maintenant le reste de son corps raide comme un piquet, et renversa la tête en arrière comme un oiseau de proie s'apprêtant à lui transpercer la carotide d'un coup de bec. Il eut la sagesse de battre en retraite avant qu'elle ne s'énervât pour de bon.

— Alors au moins, vire sa nourriture de ma cuisine ! dit-il, histoire de sauver la face. Si la nourriture est chez moi, j'ai le droit de la manger !

— Je peux pas ! répondit la femme. Elle est pas encore rentrée !

D'un pas lourd, elle traversa le salon jusqu'à la baie vitrée et jeta un nouveau coup d'œil entre les lamelles du store : l'appartement de l'autre côté de l'allée était toujours vide. Elle ne voulait pas passer pour une fouineuse, non plus.

Le présentateur local avait dit que l'unique survivante de l'accident était sortie de l'hôpital lundi, mais elle ne vit aucun signe de vie avant jeudi, tôt, quand lors de son énième passage pour regarder par la fenêtre, elle aperçut enfin l'appartement entièrement illuminé, tel un chapiteau. Alors elle noua un bandana par-dessus ses tresses plaquées, passa un tablier autour de sa taille généreuse et se mit à mélanger les ingrédients. Quand elle traversa le parking avec son offrande, se dirigeant droit sur la porte d'entrée de la fille, elle dut passer devant une foule hostile de sacs débordants de chemisiers, d'escarpins et de jupes en laine grise.

— Doux Jésus, commenta-t-elle à haute voix tout en montant l'escalier de l'allée. C'te fille est possédée ! Qui jette sa mère à la poubelle comme ça ? C'est pas normal de faire une chose pareille !

Elle toqua à la porte avec appréhension.

La fille pâle au regard voilé qui lui ouvrit portait sur la tête un jupon en soie noire dont l'élastique lui enserrait le front et dont le tissu lui recouvrait les cheveux telle une perruque. Elle agita un couteau en l'air tout en s'exclamant "Salut ! Rentrez donc !", mais à ce moment-là le succotash tournoyait déjà en direction du sol, et le plat s'abattit en une pluie de porcelaine sur le paillasson BIENVENUE entre elles deux.

La femme piétina, trébuchant sur ses propres pieds, ne sachant quelle attitude adopter : l'habitude lui soufflait de rester pour nettoyer, mais l'instinct lui soufflait de s'enfuir. Quand la fille remplaça le couteau par un sac-poubelle et se pencha pour ramasser la nourriture écrabouillée et les tessons, s'excusant de l'avoir fait sursauter, elle s'accroupit précautionneusement à ses côtés pour l'aider. Dans le sac en plastique, les éclats de porcelaine s'entrechoquaient en un chœur apaisant, mais elle était trop distraite par l'accoutrement bizarre de la fille pour se concentrer sur les dégâts. Il lui fallut une minute pour rassembler son courage et demander enfin :

— Qu'est-ce que vous portez ?

La fille regarda son short, son T-shirt, déconcertée.

— Pas sur votre corps. Sur votre tête. Ma fille, vous avez un jupon sur la tête !

— Oh !

La fille retira le jupon, se releva brusquement, éclata de rire :

— Oh mon Dieu ! Quelle honte ! J'avais oublié que je l'avais sur la tête !

La voisine se releva aussi et, déstabilisée, fit un pas en arrière.

— J'avais l'habitude de...

Rose commença à expliquer, mais elle riait trop pour continuer. Elle se plia en deux, hystérique. Elle réussit à cracher : "Quand j'étais petite...", avant de s'étouffer à nouveau de rire, ce qui eut pour effet de projeter le mot "petite" hors de sa bouche comme si elle était possédée... Écroulée sur le pas de la porte, elle rit et rit encore jusqu'à ne plus pouvoir respirer, elle rit si fort qu'elle se mit à pleurer, rit et pleura si fort qu'elle se mit à aspirer de l'air, de grosses gorgées désespérées entre deux sanglots tout en pressant le jupon contre son visage. La voisine se dit qu'elle devrait consoler la fille, que quelqu'un devrait consoler cette fille, au lieu de quoi elle choisit – une décision prise en une fraction de seconde, qui tenait compte de la possession potentielle de Rose évoquée plus tôt, de l'altérité de sa couleur de peau, du sous-vêtement sur sa tête et de la disparition du couteau – de foncer chez elle et de fermer la porte à clé. En sécurité derrière les stores, se sentant terriblement coupable mais incapable d'agir autrement, elle regarda la fille s'envelopper de ses propres bras et pleurer sur le seuil pendant vingt minutes, le ragoût répandu en bouillie fumante à ses pieds.

Rose avait voulu expliquer à sa voisine qu'elle mettait le jupon sur sa tête quand elle était petite. Avec, elle se sentait transportée et imaginait une existence secrète où elle était une princesse vivant dans un des châteaux enfermés à l'intérieur des boules à neige sur la commode de sa mère. Le jupon la transformait en favorite du sultan, une femme adorée aux cheveux de soie.

En vidant fiévreusement le tiroir à lingerie de sa mère, jetant des affaires dans des sacs sans prendre le temps d'y réfléchir, Rosy avait retrouvé le jupon, une décennie plus tard. Cela avait interrompu ses efforts frénétiques. Le tissu soyeux pressé contre sa joue, elle s'était rappelé le plaisir illicite qu'elle ressentait quand Gertrude cédait à ses supplications enfantines et la laissait farfouiller parmi les accoutrements féminins, glisser ses jambes dans des collants et passer à son cou les colliers incrustés de joyaux dénichés dans une boîte tapie tout au fond du tiroir à sous-vêtements de sa mère. Elle s'était revue en train de remonter les bracelets jusqu'à ses biceps, telle une héritière impériale. Et toujours le jupon en lieu et place de cheveux. Debout devant la commode saccagée de sa mère, elle avait voulu le jeter sur la pile d'affaires à donner mais n'avait pu s'y résoudre. Alors elle l'avait mis sur sa tête, afin qu'il enveloppe une dernière fois ses cheveux en un fac-similé sensuel de royauté.

Parée de reliques primitives – le sous-vêtement de sa mère morte sur la tête, les baskets d'une fille morte aux pieds –, Rose avait erré dans le salon et pris l'album photo sur une étagère. Dans la cuisine, elle avait saisi une pomme et un couteau pour la diviser en quartiers, puis elle s'était installée à table et avait feuilleté l'album jusqu'à ce que la voisine frappe à la porte.

Sur la troisième page, elle avait trouvé la photo qu'elle cherchait. Elle à six ans, peut-être sept, vêtue de la chemise de nuit bleue en coton de sa mère, aux manches recouvertes de dentelle, qui drapée sur son corps minuscule faisait l'effet d'une traîne de mariée. Cheveux de soie en place, plaqués contre son crâne par un collier en or serti d'un faux joyau qu'elle avait positionné au milieu de son front, façon bindi, l'enfant faisait un sourire édenté et brandissait un pot de fleurs, feignant de le frotter, comme si elle s'attendait à en voir jaillir un génie. Cette image de son interprétation personnelle du personnage de Jasmine dans le dessin animé *Aladdin* avait fait glousser Rose.

Elle avait léché le jus de pomme sur ses doigts. Deux pages plus loin, elle était tombée sur sa photo préférée. Elle, âgée de onze ans, avec sa mère dans le premier wagon du grand huit au parc d'attractions Six Flags, immortalisées par un appareil automatique au moment où elles franchissaient la première crête et commençaient à dévaler la longue descente incroyablement abrupte du manège. Bien que ce ne fût pas un cliché flatteur – on aurait dit que leurs yeux allaient jaillir de leur tête –, Gertrude avait acheté la photo ainsi que de la barbe à papa, un jouet Looney Tunes et deux hot-dogs. Elle n'avait pas apporté de quoi manger "pour faire des économies", n'avait pas dit "Tu n'en as pas besoin" ou "Tu peux t'en passer". Elle avait tout simplement passé la journée à dire oui. Oui à toutes les friandises, oui à un deuxième ou troisième tour de manège, oui pour rester jusqu'à la toute dernière minute quand le gardien les avait coincées et déclaré : "Le parc est fermé, mesdames! Il faut partir maintenant!" Alors Gertrude avait couru – sa mère avait *couru*! – main dans la main de Rose jusqu'à la voiture dans le parking, où elle avait soulevé sa fille pour la faire tournoyer en l'air (pour la toute dernière fois), déclarant : "On s'est déjà autant amusées?"

Elles ne s'étaient jamais autant amusées, c'était la raison pour laquelle Rose aimait tant cette photo. Cette fois-là seulement, l'espace d'une journée, sa mère avait été quelqu'un d'autre; ainsi, Rose trouvait que le cliché des yeux écarquillés au sommet du grand huit était la plus belle photo de Gertrude jamais prise.

Il y en avait eu d'autres, d'autres belles photos, mais Gertrude les avait arrachées de l'album avant que Rose ne grandisse et devienne suffisamment maline pour les chercher.

Ils appellent ça la nidation, cette compulsion à préparer son intérieur en prévision de la naissance d'un bébé.

N'ayant pas les ressources nécessaires pour une véritable nidation, Gertrude donna libre cours à ses instincts de femme enceinte en passant au crible une boîte à chaussures pleine de photos afin de commencer un album pour son futur enfant. Elle remonta deux ans en arrière pour retracer les étapes qui avaient mené à la conception du bébé. Attaqua par la photo du grand bal de fin de seconde au lycée; Roger portait un nœud papillon bleu roi sous son smoking blanc, assorti à sa propre robe bleu roi : leur premier rendez-vous officiel. À côté, elle colla une photo du grand bal de fin de terminale, puis une photo de la remise des diplômes : elle, en toque et toge blanches, Roger en T-shirt aux couleurs de l'équipe de football de l'université de l'Alabama, les bras lui encerclant la taille. Plus âgé de deux ans, Roger était sur le point d'entamer sa troisième année dans l'université à laquelle Gertrude avait été destinée toute sa vie.

À la mort de sa mère, le père de Gertrude avait quitté Anniston ainsi que l'armée pour un emploi à Tuscaloosa qui consistait à s'occuper des véhicules d'entretien de l'université de l'Alabama. Il préparait les machines qui préparaient les prodigieux terrains de sport tout en préparant sa fille à imaginer qu'un jour elle ferait la pom-pom girl sur l'illustre gazon du stade Bryant-Denny où elle avait appris à marcher. Il travaillait dur à un poste qui n'avait aucun sens à ses yeux, faisant passer son travail avant sa fille afin de garantir à cette dernière un laissez-passer pour l'éducation universitaire que lui-même n'avait jamais reçue.

La quatrième photo qu'elle colla dans l'album consignait la mort de ce rêve.

Les trois meilleures amies de Gertrude étaient blotties les unes contre les autres, radieuses dans leurs pull-overs à l'effigie de leur sororité sur le patio de la très convoitée maison Chi Omega. Ces trois-là accomplirent ce que les quatre amies avaient toujours parlé de faire ensemble. Ce n'était pas une photo très nette, elle trahissait la main tremblante de Gertrude sur l'obturateur et, lorsqu'elle la colla sur la page, elle dut lutter, à nouveau, pour retenir les larmes qui menaçaient de couler tandis qu'elle regardait s'envoler son avenir rêvé. Le renflement sur la photo suivante expliquait pourquoi : le ventre tendu derrière la ceinture de sa robe de bal blanche achetée en solde à moins cinquante pour cent dans le grand magasin Parisian – pas une véritable robe de mariée : il n'y avait pas suffisamment de temps pour ça. Le bébé serait là en mars, sur les talons de l'exode printanier des étudiants vers Daytona Beach auquel elle ne participerait jamais.

Elle n'ajouta que deux autres photos à l'album avant d'abandonner le projet : l'une d'elle et de Roger, flanqués des parents de Roger et de son propre père au restaurant TGI Friday's après la brève cérémonie à la mairie ; l'autre d'elle et de Roger, de ses trois amies et de leurs petits copains, tout rires et sourires avec en toile de fond le City Cafe décoré de houx en plastique et de guirlandes argentées pour Noël. Son ventre était particulièrement visible sur celle-là, mais personne n'avait l'air de s'en trouver incommodé dans le box où les quatre filles et leur suite de prétendants avaient déjeuné chaque dimanche pendant quatre ans.

L'instant avant que le téléphone ne sonne, cette photo représentait tout ce qu'elle aimait le plus dans sa vie. Son mari, ses amis, sa jeunesse. Elle détourna le regard de l'image quelques secondes – trente, maxi! – une main pressée contre les coins scotchés sur la page, l'autre tendue pour attraper le téléphone qui sonnait, mais quand elle la contempla de nouveau, celle-ci était déjà devenue l'épitaphe d'un chapitre clos. Ils ne seraient plus jamais ensemble.

Roger l'abandonna sans même un au revoir formel. Gertrude n'eut droit à rien de plus qu'un coup de fil l'informant qu'il ne rentrerait pas – pas aujourd'hui, ni aucun des jours suivants. Elle abaissa le combiné mais oublia de le raccrocher, stupéfaite plus que toute autre chose. Au début, elle ne pleura même pas. Elle posa la tête sur la table, joue gauche appuyée contre une pile de photos qui ne seraient jamais dans l'album, caressant son ventre puis l'encerclant, comme pour retenir le bébé, une oreille sur le *bip bip* du téléphone, qui lui enjoignait de raccrocher.

L'album resta là, sur la table de la cuisine, intouché, tandis que l'hiver cédait la place au printemps : juste deux pages remplies, les ciseaux entrouverts comme figés à mi-coupe, pendant que s'écroulait le reste de son monde. Elle accoucha seule. Un matin, peu de temps après, quand elle se précipita chez lui, espérant lui soutirer des conseils au sujet de cette histoire de parent célibataire, elle trouva son père mort dans son lit. Quelques jours plus tard, la famille de Roger déménagea sans laisser d'adresse et ne la contacta plus jamais. Rien de vraiment surprenant là-dedans. D'évidence ils considéraient que sa grossesse avait fait dérailler l'avenir de leur fils chéri. Même ses amies disparurent rapidement, ne sachant exactement que dire ou que faire, absorbées par la vie que Gertrude ne partageait plus avec elles. En moins de trois mois, toutes les personnes sur qui elle comptait s'évaporèrent, chaque mur porteur de la maison qu'était sa vie succomba à la gravité tandis que s'effondrait le toit.

Et le bébé pleurait. Jour après jour, elle pleurait. Pas de sieste. Pas de pause. Elle refusait de se calmer. Mangeait à peine, parce que sa putain de bouche refusait de se refermer autour de la tétine, parce que le lait infantile dégoulinait chaque fois que la putain de langue rebelle sortait pour supplier, supplier, supplier, la peau fripée, les cris incessants, pas de bouton pour l'éteindre, pas de contrôle du volume. Pleurait pleurait pleurait, qu'elle soit emmaillotée ou tenue ou reposée ou secouée ou bercée ou caressée ou balancée ou serrée. Le foutu bébé pleurait quand elle était enfermée dans la chambre, plus fort que le bruit de la stéréo à plein tube, une couverture enfoncée sous la porte. Les mains sur les oreilles, martelant le plancher, donnant des coups de pied dans le mur – il n'y avait pas d'échappatoire. Plus forts que l'eau du bain en train de couler, plus forts que ses propres sanglots, les cris du bébé persévéraient. Gertrude percevait ses cris jusque dans ses os.

Mais pas sous l'eau. L'idée lui était venue alors qu'elle était assise dans la baignoire et tentait d'immobiliser l'enfant hurlant et gigotant pour la laver et réfléchir – juste réfléchir ! C'était tout ce qu'elle voulait, une minute de silence pour réfléchir à ce qu'il fallait faire pour étouffer ce bruit. L'eau fait ça, réalisa-t-elle. Elle étouffe les bruits. Alors elle lâcha l'enfant, Rose glissa sous l'eau et cela fonctionna, l'espace d'une seconde. L'espace d'une seconde, le silence ! Jusqu'à ce que Rose s'agite et que son visage refasse surface et que les cris stridents recommencent ; alors Gertrude appuya son index contre le front du bébé, sans même forcer, et il s'enfonça à nouveau. Les yeux fermés en une sereine indifférence, Gertrude maintint Rose sous l'eau et inspira profondément, jambes de part et d'autre du bébé dans l'eau chaude, tête rejetée en arrière pour savourer le silence. Elle aurait pu rester ainsi toute la nuit, se contentant de respirer, si la petite main, dans son désespoir, n'avait pas agrippé son doigt. La petite main avait essayé d'attraper, s'était raccrochée à, avait rappelé sa mère.

Gertrude bondit de la baignoire si vite qu'une vague d'eau passa par-dessus le rebord, imbibant le tapis sur lequel elle déposa le corps inanimé du bébé. Elle frotta vigoureusement la poitrine de Rose, la retourna pour lui tapoter le dos, comme on lui avait appris à le faire quand un bébé étouffait. Elle supplia : "Pleure, pleure !" Et Rose pleura. Agenouillée, nue, penchée au-dessus du corps suffoquant de Rose, Gertrude offrit sa vie en pénitence. Un tour de passe-passe. Elle se sacrifierait pour le salut de sa fille.

Quand elle se releva, tous les instants qu'elle avait vécus auparavant moururent. Oubliés. Tout ce qui compterait maintenant, ce serait l'enfant. Rien d'autre que l'enfant.

Vingt minutes plus tard, alors que Rose dormait enveloppée dans une serviette sur le carrelage de la salle de bains, Gertrude arracha les deux pages remplies de l'album, rassembla toutes les photos volantes, plaça une allumette sous une petite bûche dans l'âtre et jeta aux flammes tous les témoins papier de son passé. Déchaînée, elle passa aux affaires de Roger, balançant rageusement ses livres au feu. Avec ses vêtements, trop nombreux pour tous être brûlés, elle fit quatre tas qu'elle transporta jusqu'à la benne à ordures dans le parking. Puis elle commença à s'effacer elle-même ainsi que sa famille, déposant la boîte à outils de son père, ses propres pompons aux couleurs de l'équipe du lycée et quelques cartons de bibelots sur le trottoir. Surplombé d'une grosse pancarte GRATUIT, le tout aurait disparu au lever du jour.

À 2 heures du matin, elle saisit une paire de ciseaux et taillada ses cheveux à hauteur de menton, puis elle lacéra tous ses vêtements hormis ceux qu'elle portait. Pour finir, elle réarrangea les meubles. Ça faisait du bien. Dépouillée de son passé, elle pouvait envisager son avenir avec lucidité.

Épuisée, elle s'endormit sur le tapis de bain, pelotonnée contre Rose.

Au réveil, Gertrude savait exactement ce dont chacune avait besoin. Le bébé : de l'affection, une communion sans danger avec sa mère. Elle : de la liberté – de mouvement et de pensée – tout en maternant. Elle passa la moitié de l'heure qui suivit l'aube à fabriquer un porte-bébé avec une serviette de gym ultra-absorbante, suffisamment élastique, mais pas au point que les nœuds maintenant le bébé puissent se défaire. Rose se rebella au début, comme elle le faisait pour tout, battant des bras et des jambes en hurlant. Mais Gertrude s'obstina, arpentant inlassablement l'appartement, caressant les fesses de Rose en cadence à travers le tissu.

Et le bébé se calma. Elle se blottit contre Gertrude et s'endormit. Ça avait marché ! Gertrude envoya une prière de gratitude au monde et sourit pour la première fois depuis des mois. Offrant son visage au soleil qui traversait la fenêtre, elle se sentit intégrée à la longue histoire des parents – parmi lesquels son propre père – qui s'étaient frayé un chemin vers un semblant de succès avec leurs nourrissons. Mais son soulagement s'évanouit lorsqu'elle vit une voisine partir en se dandinant avec le dernier article du tas de rebuts laissé sur le trottoir, un carton rempli de boules à neige. Soudain, elle eut l'impression que quelqu'un s'éloignait tranquillement avec la clé de son avenir, ses boules de cristal.

Porte-bébé serré dans les bras afin de ne pas réveiller Rose en la secouant, Gertrude se précipita dehors et intercepta immédiatement la femme, la suppliant de lui rendre les boules.

— Mais vous les avez jetées! s'exclama la voisine. Y avait une pancarte, là, qui disait GRATUIT.

— Je sais, mais j'ai changé d'avis.

Les boules à neige étaient jolies.

— C'est un peu tard pour ça, dit la femme en s'agrippant au carton.

— Mais, mais...

Puis elle se lança. Elle raconta son histoire pour la dernière fois de sa vie.

— Vous ne comprenez pas. Mon père me les a données. Il m'en offrait une à chaque Noël pour me rappeler ma mère. Elle est morte à ma naissance.

Rien. Pas la moindre étincelle d'empathie. Elle poursuivit :

— Ma mère venait de Catalogne. Vous savez, en Espagne?

La femme lui renvoya un regard vide.

— C'est en Catalogne que ma mère est née, c'est là que mes parents se sont rencontrés. Ça veut dire "terre des châteaux". Mon père m'achetait une boule à neige avec un château tous les Noëls, pour que je me souvienne d'elle. Chaque année, j'en trouvais une sous le sapin, et mon père répétait toujours la même chose quand je la déballais : "N'oublie jamais, ma puce, ton père est peut-être un pauvre pouilleux de l'Alabama, mais ta maman descend d'une lignée royale!"

— S'il vous plaît, rendez-moi mes châteaux, implora Gertrude.

— Pourquoi vous les avez déposés là si...

— Je ne suis pas dans mon assiette en ce moment. Mon père vient de mourir, mon mari est parti, et je suis toute seule avec ce bébé. Rendez-les-moi, s'il vous plaît.

Ce fut la première des deux seules décisions prises la veille sur lesquelles Gertrude revint. La seconde concernait la photo de groupe prise au City Cafe, qu'elle retrouva parmi les cendres dans l'âtre. Les bords brûlés, décolorée par la fumée, mais avec tous les visages de ses amis encore intacts. Elle se sentit obligée d'obéir aux injonctions de la Providence et de conserver pour sa fille cette unique photo du père de Rose.

Elle ouvrit l'album à la nouvelle première page, contiguë aux bords déchiquetés des pages arrachées, et y recolla la photo. Puis elle hésita. La retira. Elle ne souhaitait pas se remémorer, en regardant l'album, tout ce qui lui avait jadis appartenu, de peur de s'appesantir dessus. N'empêche, si la photo avait dû brûler, elle aurait brûlé. Elle recolla la photo.

Elle n'aurait pas dû lutter à ce point avec cette décision. Il s'avéra que lorsqu'elle se fixait un objectif, elle possédait une capacité illimitée à le remplir quoi qu'il advînt.

La première fois que Rose, petite, avait feuilleté l'album, elle s'était demandé qui étaient tous ces inconnus, obligeant Gertrude à désigner pour sa fille une version plus jeune d'elle-même. À plusieurs reprises, lorsque Rose s'était à nouveau penchée sur l'album, elle s'était exclamée : "Maman, t'es laquelle déjà ?" L'image lui était si étrangère qu'elle ne reconnaissait même pas le City Café, alors que ni le décor ni les serveurs n'avaient changé quand, après une pause de quelques années, Gertrude commença à y amener Rose pour déguster leurs macaronis au fromage.

L'hôtesse ne reconnut pas Gertrude non plus.

La femme qui pénétra de nouveau dans le restaurant, agrippée à la main de sa fille, portait des mocassins cirés et une pochette à la fermeture plaquée or. Elle jaugea la clientèle d'un œil critique, en quête de fumeurs, de gens qui parlaient trop fort, de gamins déchaînés à éviter, et elle vérifia que les cuillères n'étaient pas incrustées de nourriture, que les verres n'étaient pas maculés de rouge à lèvres. Elle n'avait plus rien à voir avec la jeune écervelée portant dans les cheveux des nœuds froufroutants de chez Laura Ashley qui avait déjeuné là chaque semaine toute son adolescence, toujours entourée d'un troupeau d'amies. Personne n'aurait pu imaginer que Gertie Chiles deviendrait cette femme-là.

Mais Gertie Chiles était devenue Gertrude Aikens, une femme qui feuilletait les albums photo en commençant par la fin, le présent, prenant garde à ne jamais s'aventurer trop loin vers le début, le passé.

6

Rosy

Arrête, s'il te plaît! Mets-toi au niveau de la ville! Fais baisser cette eau!

Dans la boîte à bijoux de Cilla, placée à l'abri sur une armoire flottant à l'envers dans la piscine qu'avait été le grenier de Maya, reposait un cliché de Rosy, le pied entouré de gaze. Il immortalisait un des triomphes maternels de Cilla : retirer avec les dents un clou du pied de sa fillette âgée de cinq ans.

Aussi loin que Cilla se souvienne, la planche de la première marche du porche avait été branlante. Elle craquait sous les pas, émettant un léger *crrrk*, comme si la maison accueillait ses occupantes après une longue journée de séparation. Elle avait aimé ce bruit, il évoquait le retour au foyer et le repos à venir, jusqu'au jour où Rosy, dans son empressement à arrêter le camion de glaces, avait trébuché sur le coin, cassé la planche en deux, fendu l'extrémité, et s'était débrouillée pour atterrir dans l'herbe, un clou enfoncé dans la plante du pied gauche.

À l'intérieur de la maison, Cilla entendit le fracas. Elle attendit que retentisse un hurlement choqué ou un cri signifiant que Rosy souffrait d'une éraflure ou, au pire, d'une entaille profonde. Mais non : un gémissement plaintif s'échappa de son enfant, différent de tout ce qu'elle avait entendu auparavant, et le bruit la propulsa, terrifiée, en direction du porche. Sur le moment, elle fut soulagée de voir Rosy debout sur le gazon. Puis elle suivit le regard de sa fille et vit les cinq centimètres de clou qui émergeaient de son pied.

Cilla pensa à prendre la monnaie exacte pour le bus, ainsi que le jouet préféré de Rosy et une petite brique de jus de fruits avant de se précipiter hors de la maison, son enfant serrée contre la poitrine, enveloppée dans une couverture. Elle réagit rapidement mais sans paniquer, rassura Rosy en lui chantonnant à l'oreille pendant les sept kilomètres de bus qui menaient à l'hôpital Charity en ville.

Elle ne posa pas une seule fois Rosy par terre, pas même quand, après deux heures d'attente aux urgences, elle retourna vérifier auprès de l'employé à l'accueil qu'elles se trouvaient toujours sur la liste. Elle continua de bercer Rosy en chantonnant pendant que s'écoulait une troisième heure, après quoi sa voix se fatigua et elle désespéra d'être prise en charge. Au bout de la quatrième heure, quand leur traitement fut retardé en faveur de gangsters, de dealers et autres truands, qui laissaient des traces de roue sanguinolentes dans leur sillage, elle décida que sa fille n'avait rien à faire là. Personne dans tout l'hôpital – pas les docteurs avec leurs beaux diplômes, ni les infirmières avec leur expérience et leur savoir-faire – ne se souciait de sa fille autant qu'elle.

Rosy avait été un bon petit soldat, en plus. Exactement le genre d'enfant dont quelqu'un aurait dû se soucier. Elle n'avait pas fait d'histoires ni pleuré, elle s'était simplement blottie dans les bras de Cilla sans se plaindre, attendant que passe le supplice. Elle avait même eu le bon goût de ne pas saigner, le clou étanchant le flot. Aussi, quand elle tourna son visage vers celui de sa mère et marmonna ses premiers mots en l'espace de cinq heures, "Je veux rentrer à la maison", Cilla décida d'accéder à sa demande. Elle s'approcha du bureau d'accueil, prit une poignée de mouchoirs en papier, découvrit le pied de Rose, serra la tête du clou entre ses dents et tira d'un coup sec. Puis elle recracha le clou par terre et sortit en trombe tandis que les portes automatiques s'ouvraient devant elle. Difficile de savoir si quiconque avait remarqué. De retour à la maison, elle colmata le trou avec un cataplasme, enveloppa la blessure de pansements qu'elle changeait deux fois par jour, la maintenant propre et désinfectée, demanda un vaccin antitétanique ainsi qu'une ordonnance pour de la pénicilline à l'un des médecins chez qui elle faisait le ménage, et remit Rosy sur pied en deux jours à peine.

Si elle ne parvenait pas toujours à contrôler ses propres démons, Cilla savait garder la tête froide et sauver la situation face aux crises des autres.

À présent elle arpentait lentement l'étroit grenier de Maya en passant ses mains sur les planches du toit, s'arrêtant çà et là pour cogner contre le bois, à l'affût d'un son creux. Elle s'arrêta, immergée jusqu'à la taille, en équilibre sur une poutrelle renforcée.

— Là.

— Là quoi ? demanda Rosy.

— C'est par là que j'compte bien m'échapper, répondit-elle. Ça a l'air moins solide à cet endroit, comme si le bois était plus poreux. C'est là qu'on a le plus de chances de passer au travers.

— Et comment on va faire ?

Cilla balaya l'espace devant elle d'un geste circulaire, désignant l'eau qui montait :

— Et comment on va faire pour pas le faire ?

Maya et Rosy pouvaient voir Cilla bouger, telle une ombre, à environ cinq mètres d'elles, mais l'obscurité les empêchait d'interpréter ses gestes avec précision. Les deux fenêtres, à chaque extrémité du grenier, étaient maintenant à demi occultées par l'eau qui montait, et le ciel chargé de nuages ne laissait filtrer que peu de lumière. Après vingt-sept heures de confinement, leurs yeux s'étaient ajustés autant que possible à la pénombre, mais si quelqu'un leur avait annoncé qu'il était 10 heures, elles auraient été bien incapables de déterminer s'il s'agissait du soir ou du matin.

Cilla continua à s'orienter au toucher. Elle martela les planches du toit du plat de la main ; elles refusèrent de céder :

— La seule issue, c'est par le haut, alors c'est ce qu'on va faire, bon Dieu. J'ai surmonté trop d'épreuves dans cette vie pour regarder ma fille se noyer dans ce... ce... ce cloaque qu'essaye de passer pour une maison ! (Elle baissa la voix et prit un air de conspirateur.) Passque l'eau dans laquelle on traîne là, c'est pas que de l'eau de pluie, vous savez. L'aut' moitié, c'est la pisse de tous ceux qui se sont fait dessus quand ils ont vu la vague qui leur fonçait dessus !

Elle rit de sa propre blague et lança un clin d'œil à Maya et Rosy, blotties l'une contre l'autre sur l'armoire, encore un geste avalé par l'obscurité :

— J'ai p'têt perdu tout le reste, mais aussi longtemps que je respirerai, j'compte bien m'accrocher à mon sens de l'humour, ajouta-t-elle.

— Eh bien, on est vraiment dans le pétrin, hein ? déclara Maya, brisant le silence qu'elle observait depuis que l'armoire s'était mise à flotter, ce qui avait dû arriver la veille, en début de soirée.

Le premier jour s'était divisé en deux parties bien distinctes : avant que l'armoire ne se soit mise à flotter, et après. Au début du supplice – quand elles étaient restées assises des heures durant sur le coffre, après avoir gravi l'échelle et refermé la trappe – leur situation avait eu quelque chose de surréaliste. Elles avaient joué à des jeux de mots en ignorant activement l'eau qui montait. C'était Rosy qui avait lancé l'affaire. Remarquant l'eau qui commençait à filtrer entre les lattes du plancher, paniquée à l'idée d'avoir oublié le lithium de Cilla, constatant que la défenestration risquait d'être le seul moyen de sortir du grenier, sentant venir l'assaut de la faim et de la soif, Rosy comprit qu'elle pouvait soit paniquer, soit prier, soit faire preuve de patience. Elle se décida pour la dernière option, choisissant de croire que si d'une façon ou d'une autre elles parvenaient à garder leur sang-froid, à traiter cette journée comme n'importe quelle autre journée dont le temps était trop menaçant pour sortir, il se pourrait qu'elle se termine aussi normalement que ça. Pourquoi pas ? Alors elle se tourna vers Maya, assise à ses côtés, et dit :

— Butterfly McQueen.

— Marian Anderson, répondit gentiment Maya, prenant la première lettre du nom de famille de McQueen pour former le prénom de la célébrité suivante.

Cilla enchaîna vivement avec "Alvin Ailey", un nom à double lettre qui inversa le sens de la partie. Ensuite, Maya fit un coup d'enfer en retournant contre Cilla sa propre ruse, inversant à nouveau le sens du jeu avec "Arthur Ashe."

— Armstrong Williams ! dit Cilla :

— Whitney Houston ! enchaîna Rosy :

Maya, moins rapide que les deux autres, réfléchit un instant.

— Hurricane Carter ! s'exclama-t-elle, et elles éclatèrent toutes de rire. Un rire nerveux.

La référence à l'ouragan déstabilisa Cilla, qui lança :

— Kirk Franklin !

Nom qui, comme le lui rappela Rose, commençait par un K, et non par un C, alors elle changea sa réponse en Coretta Scott King.

— Kirk Franklin ! cria Rosy, et elles éclatèrent à nouveau de rire, cette fois-ci avec un réel plaisir.

Cilla fredonna un air de Kirk Franklin et elles jouèrent, des heures durant. Elles jouèrent jusqu'à ce que les célébrités noires viennent à manquer. Elles jouèrent jusqu'à ce que les célébrités blanches viennent à manquer. Elles jouèrent tandis que grondaient leurs estomacs, jusqu'à devoir ramener leurs pieds sous elles et enlacer leurs genoux de leurs bras pour se protéger du froid et de l'humidité. Elles jouèrent jusqu'à ce que Cilla dît : "Rosy, donne-moi un coup de main", puis elles firent basculer l'armoire en avant de sorte qu'elle se renverse dans un grand éclaboussement qui noya les protestations furieuses de Maya : l'armoire avait appartenu à sa mère ! C'était une antiquité ! C'était tout ce qui lui restait de ce côté-là de sa famille !

— Jette un œil autour de toi, Maya, dit Cilla en s'accroupissant pour se soulager dans l'eau trouble, qui atteignait maintenant un mètre de profondeur. Il ne reste plus rien de qui que ce soit à aucune de nous trois.

Après ça, Maya cessa de parler. Plus un mot, pas même quand elle glissa en se hissant sur l'armoire et que sa jambe gauche passa au travers des planches peu solides du plafond, s'enfonçant jusqu'à la cuisse dans l'espace qui avait été sa chambre, en dessous. Pas la moindre plainte lorsqu'elles la décoincèrent, sanguinolente, et qu'elles se blottirent les unes contre les autres au centre du meuble qui avait abrité la courtepointe de mariage de sa grand-mère et la robe de communion de sa mère, le linge de lit sur lequel Maya était née et la couverture dans laquelle Rosy avait été emmaillotée petite. Une fois par semaine, au cours des soixante années durant lesquelles l'armoire avait occupé sa chambre, Maya avait dépoussiéré le meuble sur lequel elle était à présent réfugiée. Plus de 3 100 fois, ses mains avaient caressé le bois avec un chiffon sec, pas un chiffon mouillé : l'humidité n'est pas bonne pour le bois, qui doit rester au sec.

L'armoire flottait dans les eaux de crue.

Le grenier était censé être un lieu sûr pour l'armoire et les objets enfermés à l'intérieur. Maya avait amadoué Cilla, Rosy et Silas pour qu'ils la montent à l'étage quelques années auparavant, soulagée qu'elle ne fût plus exposée à la vue de tous. Elle n'aurait plus besoin de lever la main pour empêcher un homme distrait de la refermer trop brutalement après y avoir tâtonné à la recherche d'une couverture de rechange, plus besoin de s'interposer entre l'armoire et un enfant fonçant sur un vélo droit vers son vernis bien conservé, ou avec une bille, ou muni d'une batte mal maîtrisée. Dans le grenier, l'armoire serait cachée et ses objets de valeur seraient en sécurité, même si un cambrioleur entrait par effraction, ce qui était une possibilité, vu la tendance qu'avaient aujourd'hui les jeunes accros au crack à saccager les maisons de leurs voisins, emportant tout ce qu'ils trouvaient pour l'échanger contre de la drogue.

Au-dessous d'elles, dans le ventre de l'armoire, l'argenterie ternie de Maya tintait quand l'eau venait la lécher, cognant fourchettes et couteaux contre la porcelaine tout juste brisée – vingt-deux ans durant, la grand-mère de Maya avait mis de côté cinq cents par semaine afin d'acheter les assiettes et les soucoupes. Maintenant tout était perdu, et ça paralysait Maya. Elle se répétait sans cesse que les choses seraient différentes si elle était encore jeune : elle aurait encore des années devant elle pour tout reconstituer. Hélas, il ne lui restait plus que le temps de recenser ce qui avait été perdu.

Elles attendaient, hantées par le tintement qui ponctuait le chagrin de Maya, tandis que du dehors leur parvenait la rumeur des pertes subies par d'autres : des explosions ponctuelles de cris, de sanglots ou de chocs. Elles attendaient en silence. Elles attendaient sans dormir, trop troublées pour trouver le sommeil. Attendaient de voir si le meuble hérité sombrerait sous leur poids, les oreilles à l'affût des craquements annonciateurs de leur fin, n'osant fermer les yeux de peur de ne plus jamais se réveiller si l'armoire coulait sous le niveau des eaux qui ne cessaient de monter.

VINGT-SEPT heures après qu'elles se furent enfermées dans le grenier, aux alentours de 10 heures du matin le mardi 30 août, le silence et l'attente furent brisés quand Cilla, perchée sur le meuble flottant, sauta dans l'eau qui lui arrivait à la taille et tâtonna dans l'obscurité pour trouver un chemin hors de leur tombe.

Son plongeon les arracha à leur stupeur morbide.

— Eh bien, on est vraiment dans le pétrin, hein ? déclara Maya, rompant le silence qu'elle observait depuis la veille.

Depuis l'obscurité, Cilla lui répondit d'un ton léger :

— Ben si ça c'est pas le pétrin, ça fera l'affaire jusqu'à c'que le pétrin arrive.

Rosy tint sa langue. Elle la tenait depuis l'épisode dans la cuisine l'autre jour. Il n'y avait pas de temps pour les récriminations personnelles. Peu importe le pourquoi du comment elles avaient atterri là ; un "Je te l'avais bien dit" ne changerait rien à leur situation. Si elle faisait remarquer que tout le monde, y compris elle-même et le président, avait anticipé ce fameux "pétrin" quelques jours auparavant, quand leur participation au dit "pétrin", ou tout du moins à une telle quantité de "pétrin" aurait pu être atténuée, ce serait un peu comme si Noé se penchait par-dessus le bord de l'arche pour crier aux habitants qui se noyaient : "Vous aviez pas remarqué qu'il pleuvait ?" Légitime, mais arrogant. Mérité, mais cruel.

Alors elle ignora la plaisanterie, comprenant avec chaque nouveau *poc* du plat de la main de Cilla contre les planches qu'un simple coup de poing ne suffirait pas à leur faire traverser le toit.

— Comment on va réussir à sortir de là ? demanda-t-elle.

Cilla ne répondit pas, mais continua de taper. Face à son obstination, Rosy hasarda que Cilla pourrait utiliser sa chaussure comme un gant de boxe, au moins pour lui servir de protection. Quand Cilla daigna parler, elle reconnut que seul un boxeur professionnel arriverait à traverser le toit. Ensuite, elles évoquèrent la possibilité d'arracher le fronton de l'armoire pour en faire un bélier, ou encore de se tenir dos à dos pour trouer le toit à coups de pied ou, si rien de tout cela ne se révélait efficace, de casser le carreau supérieur de la fenêtre pour en sauter, dans l'espoir qu'un débris flottant se trouve à proximité afin qu'elles s'y accrochent. Mais puisqu'aucune d'entre elles ne savait nager, cette dernière tentative se solderait très probablement par une noyade. C'était un dernier recours.

Intriguée par leurs envolées créatives, Maya écouta un moment avant de suggérer :

— Et si vous coupiez les planches avec la hache, tout simplement ?

Incapables de se distinguer dans l'obscurité, Cilla et Rosy parvinrent néanmoins à synchroniser leurs réponses :

— Quelle hache ?

— La hache qu'est dans le coffre, répondit Maya.

— Quel coffre ? demanda Rosy.

— Celui sur lequel on est assises depuis ce matin, répondit Maya.

Incrédule, Rosy ne put retenir un gloussement. Cilla demeura silencieuse. Stupéfaite.

— Il y a une hache dans le coffre ? demanda Rosy.

— Bien sûr qu'il y en a une, s'indigna Maya.

— Comment ça "bien sûr" ? Qu'est-ce que fait une vieille dame comme toi avec une hache cachée dans l'coffre dans son grenier ?

— L'est là-haut depuis 1965.

— Et tu t'en sers pour...

— Rien. Y a encore l'étiquette. J'en ai jamais eu besoin !

— Alors pourquoi t'as acheté une hache que t'as jamais utilisée ? demanda Rosy. Y avait une épidémie de meurtres à la hache en 65 ? Tu t'es dit que tu les prendrais à leur propre jeu s'ils entraient par ta fenêtre ?

— Non, p'tite maline. Je l'ai achetée passqu'ils ont dit qu'il le fallait.

— *Ils* ont dit..., Rosy laissa sa phrase en suspens, une question.

— Ils ont dit d'en acheter une après Billion-dollar Betsy*. Les digues se sont rompues, plein de gens ont été inondés. Comme je te l'ai déjà dit, y avait de l'eau dans ma cuisine. C'est la dernière fois qu'y a eu de l'eau dans ma cuisine ! (Cette phrase fut prononcée candidement, comme si Maya n'avait pas remarqué qu'elle parlait du haut d'un meuble retourné flottant dans son grenier.) Après ça, ils ont dit que tout le monde devrait avoir une hache dans son grenier. Et je suis quelqu'un d'obéissant.

Si Maya n'en fut pas consciente, l'ironie de sa formulation frappa Rosy :

— Si t'étais obéissante, tu serais au Texas, bien au sec, à l'heure qu'il est, marmonna-t-elle.

— D'accord. J'suis prudente.

Cilla parla enfin :

— Et tu nous l'as pas dit avant passque...

À l'instar de Rosy, elle n'énonça pas l'évidence, laissant le silence transformer sa phrase en question.

Maya explosa :

— J'allais pas laisser quelqu'un s'amuser à démonter ma maison à coups de hache rien que pour le plaisir !

— Voilà qui me paraît logique, murmura Cilla dans l'obscurité. Passque vous j'sais pas, mais putain, moi je m'éclate ici.

Il y avait eu des indices. La désinvolture avec laquelle elle avait plongé de l'armoire, par exemple, en dépit du fait qu'un faux pas aurait pu la faire passer à travers le plancher pour s'abîmer dans la tombe liquide qu'était devenue la maison de Maya. Et cette façon d'agiter une hache dans le noir ? Cinglée. Nul doute possible, ça leur avait sauvé la vie. N'empêche. C'était le signe de changements à venir. Ce n'était pas seulement désinvolte. C'était à la limite de la folie.

---

* Surnom donné à l'ouragan Betsy (1965), qui a engendré 1,42 milliard de dollars de dégâts.

Mardi à la tombée de la nuit, Cilla se tenait en équilibre sur l'arête du toit, le visage tourné vers les cieux, et chantait à tue-tête sous le ciel toujours couvert, la boîte à bijoux serrée contre le ventre. En fin d'après-midi, quand Rosy avait tendu une main vers sa mère en insistant pour qu'elle se trouve un perchoir moins dangereux – terrifiée, excédée, fatiguée de l'entendre chanter –, Cilla l'avait repoussée en criant : "Me touche pas !"

Rosy l'avait regardée et avait pensé : Maintenant on peut vraiment dire qu'on y est, dans le pétrin.

En d'autres circonstances, le toit aurait offert une vue imprenable. Derrière elle, le lac ; à gauche, les canaux ; à droite, la ville. Tous ces endroits familiers qui lui donnaient le sentiment d'être chez elle : l'école, la bibliothèque, le lavomatic, la supérette de Silas, le terrain de jeux à deux pâtés de là, avec sa balançoire rouge préférée. Ils avaient tous disparu. Du Lower Ninth Ward, il ne restait plus que quelques cimes d'arbres, une poignée de toits et ce qui ressemblait au sommet du toboggan du terrain de jeux Bonart. Des flèches d'église, surtout. Et toutes ces choses qui flottaient dans l'eau noire : des oreillers, des tasses, des chats et des chiens (morts), une poule (morte), un vélo sans roue avant, le capot d'une voiture, une rambarde d'escalier avec tous ses balustres, un bouquet de lys détrempés noués ensemble d'un ruban jaune à pois. Une photo de famille dans son cadre – le genre qui trône sur les murs, la pièce maîtresse adorée d'un salon inconnu –, avec en son centre une grande déchirure qui séparait la famille en deux. Rose imagina quelqu'un courant, le portrait serré contre sa poitrine, fuyant les eaux de crue, quand tout à coup un objet pointu, surgi d'on ne sait où, avait déchiqueté l'image de part en part.

Les chants de Cilla exceptés, tout était silencieux. Le hurlement des chiens avait cessé le deuxième jour. On n'entendait plus le bruit des autres gens. Juste elles trois sur le toit, et six cadavres dans l'eau. Ils dérivaient vers la ville, le cœur de La Nouvelle-Orléans, qui continuait d'exercer son irrésistible attraction envers et contre tout. Aucun des cadavres n'était présentable ; d'une manière ou d'une autre, ils étaient tous trop exposés. Un vieil homme, habillé, visage tourné vers le ciel, yeux grands ouverts et brillants, le corps tellement gonflé que ses boutons en avaient sauté ; ses yeux exorbités étaient plus obscènes encore que les corps dévêtus. Un enfant, une petite fille aux nattes intactes, une Mary Jane noire au pied gauche, et dont les fesses brunes flottaient au gré du courant en une sensuelle chorégraphie aquatique. Rosy ne souhaitait pas voir, encore moins regarder, mais elle n'arrivait pas à détourner les yeux. Quel genre de force laisse des tresses et une chaussure, se demanda-t-elle, mais emporte tout le reste ? Ils puaient. Tous : les morts comme les vivants. Ceux qui flottaient exhalaient des gaz, les bulles refluaient entre leurs jambes et autour d'elles, les restes d'un dernier repas qui bougeaient encore à l'intérieur de dépouilles pétrifiées depuis longtemps. La puanteur des entrailles montait des cadavres : l'air confiné des poumons, le sang, l'acide urique, les sucs gastriques qui s'écoulaient en ruisselets jaunâtres le long des joues noires. Un compost sauvage. Un corbeau, embarqué sur l'un des corps comme sur un vaisseau, croassait vigoureusement en picorant des abats, perché sur le nez de son hôte. Les cheveux des morts comme ceux des vivants s'imprégnaient de l'odeur des feux qui brûlaient dans les maisons toujours debout sur leurs fondations détrempées, mais les fours, déplacés, se nourrissaient du bois en hauteur ayant échappé à l'eau. Il devait y avoir un crématorium quelque part, un dispositif d'incinération pour déchets médicaux, un tas d'organes malades qui s'était embrasé, les vents en attestaient.

Étouffés chez les morts, spécifiques aux vivants : la sueur, la puanteur de l'adrénaline, le remugle méphitique de la peur.

L'eau continuait de monter. Presque au niveau du trou dans le toit maintenant, alors qu'elle dépassait à peine les gouttières lorsqu'elles étaient sorties par la trappe de secours ouverte à coups de hache par Cilla. Compte tenu de la vitesse à laquelle l'eau montait, demain le perchoir insensé de Cilla sur l'arête serait leur seul refuge. Rosy se leva, face au nord, et scruta l'horizon. Elle ne voyait pas très loin, ne voyait aucun signe de changement. Elle se rongea trois ongles jusqu'au sang avant de supplier le lac Pontchartrain à haute voix :

— Arrête, s'il te plaît ! Mets-toi au niveau de la ville ! Fais baisser cette eau !

— C'est plus la peine de prier, ma chérie, marmonna Maya.

Rose se retourna pour rétorquer qu'elle ne priait pas, mais quelque chose dans la posture de Maya l'arrêta. Maya était assise différemment. Ce n'était pas seulement dû au fait qu'elle se trouvait sur un toit entouré d'eau s'élevant au-dessus de la limite des arbres. Elle était assise comme une vieille femme.

Elle était avachie.

Tout comme certaines personnes méprisent les conducteurs ivres et les cadres d'Enron, les mâcheurs de chewing-gum, les braillards, et Gilbert Gauthe et John Allen Muhammad, les psychopathes locaux, Maya détestait les avachis. Pendant des années, chaque fois qu'elle surprenait Rosy penchée au-dessus d'un livre ou de ses devoirs, la colonne vertébrale tordue, elle la forçait à arpenter cinq fois la maison dans sa longueur, un balai en travers du dos, accroché sous ses coudes de façon à propulser ses épaules vers le ciel. Même à son âge avancé, Maya continuait à se tenir parfaitement droite. "J'serai assise bien droite sur mon lit de mort", aimait-elle plaisanter.

Alors, la voir avachie revenait à contempler un fantôme : la coquille vide d'une femme qui n'était déjà plus de ce monde.

Par ailleurs, elle aurait dû être en train de prier : Maya priait, tout le temps. Priait pour tout un tas de choses, pour du beau temps ou une bonne santé, pour la paix dans le monde ou la paix dans le quartier. ("Salut Dieu, tu pourrais foudroyer le chien qu'arrête pas d'aboyer à côté ? Mais une mort rapide : j'suis pas cruelle non plus !"). Elle considérait Dieu comme un proche et se permettait même de lui donner des conseils. Arguait régulièrement (bien qu'elle ne l'admît jamais) que si les pécheurs étaient inévitables, pourquoi ne pas les utiliser à bon escient, en leur faisant assassiner George Bush junior ? Et le vice-président Cheney ? Condie Rice et Colin Powell pouvaient avoir la vie sauve.

Elle avait l'habitude, quand elle faisait des courses, de s'arrêter devant le magasin pour prier que l'article convoité fût en solde. Jamais déçue par Dieu, si elle payait le prix fort, elle décidait simplement de mieux prier la prochaine fois.

Que Maya ne priât pas trahissait un désespoir que Rosy ne pouvait admettre.

— Qu'est-ce que tu racontes, Maya ? "Plus la peine de prier" ?

Rosy n'arrivait même pas à lui faire tourner la tête vers elle. Les yeux de Maya refusaient de contempler autre chose que l'eau.

— Allez, Maya, prie avec moi, implora-t-elle.

Rosy ne priait jamais. Non pas qu'elle ne crût pas en Dieu, ou en la possibilité d'un Dieu, mais parce qu'elle doutait que des récitations machinales pussent engendrer quoi que ce soit d'autre qu'une transe méditative chez celui qui priait. Une sensation agréable, certes, mais qui ne résultait pas d'une intervention divine. Une fois, peu de temps après le 11 Septembre, elle avait passé la nuit sur une chaise à la table de la cuisine, punie d'avoir refusé de se joindre à la prière d'avant-repas de Maya et Cilla pour que jamais plus un avion ne fût détourné par des terroristes. (Son raisonnement leur échappait complètement : "Si les terroristes prient pour leur succès, et que nous prions pour leur échec, nos prières s'annulent ! Ou alors il faut croire qu'ils prient le bon Dieu et nous le mauvais, puisque c'est eux qu'il a écoutés. Vous ne voyez pas que ce genre de prière est absurde ?") Pendant trois jours, ni Cilla ni Maya ne lui avaient adressé la parole.

Elle posa la tête sur l'épaule voûtée de la vieille femme qui s'était occupée d'elle en l'absence de sa mère, serra ses mains rougies et fripées entre les siennes. Derrière elles, Cilla continuait de chanter.

— Allez Maya, prie avec moi.

— Non ma douce. Tiens-moi seulement la main.

— S'il te plaît, Maya, prie avec moi.

— J'ai fini de prier, ma puce. Mais si t'en as envie, te prive pas. J'vais juste rester assise là et t'écouter.

À cet instant précis, Rosy comprit que Maya ne s'en sortirait pas.

Il y avait eu la journée dans le grenier, puis la journée sur le toit. Le lendemain, l'homme mourut. Ce même jour, Cilla et Rosy furent sauvées, un fait qu'il n'était pas aisé d'ignorer : la survie. Seule la mort peut faire ça.

Sur le toit, blotties les unes contre les autres, les trois femmes dormaient par intermittence tandis que mardi faisait place à mercredi. Si des températures avoisinant les vingt degrés ne pouvaient être considérées comme assez froides pour se blottir, le contraste avec les trente-deux degrés diurnes, ainsi que l'humidité ambiante, suffisaient à induire un frisson ou deux. Par ailleurs, deux jours et demi sans boire ni manger avaient rendu leurs corps vulnérables au froid. Mais ce n'était pas seulement ça : elles se blottissaient les unes contre les autres pour sentir respirer un être humain, pour ne pas être les seules créatures vivantes à la dérive sur cet océan chaotique.

Il ne plut pas sur elles, et au matin le soleil brillait. Elles virent plus loin. Elles le virent qui flottait vers elles.

Maya le vit la première. Elle était assise quand Cilla et Rosy s'étaient endormies, et l'était toujours lorsqu'elle les réveilla d'un coup de coude, un bras tendu devant elle, index parallèle à l'horizon, style La Grande Faucheuse.

— B'jour, lança aimablement Maya, écartant les doigts et agitant doucement la main en guise de salut.

Il sourit et lança en retour :

— B'jour Mesdames ! Comment qu'ça va ?

— On a connu mieux, répondit Maya. On a connu pire.

— Si ça, c'est pas la vérité !

— Vous avez envie d'vous joindre à nous ?

— J'en s'rais ravi, répliqua-t-il.

Comme si de rien n'était : une conversation normale. Comme s'il venait d'être invité à s'asseoir un moment sur la véranda pour siroter un verre de citronnade. Comme s'il n'était pas agrippé à la poignée d'une glacière rouge vif qu'il chevauchait, tandis que son autre bras s'agitait en tous sens pour conserver l'équilibre. Les oscillations imperceptibles du courant le rapprochèrent encore un peu d'elles.

— Moi, c'est Willy, dit-il en dérivant dans leur direction, à sept mètres environ.

— Enchantée, Willy, répondit Maya, qui se chargea des présentations : elle-même, puis Cilla et Rosy. Bienvenue chez moi.

— C'est une maison sacrément solide que vous avez là ! J'espère que vous autres dames n'êtes pas gênées d'voir un vieil homme débarquer chez vous comme ça.

"Vieux" pouvait correspondre à n'importe quel âge entre quarante-cinq et soixante-quinze ans, c'était difficile à dire : personne ne ressemblait plus à celui qu'il avait été trois jours plus tôt.

Cilla s'était remise à fredonner, mais elle s'arrêta un instant pour remarquer, à propos du perchoir de Willy :

— Ça a pas l'air très sûr.

— C'est mieux qu'les autres trucs auxquels certains s'accrochent ! Croyez-moi. J'ai fait le tour du quartier, et j'suis pas impressionné par les logements.

Ils pouffèrent tous les quatre. Cependant, l'hilarité de l'homme fut coupée court quand la glacière se mit à tanguer dangereusement sous ses rires.

D'évidence, il s'était bien adapté à sa monture : il chevauchait le conteneur agité comme un véritable champion de rodéo, le serrant entre ses cuisses, l'éperonnant avec ses pieds, tandis que ses bras battaient l'air pour compenser les caprices de son destrier. Heureusement, les embardées l'entraînaient dans la bonne direction, vers un lieu sûr.

À sept mètres du toit, il se stabilisa.

Cilla posa la boîte à bijoux sur les genoux de Maya. Maya et Rosy gardaient les yeux rivés sur l'homme.

— Bien joué ! cria Rosy.

— Willy, vous êtes un homme stable, taquina Maya. Stable, c'est bien. Stable, c'est mon type de personne !

— Allons, allons, vous allez faire rougir un ancêtre !

Il fit un large sourire mais se retint de pouffer. Plus prudent. Presque arrivé.

Cilla repéra quelque chose qui avait échappé aux autres.

— Dites-moi, monsieur, lança Rosy pour entretenir leur badinage et l'aider ainsi à les rejoindre, dans quel domaine travaillez-vous, pour avoir développé un si bon sens de l'équilibre ? Parce qu'il faut un certain talent pour surfer sur ces vagues avec une glacière !

Maya tendit le bras pour tapoter l'épaule de Rosy, satisfaite. Le ton était parfait : conversationnel, piquant.

Cilla se leva et se mit à marcher, à reculons, sur l'arête du toit.

— Vous allez pas m'croire vu l'état dans lequel j'me trouve aujourd'hui, mais dans l'temps j'étais danseur.

— Vraiment ? Rosy était impressionnée. Professionnel ?

— Ouaip.

— Quel genre de danse ? Ballet, mod…

Disparu ! Le rondin qui s'était rapproché dans son dos prit leur invité par surprise, faucha la glacière de sous ses fesses et le catapulta dans l'eau.

Sur le sommet du toit, Cilla adopta une position de sprinteur, comme si elle attendait que le "bang !" d'un pistolet annonce son départ. Willie remonta à la surface, crachant, battant des pieds, une main toujours cramponnée à la poignée de la glacière. Il battait la surface de sa main libre, les aspergeant tous. Il roulait des yeux fous, pupilles rétrécies, blanc luisant, saisi d'étonnement horrifié, mais son ton était calme et mesuré :

— Faut vraiment qu'j'apprenne à nager, dit-il.

Nouveau sourire.

— Comme nous tous! répondit gaiement Rosy, tâchant d'imiter sa légèreté.

Toujours assise, elle arc-bouta ses pieds au niveau de la ligne de flottaison et se pencha en avant aussi loin qu'elle le pouvait sur la pente abrupte afin de lui tendre la main :

— Continuez à battre des pieds. Vous y êtes presque.

Ses battements paniqués lui firent gagner deux mètres. Il ne pouvait pas être à plus d'un coup de pied ou deux de Rosy quand les pas de Cilla retentirent alors qu'elle dévalait le toit en criant :

— Vous inquiétez pas, j'm'en vais vous sauver!

Elle plongea dans l'eau et disparut sous la surface.

— Maman! Rosy bondit sur ses pieds et scruta frénétiquement l'eau, bras tendus pour ne pas perdre l'équilibre sur les bardeaux inclinés.

— Cilla! Cilla! hurla Maya. (À Rosy :) Où est passée ta maman? Tu la vois?

— Maman!

Maya essaya de se lever aussi, mais le monde entier se mit à tourner – elle était affamée, assoiffée, son taux de glycémie était en chute libre – et elle s'étala de tout son long sur le dos puis glissa sur le toit, venant percuter le barrage du corps de Rosy. L'enchevêtrement amortit la chute de Maya; l'arrêta juste au-dessus de l'eau. En revanche, il emporta les jambes de Rosy, l'entraînant dans les profondeurs troubles.

Une personne saine et sauve, trois sur le point de se noyer.

Rosy atterrit sur le dos sur la moitié immergée du toit. Sentant quelque chose de solide derrière elle, elle se retourna tout en se laissant flotter à la surface, si bien qu'elle se retrouva face à Maya quand sa tête émergea de l'eau. Elles échangèrent un regard. Rosy battit l'air, cherchant un bardeau, une prise, en vain : rien que de l'eau. La triangulation jouait contre elle – son corps, vertical, montait et descendait, le toit, en biais, était hors de portée. Elle entendit Maya hurler son nom tandis qu'elle s'enfonçait, perçut ses cris étouffés au moment même où l'eau se refermait au-dessus de sa tête, "Pousse! Pousse!", alors elle obéit, elle battit des jambes, et l'extrémité de sa chaussure heurta un pan du toit avec suffisamment de force pour la propulser vers le haut et briser la surface, le temps de prendre une respiration avant de couler à nouveau.

"... sse! Pousse! Pou..."

La voix de Maya la projeta en avant, elle battit des jambes, trouva un appui, remonta brièvement pour respirer, s'enfonça une nouvelle fois.

"... sse! Pousse! Pou..."

Rosy fit une coupe de ses mains pour creuser l'eau, fendant frénétiquement les flots, ce qui contribua à la rapprocher, poussée après poussée, de l'endroit où affleurait le toit. Les coups de pied s'enchaînaient plus rapidement, l'écart se réduisait entre la surface et le point d'appui en dessous, enfin ses doigts trouvèrent une prise et elle se traîna à plat ventre le long de l'édifice, tête hors de l'eau, reste du corps immergé.

— Maya, aide-moi! cria-t-elle.

Maya essaya. Vraiment, elle essaya. Posa une main sur celle de Rosy. Mais trois jours sans nourriture font des ravages chez les personnes âgées. Elle était incapable de refermer les doigts, incapable d'agripper, incapable de tirer Rosy hors de l'eau.

— Accroche-toi à moi, ma puce! insista Maya, mais Rosy savait que cela ne ferait qu'entraîner Maya dans l'eau avec elle.

Elle était seule.

— Où est Maman?

— Accroche-toi à moi, ma puce!

— Maya, je vais bien! Où est Maman? Tu la vois?

Rosy tendit le cou vers la gauche, visage tourné vers l'endroit où Cilla avait disparu, et recommença à crier:

— Maman, Maman!

— Cilla! hurla Maya.

— Maman!

— Y a des bulles! dit Maya. (Rosy suivit son doigt du regard.) J'ai vu des bulles là-bas! Cilla!

La main droite tendue devant elle, tâtonnant pour de nouvelles prises tandis que sa main gauche relâchait les anciennes, Rosy se fraya un chemin vers les bulles, étirant sa jambe au maximum dans l'espoir que Cilla aurait les yeux ouverts, la verrait et s'y accrocherait.

Ce qu'elle fit. De fait, Cilla s'accrocha avec une telle férocité qu'elle arracha sa fille du toit et la tira sous l'eau.

Une noyade, c'est autant un accident qu'un meurtre-suicide. L'accident de la chute, suivi d'un désespoir destructeur qui pousse la victime à attaquer son sauveur avec une rage capable de les noyer tous les deux. Cilla s'appuya sur Rosy et se catapulta vers le haut d'un coup à sa poitrine, se servant de son enfant comme d'un marchepied pour accéder à l'air libre. Sous l'eau, alors que les pieds de sa mère lui martelaient la tête, Rosy se débrouilla pour garder son sang-froid. Elle fit de nouveau face à la partie immergée du toit, y planta les semelles en caoutchouc de ses baskets et remonta vers l'air libre, une course au ralenti. Avant qu'elle ait pu l'atteindre, Cilla glissa et attrapa Rosy par une oreille, utilisant son visage pour se propulser hors de l'eau et chaparder une nouvelle respiration tandis que sa fille s'asphyxiait sous elle. La troisième fois, elles en vinrent aux mains. Cilla, en proie à l'hypoxie, percevait Rosy comme du lest ; Rosy, proche de la noyade, percevait Cilla comme un obstacle. Conséquemment, quand Cilla lui attrapa le bras, elle lui mordit la main de toutes ses forces et profita de son mouvement de recul pour avaler un peu d'air. Leur lutte fut bruyante : ahanements, suffocations, gerbes d'eau et remous, Cilla s'accrochant au pull de Rosy, la poussant vers le fond tout en se hissant vers la surface ; Rosy s'attaquant à ses yeux. Une ventilation agressive, à tour de rôle. Enfin, un coup au sternum plaqua Rosy – *paf !* – contre le toit, un mètre à l'est de l'endroit où elle se trouvait avant, ce qui fit toute la différence.

Le trou que Cilla avait fait dans le grenier les sauva une deuxième fois : à présent – un jour et demi après sa création – il était au niveau de l'eau. Rosy posa un pied sur le rebord, s'accrocha au contreplaqué exposé, se hissa hors des flots et tendit le bras pour tirer sa mère qui, désorientée par sa goinfrerie d'oxygène, creusa quatre sillons de la largeur d'un ongle sur la joue de Rosy, l'entraînant à nouveau vers les profondeurs.

Elles seraient mortes, si Rosy n'avait pas fait ce qu'elle fit : elle agrippa le bord du trou de la main droite, attrapa Cilla par les cheveux de la main gauche et, dans un accès d'énergie décuplée par la frustration et la peur, les tira toutes deux au sec avant de fracasser le crâne de Cilla contre une poutre en bois qui émergeait du grenier.

Cilla était déshydratée, épuisée : il n'en fallut pas plus pour qu'elle perde connaissance.

Mais Rosy lui cogna le crâne une deuxième fois, pour faire bonne mesure, de crainte qu'elle ne se réveille et les tue toutes les deux.

Tard dans la matinée du mercredi 31 août, deux hommes en skiff aidèrent Rosy à soulever sa mère du toit, encore inconsciente, et les conduisirent en lieu sûr.

Maya refusa de bouger :

— J'abandonne pas ma maison. Elle m'appartient. C'est tout c'qu'il me reste.

— C'est plus une maison, Maya, chuchota Rosy. C'est une île.

— J'viens pas.

Rosy n'avait plus la force de se battre :

— Faut que j'm'occupe de ma maman, dit-elle : moitié excuse, moitié renonciation, totale sincérité.

— Oui, acquiesça Maya. Occupe-toi de ta maman. Elle a besoin de toi.

— Je reviendrai pour toi, promit Rose tandis que s'éloignait le bateau. J'irai chercher de l'aide et je reviendrai. J'te l'jure. Je te laisserai pas ici.

Elle garda les yeux sur Maya aussi longtemps que possible, faisant comme si elle la reverrait un jour, refusant de croire que cette vision de sa nounou, confidente et amie serait peut-être la dernière : seule sur un toit profané, agrippée à une glacière pleine de sang, agitant vaillamment le bras en guise d'adieu, mais incapable de sourire.

Elles s'étaient servies de la glacière comme d'une bouée, pour hisser Cilla hors de l'eau. Maya avait péniblement glissé le long du toit et fait son possible pour aider. La glacière avait été son idée. Un pied sur le rebord du trou dans le grenier, l'autre dans la glacière, en équilibre instable, Rosy avait enjambé le corps de Cilla et réussi à la traîner, *han* après *han* après *han*, jusqu'à ce que la partie supérieure de son corps fût hors de l'eau. Ça suffirait. Ses jambes pouvaient flotter.

Rosy s'était effondrée au-dessus de sa mère, une main entortillée dans le col du chemisier de Cilla afin d'être réveillée si son corps cédait à l'inertie et commençait à glisser vers l'eau. Elle avait posé la tête derrière Maya, délibérément. Elle n'était pas encore prête à affronter son regard.

Elle était presque endormie quand Maya avait déclaré : "Faut c'qui faut."

Elle avait donc vu.

Prenant garde à ne pas enfreindre leurs limites personnelles, Maya avait légèrement réajusté sa position. S'était repositionnée afin de pouvoir caresser les cheveux de Rosy, comme elle le faisait avant pour l'endormir enfant, et Rosy était tombée dans un sommeil si profond qu'elle n'avait même pas entendu Maya appeler les rameurs à l'aide.

Les hommes ne s'adressèrent pas à Rosy pendant qu'ils ramaient ; chacun observait le chaos alentour depuis un cocon silencieux. Les hommes regardaient au-dehors ; Rosy regardait au-dedans. Elle caressait la boîte à bijoux de Cilla, posée sur ses genoux. Certains souvenirs méritent d'être conservés, d'autres doivent être effacés. Éviscérés.

Elle se concentrait sur l'annihilation d'un détail en particulier. Chaque fois qu'il lui revenait, elle le bannissait de son esprit. Ça n'avait pas eu lieu. Elle préférait imaginer Willie qui tendait un bras vers le toit, ne réussissait pas à l'attraper, ses mains dérapant à cause de l'humidité, de la moisissure, de la viscosité glissante sur sa peau. Si ses proches la retrouvaient un jour, s'ils lui posaient la question, elle évoquerait ces derniers instants, quand il s'était enfoncé sereinement dans les profondeurs, éreinté par ses efforts pour survivre, et son expression paisible, presque un sourire, lorsqu'il avait disparu. Ou peut-être raconterait-elle qu'il était mort en sauvant sa mère. Voilà ! Il était mort en sauvant sa mère, elle était tombée à l'eau et il avait plongé à sa suite parce qu'elle ne savait pas nager. Héroïque. Une scène mémorable. Un privilège d'en avoir été témoin.

Les yeux de Willie, deux soucoupes emplies d'espoir, se superposèrent à ces pensées, et elle dut fermer ses propres paupières – plaquer une main dessus – pour l'en chasser.

Va-t'en, souvenir ! Va-t'en !

Je t'efface.

Ça aurait vraiment pu se passer comme ça ; il aurait pu atteindre le toit. Au lieu de quoi, piètre nageur, il s'était noyé tout seul, choisissant de rester dans l'eau avec elles. Il avait poussé Rosy vers la surface, une fois au moins, pour lui offrir une gorgée d'air après que Cilla l'eut entraînée sous l'eau. Il lui avait même tendu la glacière, espérant qu'elle réussirait à s'y accrocher.

Lâche-moi, souvenir ! Lâche-moi !

Je t'efface.

Sa voix, grave et sonore, l'avait guidée. Coupant à travers les raclements rauques, les inspirations paniquées et les éclaboussements frénétiques, sa voix : une bouée de sauvetage.

— Attrape le trou dans le toit ! l'avait-il exhortée. Tu peux y arriver ! Il est juste derrière toi ! Attrape-le !

Tais-toi, souvenir, tais-toi!

Je t'efface.

Il était fort. Sa main qui serrait son poignet, ses yeux pleins d'espoir et ce sourire, toujours ce sourire. Rosy était enfin sortie de l'eau, elle avait tendu le bras pour aider sa mère, il s'était accroché à sa main, si près du but, mais derrière lui, Cilla continuait à se débattre.

Dégage, souvenir! Dégage!

Je t'efface.

Elle ne pouvait pas les sauver tous les deux. Ce n'était pas une pensée; ce n'était pas un processus cognitif qu'elle avait eu le temps d'envisager. C'était une simple réaction. Elle ne pouvait pas les sauver tous les deux.

Ainsi, quand Rosy avait tendu la main à sa mère et qu'il s'y était accroché à sa place, elle lui avait envoyé son pied en pleine figure et ne l'avait plus jamais revu.

Je t'efface.

7

Rose

*"Les malentendus s'arrêtent là. Les questionnements, les obsessions, tout ça
s'arrête avec moi."*

Le lundi 12 septembre au matin, Rose rentra de son entretien avec
l'inspecteur McAffrey et passa plusieurs appels d'affilée. Le premier,
à la compagnie d'assurances, McAffrey l'avait encouragée à le faire ; le
deuxième, au médecin légiste, McAffrey l'avait rendu possible malgré ses
réticences ; les autres, Rosy les passa de son propre chef.

Le représentant de l'assurance auto informa Rose qu'un enquêteur
serait délégué pour régler tous les paiements et s'occuper de l'enlèvement
du véhicule endommagé. Puis il dressa la liste de ses droits : couverture des
frais d'enterrement, de la location d'une voiture, des frais d'un véhicule de
remplacement, un éventuel capital de décès accidentel pour les héritiers
de l'assurée, et des dommages et intérêts pour les victimes, s'il se confirmait
que l'assurée était dans son tort.

— La mort de la fille est sans aucun doute de notre faute, dit Rose.

— Pas nécessairement, rectifia l'homme. Une enquête sera ouverte
pour le déterminer.

— Nous avons fait une sortie de route et heurté un piéton. À qui la
faute, si ce n'est pas la nôtre ?

— Une enquête sera ouverte pour le déterminer, répéta le représentant.

— Hmm, hmm. Comment la victime touche-t-elle son argent si elle
est morte ?

— S'il est bien confirmé que l'assurée était dans son tort, et si la victime
est dans l'incapacité de déposer une requête, alors son parent le plus proche
peut s'en charger à sa place.

— Et si nous n'arrivons pas à retrouver son parent le plus proche ?

— Eh bien, s'il n'y a pas de proche parent, il n'y a personne pour déposer une requête.

— Donc elle meurt, et puis plus rien. Sa vie ne vaut rien?

Le représentant répéta, d'un ton de plus en plus condescendant :

— Comme je vous l'ai déjà dit, une enquête sera ouverte pour déterminer...

Elle en avait assez entendu. C'était même un peu effrayant, la façon dont tout la poussait dans la même direction. Preuve après preuve après preuve. Ce qui n'avait été qu'une vague idée lors de l'enterrement s'était transformé en véritable plan d'action. Elle savait ce qu'elle était censée faire.

Ce qu'elle était censée faire ne lui ressemblait absolument pas.

Rose et Gertrude avaient vécu la plus grande partie de leurs vies de façon autonome. Deux femmes qui travaillaient sans relâche, suivant leur propre chemin, refusant d'avoir besoin de quelqu'un ou de s'appuyer sur quiconque. Ce rôle, Gertrude l'avait endossé jeune, puis elle l'avait imposé à sa fille; la bande-son de l'enfance de Rose retentissait de "Tu peux y arriver toute seule". Bien sûr, elle pleurait parfois et boudait souvent en réponse, mais au final, à trois ans elle s'habillait seule, à sept ans elle préparait elle-même son casse-croûte pour l'école, et elle avait été suffisamment attentive dans le siège passager pour pouvoir assister dès ses quinze ans à des cours de conduite, enchaînant avec le permis.

Gertrude mesurait son amour à l'aune de la précocité de Rose, elle s'extasiait devant la ténacité des doigts boudinés de sa fille sur ses lacets, elle était sidérée par les milliers de mots surlignés que Rose avait cherchés dans son dictionnaire, stupéfaite par la détermination avec laquelle Rose avait barboté jusqu'au grand bain de la piscine dès sa première immersion. Gertrude encourageait sa fille depuis les coulisses de sa vie, lui criant d'une voix attendrie, avec un plaisir et une fierté intenses : "Tu peux y arriver toute seule!", et Rose, jetée dans des eaux trop profondes, suffoquant, essayant furieusement de trouver une prise, un sentiment de sécurité, voyait sa mère applaudir, tout sourire, et pensait : Je me noie, et ça la rend heureuse.

Ce que Gertrude présentait comme un legs d'indépendance, Rose le recevait comme un héritage de solitude.

Cette solitude n'avait jamais été si palpable. Rose en mesura toute la force – ou, pour mieux formuler les choses, elle lui ouvrit enfin la porte – le lendemain de l'enterrement de sa mère. À 7 h 15, le dimanche 11 septembre, télécommande à la main, une boîte de céréales à ses côtés, elle alluma la télévision pour la première fois depuis plus d'une semaine. L'hommage officiel ne commencerait pas avant 7 h 46, heure de la première collision, mais dans l'intervalle la chaîne avait assemblé des séquences d'archives en une rétrospective poignante. Les images la heurtèrent de plein fouet. Si elle y avait un tant soit peu réfléchi, elle n'aurait pas été si surprise. Mais elle ne réfléchit pas ; elle agit par simple habitude. Respecta un rituel commémorant la mort sans considérer les conséquences d'une semaine au cours de laquelle les morts l'avaient approchée d'un peu trop près.

Elle alluma la télévision parce que c'était ce qu'elle faisait chaque année à la même date, à la même heure. Par réflexe, elle ouvrit la bouche. Les mots *"La mandra..."* s'en échappèrent, mais elle se tut immédiatement. Il n'y avait personne pour entendre, personne pour répondre. Le canapé l'engloutissait, trop grand pour un seul corps. Puis une fille du même âge qu'elle, qui lui ressemblait, apparut à l'écran, serrant une photo de sa mère contre sa poitrine, murmurant "Ma mère...", et la vérité s'imposa enfin à Rose : Ma mère est morte !

Prise de panique, elle bondit du canapé, horrifiée par la manière dont elle avait occupé les jours précédents. Ma mère n'est plus là ! Des sueurs froides, une montée de bile, un pouls accéléré qui battait dans sa gorge. Elle dut faire un effort pour ne pas soulager ses entrailles. À toute volée, elle ouvrit la porte de la chambre de sa mère. Elle était trop bien rangée : lit récemment fait, draps lessivés. Où pouvait-elle bien être ? Rose sortit un oreiller de sa taie et le pressa contre son visage, suffisamment fort pour s'étouffer, cherchant à inhaler l'essence de Gertrude, espérant retrouver une trace de son odeur. Tout résidu d'une joue parfumée d'Estée Lauder pressée contre le tissu, ou de cheveux fleurant le shampooing Suave emmêlés dans la fibre, avait été supplanté par l'odeur du détergent, 100 % fraîcheur printanière ; l'oreiller était aussi impersonnel que s'il avait encore été sous emballage, sur un rayonnage à côté d'autres oreillers en duvet n'appartenant à personne.

Rose tira sauvagement tous les tiroirs jusqu'à ce qu'ils retombent de la commode en un empilement anarchique. Elle avait été trop méthodique ; elle n'avait rien laissé ! La penderie, aussi : déserte. Les cintres de pressing accumulés au fil des ans étaient suspendus à des tringles blanches et nues, les étagères ne recelaient plus que de la poussière, la lumière d'une ampoule austère ricochait sur des murs qui n'étaient plus encombrés par les signes extérieurs d'une vie dont Rose s'était délestée en tentant d'effacer le souvenir de ce qui était arrivé.

Elle avait simplement voulu prendre un nouveau départ. Recommencer à zéro. Faire ce qui devait être fait, et vite. Le faire avec force, sans s'effondrer, sans céder à l'émotion, comme sa mère le lui avait appris. S'occuper l'esprit et les mains pour tenir, pour supporter la journée.

Rose referma l'énorme penderie et se précipita dans la salle de bains, pleine d'espoir. Elle avait forcément oublié quelque chose quelque part. Armoire à pharmacie ouverte, étagères saccagées. Une brosse à dents. Un rasoir. Une brosse à cheveux. Pas de maquillage, pas de parfum – une auréole jaunâtre à l'endroit où le flacon biseauté de sa mère avait reposé, laissant suinter une huile fragrante année après année. La tête dans l'armoire, Rosy ne réussit qu'à capter quelques bouffées de déodorant et de fil dentaire mentholé, ainsi que les restes caoutchouteux de vieux sparadraps. Tout ce qui était spécifique à Gertrude avait disparu deux jours plus tôt, dans un sac plastique, dans une benne. Rose serra les poings et les pressa contre son front : Réfléchis ! Elle se cogna la tête une fois, deux fois. Quel jour était-on ? Poings contre front, elle s'administra un nouveau coup, plus fort. Dimanche. Merde, dimanche. Les éboueurs étaient passés vendredi, probablement à peine quelques heures après qu'elle eut laissé se refermer le couvercle de la benne et détalé – le pinceau à blush que Gertrude empoignait tous les matins écrasé contre des boîtes en aluminium remplies de soupe et de sauce tomate périmée, la poudre qu'elle balayait sur sa peau pâle mélangée aux filtres à café granuleux, aux bâtonnets de glace triviaux. Vendredi, avant le coucher du soleil, alors que le prêtre préparait l'éloge de Gertrude pour la cérémonie du lendemain, ses possessions avaient été disséminées sur un site d'enfouissement, s'étaient mêlées à l'humus avant même que son corps n'ait été mis en terre.

Sidérée par sa propre bêtise, Rose fut parcourue d'un frisson lorsqu'elle comprit : je l'ai effacée.

Elle referma lentement la porte réfléchissante de l'armoire, avant de la rouvrir pour prendre le dentifrice. Elle ne savait plus quand elle s'était brossé les dents pour la dernière fois. Gertude avait sûrement été la dernière personne à presser le tube, le gel à l'intérieur avait touché les poils qui avaient effleuré ses dents. Rose dévissa le capuchon, un œil sur le bain de bouche. De sa main libre elle attrapa le gobelet retourné dans lequel Gertrude versait le liquide antiseptique chaque matin avant de se rincer la bouche avec. Goulûment, elle lécha le rebord du gobelet, puis elle passa au dentifrice, introduisit l'extrémité de sa langue dans l'ouverture, aspira voracement le gel du tube. Yeux fermés, elle se concentra sur le goût, en quête de quelque chose qui lui rappellerait l'haleine de Gertrude, ou qui lui évoquerait ses lèvres tendues en un baiser, mais il ne fit que lui piquer la bouche. Un goût de dentifrice, un goût de bain de bouche ; rien de plus. Rien à voir avec sa mère.

Elle parcourut le reste de l'appartement. Il ne restait donc plus rien ?

La télévision vint à sa rescousse. Dans le salon Alabamien retentit la voix d'une femme du sud du Bronx qui se remémorait son mari pompier, dont on avait eu des nouvelles pour la dernière fois par talkie-walkie alors qu'il faisait un point depuis le 82e étage de l'escalier nord, en montant les marches deux par deux malgré les bouteilles d'oxygène, les outils en métal et la tenue encombrante. Ce qui retint l'attention de Rose fut le sanglot dans la voix de la femme quand elle raconta au journaliste la façon dont elle avait récupéré les affaires de son mari à la caserne : "Il se moquerait de moi s'il savait l'importance que je donne à ses affaires, des bidules insignifiants auxquels il ne tenait probablement pas du tout, mais qui sont précieux à mes yeux parce que ce sont les derniers objets qu'il a touchés. Son porte-monnaie, ses clés, mais des trucs complètement incongrus, aussi : un emballage de chewing-gum froissé, un vieux magazine, une figurine Homer Simpson... et il n'était même pas fan des Simpson ! Mais j'ai tout mis dans un carton quand j'ai vidé son casier, et une fois à la maison je ne pouvais pas supporter l'idée de jeter quoi que ce soit. Parfois je vais chercher le carton dans la cave (sa voix s'enroua) et je le pose à côté de moi sur le canapé quand je regarde la télé ; c'est un peu comme s'il était encore là, avec moi..."

Rose laissa la porte d'entrée grande ouverte dans sa précipitation à dévaler l'escalier, traverser le parking, et récupérer le carton sur le perron de la voisine – le carton laissé en offrande à la voisine qui était passée la voir, le carton contenant les boules à neige de sa mère avec un mot accroché dessus : "Pour vos enfants."

Petite, Rose avait toujours été intriguée par la collection de boules à neige sur la commode de sa mère, d'autant plus, peut-être, qu'elle ne lui permettait jamais de les toucher. Gertrude veillait sur sa collection comme s'il s'agissait d'objets précieux au lieu de machins en plastique qu'elle-même ne secouait ou ne remontait jamais; au fil des ans les cristaux s'étaient fondus en une masse gélatineuse à leur base. Un jour, déguisée en Jasmine, en quête de château, Rose en avait chipé une et l'avait secouée, cachée derrière un fauteuil. Gertrude l'avait surprise et lui avait arraché le globe des mains, puis elle avait couru le ranger dans sa chambre, menaçant Rose de lui "botter le train" si elle recommençait. Ce fut la seule fois qu'elle vit un des globes entre leurs mains, à l'une comme à l'autre.

Elle aurait détesté décevoir les enfants de sa voisine en reprenant son cadeau, mais heureusement personne ne l'avait encore récupéré, ce qui lui permit de se réapproprier les boules à neige discrètement, sans culpabiliser.

Une enjambée pour franchir le seuil de l'appartement, un demi-tour pour pousser la porte: incapable d'aller plus loin, Rose s'effondra dans l'entrée, en larmes, visage pressé contre le carton qui abritait la collection de sa mère. Des larmes de soulagement, oui, mais de tellement d'autres choses aussi. Elle s'appuya de tout son poids contre la porte pour la refermer, se laissant glisser au sol, se coulant dans l'esprit de sa mère; cela lui ouvrit les yeux. De tout son être, Rose sentit que Gertrude avait déjà accompli ce même geste. Elle en était absolument certaine.

Avant cet instant, Rose avait été persuadée que pleurer contre la porte faisait uniquement partie de son histoire personnelle. En première année d'élémentaire, elle avait piqué une colère chaque matin, s'était jetée contre la porte en hurlant et en sanglotant pour que Gertrude lui ouvre après l'avoir poussée hors de l'appartement et enfermée à l'extérieur.

À six ans, pourvue de chaussures neuves, de crayons fraîchement taillés et de la promesse d'amis à venir, Rose avait été pressée d'aller à l'école. Mais le premier jour, alors que personne ne s'était poussé pour lui faire une place dans le bus et que la conductrice avait dû obliger un des garçons plus vieux à la laisser s'asseoir à ses côtés, celui-ci s'était exclamé: "Les roses sont censées sentir bon, mais celle-là" – il avait ostensiblement reniflé l'air en agitant une main au-dessus de la tête de Rose, comme pour dissiper une odeur pestilentielle – "elle schlingue!" Pour le restant de sa vie, chaque fois qu'elle entendait un éclat de rire général, elle ressentait une douleur dans ses tripes et revivait la punition quotidienne du bus scolaire. C'était allé crescendo, de piques en insultes en bousculades, jusqu'à ce que la conductrice réserve la place juste derrière la sienne à Rose et au garçon trisomique, lui aussi harcelé ; néanmoins, il avait fallu presque un mois à Rose pour cesser de se réveiller avec la diarrhée, et plus de temps encore pour comprendre que hurler et sangloter contre la porte chaque matin ne lui permettrait jamais de se réfugier auprès de sa mère.

Avant de se laisser glisser au sol avec les boules à neige, Rose n'avait jamais imaginé que Gertrude puisse être étrangère à ses tourments.

À présent, tandis que les cornemuses gémissaient dans le téléviseur, derrière les noms des disparus lus au rythme lent de la tristesse, la solitude de Gertrude, se joignant au chœur, s'éleva du sol pour s'infiltrer sous la peau de Rose et l'imprégner, l'espace d'un instant, de la perspective de sa mère. Rose perçut, enfin, que de l'autre côté des portes verrouillées de son enfance, une femme avait souffert aussi intensément qu'elle, avait autant pleuré pour Rose que Rose avait pleuré pour elle.

Sur toute cette solitude inutile, elle sanglota.

Ses larmes ne pouvaient qu'effleurer la profondeur du chagrin que Gertrude avait ressenti plus d'une décennie plus tôt, quand elle pleurait contre le chambranle intérieur de la porte en écoutant son enfant qui hurlait de l'autre côté : une enfant qui n'aurait jamais de frère ou de sœur pour lui tenir la main, une enfant qui devrait apprendre à se débrouiller seule – qui aurait besoin que cette mentalité lui soit inculquée de force par sa propre mère, cadenassant une tendresse qui ne saurait convenir. Une fois, au parc, alors qu'elle était assise seule sur un banc pour surveiller Rose, Gertrude avait surpris une conversation entre mères. Elles parlaient de leurs angoisses concernant leurs enfants. L'une d'elles avait évoqué la crainte que son rejeton ne soit pas accepté dans une certaine école, une autre s'était plainte de l'attitude bourrue qu'adoptait son mari avec son fils, mais la troisième avait dit : "Aucun de ces trucs habituels ne me fait peur. Ce que je redoute, c'est qu'un jour mon enfant se sente seul."

Mon enfant est née seule, avait pensé Gertrude, une affliction que les hurlements matinaux de Rose contre la porte d'entrée lui avaient martelée dans le crâne. Déchirée par les cris de sa fille, elle se blottissait contre la porte, doigts écartés de part et d'autre d'une joue mouillée pressée contre le bois, et chuchotait encore et encore : "Je suis là, je suis juste là", mais elle refusait d'ouvrir malgré ce que lui dictait son instinct, s'interdisant, avec force sanglots, de défaire le verrou pour serrer son enfant dans ses bras.

Comment Rose apprendrait-elle à se débrouiller autrement ? Si Gertrude ne s'en occupait pas, des inconnus s'en chargeraient à sa place, cruellement, alors qu'elle pouvait le faire avec amour, depuis l'autre côté de la porte, tellement proche, afin que Rose apprenne sans danger, en lieu sûr.

Certains matins, Gertrude devait s'asseoir sur ses mains ou les mordre pour se retenir d'ouvrir la porte ; ça la tuait à petit feu, mais elle continuait quand même. Pour sa fille.

Évidemment, Rose ne savait rien de tout cela, mais, le dos contre la porte, le visage pressé contre le carton de boules à neige, un mur infranchissable entre elle et sa mère se fissura enfin. Elle sentit leurs tristesses fusionner dans son cœur.

À la veuve du pompier, à la fille anonyme qui brandissait la photo d'un parent disparu, au souvenir d'elle et de sa mère pleurant côte à côte mais pas ensemble, elle envoya une promesse spontanée, irrévocable : les malentendus s'arrêtent là. Les questions, les obsessions, tout ça s'arrête avec moi.

Il y avait une mère à qui Rose devait des réponses. Une solitude qu'elle pouvait prévenir. Elle découvrirait l'identité de la fille morte ; elle la ramènerait chez elle.

ROSE pensait que la morgue serait pire. L'odeur, d'abord, la prit par surprise. Elle avait imaginé un mélange de formaldéhyde et de décomposition, mais elle ne perçut qu'une odeur d'agrumes qui rappelait le savon pour les mains et les produits à récurer. Ça sentait le bureau, un entrepôt de papier, non pas de cadavres. C'était un bureau, d'ailleurs, avec une réceptionniste souriante, des box, des tables ornées de photos de famille et de crayons rangés dans des tasses à la gloire du "Meilleur papa du monde". Une femme corpulente l'escorta à travers des couloirs bien éclairés, décorés de photos de vacances amateur vivement colorées, jusqu'à une pièce sans fenêtres baignée de lumière fluorescente et de peinture blanche fraîchement appliquée. Elle s'était attendue, au mieux, à des rangées de compartiments réfrigérés dans une réserve sombre, mais elle s'était également préparée au pire : des sacs mortuaires à l'extrémité desquels dépassaient des orteils étiquetés, dans un interminable couloir d'ombres. Le contraste entre les descriptions qu'elle avait lues de morgues lugubres et l'environnement agréable et bien éclairé dans lequel elle se trouvait la décontenança, d'autant plus qu'un homme faisant penser à un étudiant plutôt qu'à la Faucheuse franchit tranquillement le seuil pour lui serrer chaleureusement la main. Jeune, décontracté, en polo et pantalon en toile, un ancien de la fraternité Sigma Alpha Epsilon qui aurait légèrement vieilli, dents blanches et bien alignées révélées par un joyeux sourire en coin.

— Salut, dit-il, je suis le docteur Cabbott. L'inspecteur McAffrey m'a dit que vous passeriez nous rendre une petite visite.

Sourcils levés, un rire à peine étouffé, Rose s'exclama :

— C'est vous, le médecin légiste ?

— Ouaip, répondit-il. Vous vous attendiez à quelqu'un de plus sinistre, de plus âgé, n'est-ce pas ?

— Ben oui, je suppose.

— Eh non. Le vieux Quincy a encore quelques années d'avance sur moi.

— Qui ça ?

— Allez..., l'encouragea-t-il. Vous savez, "Quincy, M.E".

Elle secoua la tête : pas la moindre idée.

— Ah, vous êtes trop jeune, dit le docteur en agitant la main pour signifier que ça n'avait pas d'importance. Moi aussi, d'ailleurs, mais je suis accro aux rediffusions sur le câble. C'est pas mal, comme série ! Mais il faut reconnaître que les médecins légistes sont de plus en plus jeunes et cool. Y a qu'à voir Jill Hennessy dans *Crossing Jordan*.

— Je ne regarde pas vraiment la télé, avoua Rose.

— Bon, c'est tout à mon avantage, je suppose, dit-il. Il paraît que je ne fais pas le poids à côté du médecin légiste cul-de-jatte et rock & roll des *Experts*. Mais j'assure quand même.

— L'inspecteur McAffrey dit que vous êtes très compétent. Il dit que vous avez aidé la fille (elle prononça son prénom pour la première fois), Rosy. Il dit que vous avez contribué à la rendre présentable, quand ils l'ont prise en photo pour le journal télévisé.

Il eut un haussement d'épaules :

— Mac est partial. Il est obligé de dire des trucs gentils sur moi pour que je le laisse me botter le c... Excusez-moi. Me battre au golf.

Rose pinça les lèvres et hocha lentement la tête, sans mot dire. Elle tira sur le bord de son T-shirt, planta sa chaussure dans le sol et fit pivoter son pied, impatiente. Elle était venue pour dévisager une personne morte, pas pour parler golf :

— Je peux la voir ? demanda-t-elle.

Il prit une grande inspiration, fronça les sourcils :

— Vous êtes vraiment sûre de vouloir faire ça ?

— Hmm-hmm.

Elle lui répondit en le regardant droit dans les yeux. Un défi. Elle ne reculerait pas.

— OK alors, acquiesça-t-il. Mais soyez discrète, d'accord ? Tout ça n'est pas très orthodoxe, mais Mac a dit que c'était important pour vous. (Il fit une nouvelle tentative pour se montrer léger et désinvolte.) C'est là que ça devient intéressant pour vous d'avoir affaire à un jeunot ! Si j'étais un vieux croûton, je ne vous laisserais peut-être pas enfreindre les règles, même pour un ami.

Rose ne releva pas. Elle se contenta de sourire, affable :

— Je vous suis infiniment reconnaissante.

— Pas de problème, dit-il. Vous en avez bavé. Je suis ravi de pouvoir vous aider.

LE corps lui fut présenté dans une minuscule pièce blanche, recouvert d'un drap qui épousait ses formes de manière presque indécente : tétons dressés, poitrine pressée contre le tissu, pubis visible entre le renflement des cuisses.

Rose s'approcha du brancard. Instinctivement, elle tendit les deux bras, avant de se reprendre et de serrer les mains contre sa poitrine :

— Je peux... ?

Elle esquissa de nouveau un geste en direction du corps, souhaitant découvrir la fille, mais manquant d'aplomb pour le faire :

— Pourriez-vous... ?

En agitant imperceptiblement les doigts, elle mima l'action de retirer un drap.

Le médecin légiste ramena le drap en arrière, découvrant le visage de Rosy ainsi que l'extrémité de ses épaules. Rose s'approcha du cadavre et l'observa avec les yeux écarquillés d'une mère penchée sur la silhouette de son nourrisson endormi. Elle s'attendait à être effrayée mais ne le fut pas.

Elle inclina un peu plus la tête et contempla longuement la fille devant elle, regardant par-delà les blessures manifestes pour appréhender la personne, laissant ses yeux faire la connaissance de Rosy en scrutant chacun de ses traits : tourbillons de cheveux noir corbeau coupés ras ; lobes décollés et percés, une drôle d'encoche au lobe droit ; nez épaté, proéminent ; les cils les plus longs, les plus épais qu'elle ait jamais vus ; et le genre de lèvres pulpeuses dont rêvent les stars de cinéma. Elle s'approcha un peu plus et sourit. Des taches de rousseur – plus dures à distinguer sur la peau foncée de Rosy, mais néanmoins présentes – mouchetaient ses pommettes selon le même motif qui piquetait le visage pâle de Rose.

Le médecin légiste, derrière elle, remarqua l'attention qu'elle portait à la pommette droite de la victime :

— Les lacérations sur l'arcade sourcilière et l'arcade zygomatique résultent d'un choc.

— Mon Dieu ! s'exclama Rose en ouvrant la paume, comme pour protéger l'œil et la joue droite de Rosy, n'osant toujours pas vraiment la toucher, mais tellement proche maintenant que le fil d'un point de suture venait agacer l'extrémité de son petit doigt :

— Nous... (Elle regarda la blessure et bafouilla, mais se ressaisit.) Nous lui avons écrasé le *visage* ?

— Oh ! Non, houla, pas du tout ! balbutia-t-il, réalisant qu'elle avait mal interprété ses paroles et pensait avoir littéralement écrasé la victime. Ce que je voulais dire, c'est que vous n'êtes *pas* à l'origine de ces blessures. Les dommages occasionnés par l'AVM ont engendré des fractures de la diaphyse fémorale, une fracture tibiale ouverte de type IIIC, des fractures multiples au niveau des branches pelviennes et une hémorragie interne massive...

— Je ne comprends pas votre jargon.

— Je suis désolé. L'AVM, ça veut dire l'accident de voiture. Ses effets se limitent presque exclusivement à un impact à grande vitesse dans la région des membres inférieurs.

Elle se racla la gorge.

— Euh, pardon. (Il se tut un instant.) En bref, l'accident de voiture a surtout provoqué des blessures sur la moitié inférieure du corps. Vous ne lui avez pas abîmé le visage. Il y a des écorchures, à cause de la chute, dans le... Enfin, à cause de la descente, quand vous êtes tombées dans le ravin, après la collision. Mais pour la plupart, les blessures à son visage ne viennent pas de l'accident de voiture. Ce que vous voyez était déjà là, avant que vous ne la heurtiez. Elle a trois types de blessures différentes causées par trois incidents isolés.

Quand Rose se tourna pour lui faire face, elle laissa reposer sa main droite sur l'épaule drapée de la jeune fille, un geste de compassion. La fraîcheur de la chair morte irradiant de sous le drap piqua sa peau tiède – une décharge, un tressaillement –, mais elle tint bon, forte pour deux.

— Oh mon Dieu, répéta-t-elle. Qu'est-ce qui a bien pu lui arriver ?

Elle avait l'air si dévastée qu'il tenta de la dissuader une nouvelle fois :

— Il n'est pas nécessaire que vous sachiez tout ça, vraiment. Qu'est-ce que ça va faire avancer ? Qu'est-ce que ça va changer ?

Elle s'arma de courage. Mâchoire serrée, colonne vertébrale rigide, larmes ravalées :

— Je veux savoir. Vraiment. J'ai *besoin* de savoir.

Se penchant de nouveau sur le corps, un coude sur le brancard, elle posa le menton dans le creux de sa main et, de l'autre, lissa maternellement les boucles emmêlées de la fille.

— Racontez-moi. Commencez par le début, et dites-moi ce qui lui est arrivé.

Si Rosy avait subi ces épreuves, Rose pensait que la moindre des choses était d'écouter leur récit dans un silence compatissant, en tenant compagnie à la fille perdue.

— Vous voyez ces trois stries sur sa joue gauche ? demanda le docteur Cabott en reculant pour s'appuyer contre le comptoir derrière Rose et laisser leur intimité aux filles. Elle a été griffée, assez violemment. Quelqu'un lui a lacéré la joue. Les éraflures recouvertes d'une croûte lui ont été infligées deux jours à une semaine avant qu'elle ne meure. Les contusions concentrées au niveau des épaules et de la poitrine viennent probablement du même incident. Il y en a une ou deux sur son visage aussi, mais la plus remarquable est centrée sur son sternum. La taille et la forme font penser à un pied, comme si elle avait reçu un coup de pied. Associée aux autres blessures… Peut-être une bagarre ? Impossible d'en être certain, d'autant que la coloration des ecchymoses – un jaune verdâtre difficile à percevoir sur sa peau brune – signifie que ces blessures datent de l'ouragan. Y avait probablement toutes sortes d'objets volants, et autant de façons de se blesser. Impossible de savoir exactement ce qui lui est arrivé.

Son ton, sa cadence, même, étaient professionnels. Elle laissa glisser sa main des cheveux de Rosy à sa tempe :

— Je peux...

— Vous pouvez lui toucher le visage.

Elle caressa la peau autour des blessures suturées sur la joue enflée, l'œil noir et violet.

Bien décidée à tout entendre, elle demanda :

— Et celles-là...

Deux jours avant de mourir, Rosy avait été violée. Elle en portait les blessures caractéristiques, significatives, mais aussi des lacérations profondes à la joue droite et au-dessus de l'œil droit.

— Vous appelez ça des "blessures dues à un choc" ?

— Une blessure due à un choc recouvre tout traumatisme résultant d'un impact direct et conséquent – un poing, une pierre, le trottoir en cas de chute. Les blessures dues à un choc se distinguent des blessures par incision – des coupures causées par un couteau ou du verre ayant pénétré le corps. Les deux types de blessures peuvent fendre la peau, mais les blessures de notre victime présentent des bords sensiblement déchiquetés, ce qui suggère une force contondante. Elle n'a pas été tailladée. Elle présente également des lésions défensives, partout sur les mains et les avant-bras. Elle s'est battue. De toutes ses forces.

Rose resta auprès du cadavre quand il n'y eut plus rien à dire. Elle remonta le drap sur le visage, plissant un peu le tissu afin qu'il ne moule pas ses formes. Enfin, à tâtons sous le drap, elle trouva la main droite de Rosy et la serra un moment entre ses paumes, essayant de transférer la chaleur de sa peau à la chair glacée, frottant vigoureusement, comme pour faire naître une étincelle. La main pesait plus lourd qu'elle ne l'avait imaginé. Lorsque Rose retira ses mains de sous le drap, la main de Rosy bougea aussi, et son bras entier se mit à glisser sur le côté. Rose esquissa un geste, comme on rattrape une feuille morte que la brise fait voleter. Lorsqu'elle souleva le bras pour réarranger le corps sous le drap, leurs peaux rentrèrent en contact – avant-bras contre avant-bras, doigts entrelacés – et c'est ainsi qu'elle la vit, la plus magique des surprises. La silhouette d'une libellule virevolta à la base charnue du pouce de Rosy. Rose laissa échapper un soupir émerveillé.

— Super tatouage, pas vrai ? remarqua le docteur Cabott dans son dos. Drôle d'emplacement, en revanche. On ne voit pas beaucoup de tatouages sur les paumes. La peau se régénère trop rapidement. Les tatouages à cet endroit ont tendance à s'effacer.

— Peut-être qu'il n'était pas censé durer éternellement, dit Rose après un temps de réflexion. Les libellules sont des êtres éphémères. Elles tendent vers la lumière, la joie.

Le médecin légiste ne dit rien. Interprétant son silence comme une question, Rose replaça le bras meurtri de la fille sous le drap et dit :

— Ma mère. Elle adorait les libellules. J'ai été nourrie de leur symbolisme.

Elle détacha enfin ses yeux du cadavre et se tourna pour le remercier d'avoir rendu cette visite possible. Cependant, elle fut troublée de voir non pas le visage du Docteur Cabott, adossé au comptoir, mais celui de l'inspecteur McAffrey, qui montait une garde silencieuse dans son dos. Ils échangèrent un sourire.

— Je ne vous avais pas entendu entrer, dit-elle.

Elle fronça les sourcils, une interrogation muette sur la raison de sa présence, mais il s'expliqua avant qu'elle n'ait pu l'exprimer.

— J'aurais eu du mal à me regarder dans une glace si j'vous avais laissée traverser cette épreuve seule, murmura-t-il en lui tendant la main.

Elle la serra entre les siennes, reconnaissante.

QUAND Rose boucla sa ceinture de sécurité pour le trajet du retour, l'inspecteur fit glisser une enveloppe en papier kraft sur la banquette. À l'intérieur se trouvaient des photocopies de la carte de visite et du reçu prélevés sur le corps de Rosy après l'accident, ainsi que la page d'annuaire trouvée dans sa poche, l'original.

— Vous n'en avez pas besoin ? demanda-t-elle en brandissant la Page Blanche.

— Je l'ai photocopiée pour les archives, répondit McAffrey. J'me suis dit que vous aimeriez garder celle-ci.

Elle posa la feuille sur ses genoux et regarda le policier du coin de l'œil.

— Je sais ce que vous pensez, dit-il. Je sais ce que vous êtes en train de faire. Vous croyiez vraiment que je n'avais pas vu votre nom sur la Page Blanche ? G. & R. Aikens, au verso ?

Rose fit une moue :

— Et alors?

Il détacha ses yeux de la route et se tourna vers elle:

— Ça veut rien dire. Y a des centaines – des centaines! – de noms listés sur cette page.

— Dont le mien.

— Mais ça ne veut pas dire ce que vous pensez que ça veut dire... Que vous êtes responsable d'elle parce que votre nom figure sur un bout de papier qu'elle avait dans la poche, ou qu'elle vous appelle, qu'elle vous envoie un signe...

Rose cessa d'écouter. Elle avait serré la main de Rosy entre les siennes, elle avait été à ses côtés lors de sa mort, et ça faisait plus d'une semaine qu'elle se baladait avec ses chaussures aux pieds. Elle ne l'abandonnerait pas, elle en était incapable, quoi qu'il arrivât.

— Vous savez, poursuivit McAffrey, si mon nom ne commençait pas par le préfixe irlandais Mc, je serais également sur cette page, et ça ne signifierait rien. Je ne me donnerais pas pour mission de la retrouver!

Rose éclata de rire:

— Premièrement, vous n'êtes *pas* sur la liste. Deuxièmement, *c'est* votre travail de la retrouver. C'est même plus le vôtre que le mien.

Il adopta son style:

— Premièrement, elle a déjà été "retrouvée", autant qu'elle pouvait l'être. J'sais pas ce que vous imaginez découvrir de plus. Et deuxièmement, plus important, vous savez très bien ce que je veux dire. Si je m'appelais Affrey ou Ainsworth ou n'importe quel autre nom commençant par un A, je serais sur cette page avec vous autres Aikens. Vous êtes *censée* être listée sur cette page spécifique de l'annuaire. La seule coïncidence, c'est que la victime est morte avec cette page en poche. Vous avez pris une coïncidence pour un signe.

— La victime porte un nom: Rosy. Et j'interprète les coïncidences comme je veux.

Ils observèrent un silence que seuls troublaient le ronronnement de la climatisation et le tapotement des doigts de McAffrey sur le volant.

— De toute façon, qu'est-ce que vous voulez que je fasse, inspecteur? Vous préféreriez que je me laisse dévorer par les questions?

Il soupira en inclinant la tête vers elle:

— Il est temps que vous m'appeliez Mac, comme tout le monde.

Elle marqua une pause, se ressaisit, poursuivit sur un ton plus mesuré :
— D'accord, Mac. Écoutez-moi, s'il vous plaît. Le dernier endroit où vous l'avez localisée, c'est Natchez, là ou l'infirmière lui a acheté un aller pour Tuscaloosa. Je veux juste aller là-bas. Je veux juste... Où est le mal ? Peut-être que je n'apprendrai rien, mais au moins je pourrai dormir la nuit, parce que j'aurai fait mon possible.

Il arrêta de marteler le volant et réfléchit.
— Bordel. J'y crois pas. (Nouvelle pause.) Veuillez excuser ma vulgarité. OK. Écoutez, c'est pas que j'vous encourage, mais si vous êtes absolument déterminée à le faire, j'vais essayer de vous aider. Vous avez besoin de quoi ?

— Rappelez-moi le nom de l'hôpital, et celui de l'infirmière.

Il pénétra dans la résidence et coupa le contact :
— Bon Dieu. (Il se demanda comment il se sentirait si sa propre fille se retrouvait mêlée à tout ça.) Votre père me tuerait s'il apprenait que je soutenais votre projet farfelu.

— Ça ne risque pas, à moins que vous soyez d'humeur à ouvrir un nouveau dossier pour le retrouver, lui aussi. Il a disparu avant ma naissance.

Elle sortit de la voiture, mais se pencha à l'intérieur avant que la portière ne se referme :
— Voilà. Maintenant vous savez tout. Vous comprenez ? Rosy, c'est la seule personne au monde avec qui il me reste un lien. Vous pensez toujours que j'ai tort de vouloir la retrouver ?

QUANT aux autres coups de fil passés par Rose lors de sa dernière journée en ville, ils lui servirent à commander un taxi pour le lendemain matin, acheter un ticket de bus et mettre ses cours entre parenthèses pour une durée indéterminée. Le semestre était à peine entamé, il y avait eu un décès dans sa famille : le centre universitaire de premier cycle réserverait ses frais de scolarité et trouverait un compromis à son retour. Elle ne pensait pas s'absenter plus de quelques jours, mais tant pis. C'était plus facile ainsi. Puis elle retira toutes les denrées périssables du réfrigérateur, les vida dans l'évier, jeta les poubelles et prépara son sac.

À l'aube, le taxi l'attendait sur la chaussée. En chemin, juste avant le pont, elle demanda au conducteur de se ranger sur le bas-côté et sortit de la voiture pour contempler la scène : les arbres aplatis, les traces de frein gravées dans la colline, l'endroit où sa mère avait pris sa dernière respiration, là où elles avaient traîné le corps de Rosy dans la boue.

Elle ferma les yeux et parla sans prononcer un mot. Mi-prière, mi-promesse : Rosy, j'arrive.

Elle remonta dans le taxi et ils franchirent la rivière, dépassant l'église First Baptist et le bureau de la Croix-Rouge tandis qu'ils roulaient dans les rues désertes pour attraper le bus de 8 h 55, direction Natchez. Elle louerait une voiture à son arrivée, mais elle se sentait obligée de commencer son voyage comme Rosy avait terminé le sien.

En revenant sur les pas de Rosy, c'était une vie qu'elle poursuivait.

8

Rosy

Elles symbolisent le changement. La transformation.
La conviction que ce qui vient sera mieux que ce qui a été.

La superstition, une spécialité de la Louisiane au même titre que les alligators et le Tabasco, veut que l'esprit des morts venge toute profanation de leur cadavre, ce qui pose la question de la rancœur engendrée en 1957, quand cinquante-cinq familles blanches remirent leurs bien-aimés en terre dans le mausolée Hope après que le très révérend Girault M. Jones, évêque de la Louisiane, eut sécularisé le cimetière de Girod Street, condamnant tous les os afro-américains jusqu'au dernier à l'anonymat d'une fosse commune dans Providence Memorial Park. De ce pogrom naquit le Superdome. Cinq hectares de charpente en acier haute de quatre-vingt-trois mètres surplombant une terre impie, témoignage saisissant de la tendance nationale à acclamer les noirs jusqu'à la zone de but, pour les abandonner complètement six points plus tard.

Les fantômes ne délaissent pas si facilement leurs descendants. On raconte que le Superdome est maudit depuis le début.

Pour preuve, des retards de construction et des coûts quadruplés ; les résultats lamentables des Saints ; le toit, censé résister à des vents de trois cent vingt kilomètres à l'heure, soulevé par les deux cent trente kilomètres à l'heure des bourrasques de Katrina. Sans parler des six cadavres que les réfugiés laissèrent derrière eux quand ils parvinrent enfin à en quitter l'enceinte. C'est pourquoi il serait faux de dire que Cilla et Rosy trouvèrent un refuge dans le Superdome. Quand elles y arrivèrent, ce n'était plus un refuge depuis longtemps.

Leur canot fendait facilement les flots dans les rues du centre-ville, noyées sous un mètre d'eau, ce qui permit aux gondoliers de fortune de débarquer mère et fille directement sur la passerelle surélevée du stade, tard dans l'après-midi du mercredi 31 août. Cilla tituba hors du canot la tête entre les mains, en larmes. Elle se déplaçait comme si la vase tout autour d'eux s'était déposée dans ses semelles, mais Rosy s'attendait à la voir emportée par une nouvelle phase maniaque sitôt que le mal de tête serait passé. Il fallait qu'elles rentrent au plus vite et qu'elles s'isolent, tout en haut des gradins, là où personne ne les remarquerait, avant que cela n'arrive. Trente mille personnes leur barraient le chemin.

Une vieille dame en peignoir, agrippée à un sac à main lamé or, une seule chaussure aux pieds, s'accrocha à l'épaule de Rosy pour garder son équilibre quand elle glissa de l'arrière d'une jeep dont le sillage fit chavirer le canot quelques instants après qu'elles en furent descendues. À quelques pas du véhicule, un pick-up sur lequel était inscrit PROTECTION DE LA FAUNE ET DE LA FLORE DE LA LOUISIANE fit une marche arrière et déversa de sa benne une jeune femme et quatre enfants, dont un nourrisson qui hurlait avec une telle énergie que le conducteur dut demander quatre fois à la femme de répéter sa question, jusqu'à ce qu'elle criât suffisamment fort pour qu'il l'entende :

— J'suis censée faire quoi des enfants ?

— Amenez-les à l'intérieur ! hurla-t-il à son tour en désignant le stade.

— Mais ils sont pas à moi ! répliqua-t-elle en montrant les deux enfants qui n'étaient pas accrochés à elle, cinq ou six ans, blottis l'un contre l'autre tandis qu'elle se tenait à l'écart, protégeant sa progéniture, un garçon serré contre ses genoux, l'autre contre sa poitrine.

— Sont à qui ? demanda-t-il en regardant les deux garçons silencieux, aux phalanges blanchies à force d'être agrippés l'un à l'autre.

— Comment vous voulez que je sache ? Ils étaient déjà dans l'arbre quand j'y suis montée, et c'est vous qui les avez fait descendre !

— Bon, amenez-les quand même à l'intérieur, dit-il avant de sauter du toit de sa voiture pour se glisser par la fenêtre côté conducteur et de se retrouver face à un moteur qui venait de caler et à l'eau qui clapotait contre la portière.

Son boulot : ramasser, pas remédier. Et certainement pas réunir.

Pendant que le spécialiste de la faune et de la flore noyait son moteur, les rameurs redressaient leur canot en aspergeant la foule tandis qu'un soldat de la Garde nationale passait devant eux à toute allure, gesticulant comme un fou. Il bouscula d'abord Rosy, puis la dame âgée avec le sac à main, enfin la mère de deux ou quatre enfants, sans prendre la peine de s'excuser.

— Comment ça, y a qu'un seul bus ? cria-t-il dans son talkie-walkie. On a des gens empilés sur trois couches qui hurlent comme de la racaille blanche à un putain de rassemblement évangéliste. Bientôt ils vont se jeter du putain de quai de chargement dans un mouvement de panique, histoire de se noyer comme une bande de putains de lemmings, et vous m'dites qu'il y a qu'un seul bus en route ? Un seul bus ? Passez-moi le général Lupin ! On va voir c'qu'il peut me dire à propos de...

La voix du soldat se perdit dans la cacophonie désordonnée de parents sommant leurs enfants de se remettre dans la queue, de personnes seules demandant à de parfaits inconnus : "Vous avez pas vu mon mari ?", de militants criant : "C'est pas un putain de sanctuaire !" et de présentateurs zélés s'enquérant : "Quelle est la possession la plus importante que vous ayez dû abandonner ?" Leur bruit ne faisait qu'accentuer le silence assourdissant de tous ceux qui avaient déjà cessé de parler, tenaillés par la faim, la soif ou les regrets, et qui avançaient d'un pas traînant, mus par la résignation et la pression de leurs pairs chaque fois que la personne devant eux se rapprochait de l'entrée lointaine qui débouchait sur cet abri de dernier ressort.

Rosy conduisit Cilla vers la masse ondulante, s'arrachant à l'étreinte de la femme qui n'avait qu'une seule chaussure et qui marmonnait : "Qu'est-ce que je fais ? Qu'est-ce que je fais ?", ignorant la mère encombrée des deux garçons orphelins. Elle n'avait pas d'attention à perdre, pas de temps pour les cas spéciaux.

D'une manière ou d'une autre, chacune de ces trente mille personnes avait succombé au chaos.

En l'espace de quatre heures, il ne ferait qu'une bouchée de Cilla.

Il leur fallut presque autant de temps pour franchir les portes et atteindre la ligne de touche du terrain en gazon synthétique. Des étançons et des soldats armés guidaient les réfugiés jusqu'au point de contrôle en milieu de terrain : le dimanche, ils avaient été polis et compatissants, mais arrivé mercredi, ils étaient tout simplement épuisés.

Ça avait été plus simple pour tout le monde au début : le point de contrôle se trouvait à l'extérieur – en plein air, plus gérable –, mais quand les pluies s'étaient abattues, la présence de bébés frigorifiés réconfortés par des personnes âgées enveloppées dans des couvertures détrempées avait rendu la question d'un abri cruciale. Ils avaient traîné les détecteurs de métal sous le dôme pour les installer sur la ligne située au milieu du terrain.

Dès le début, l'attente avait été excessivement longue, mais au moins le premier jour il y avait eu des distributions de nourriture et des lits pour tout le monde, et les milliers de réfugiés n'avaient pas tant fui leurs maisons que délibérément choisi de se relocaliser temporairement. Ce qui revenait à dire qu'ils étaient venus préparés, alors que les dizaines de milliers qui triplèrent l'occupation le quatrième jour étaient d'une tout autre nature : des personnes terrifiées cueillies sur les toits, sans eau ni nourriture, sans habits, sans médicaments. Ils pénétraient dans un bâtiment privé d'électricité, à l'atmosphère alourdie par la condensation des orages et des corps en sueur, et ils se trouvaient confrontés à une population confinée à qui on avait confisqué flasques et briquets quatre jours plus tôt. Les tourmentés se faufilaient parmi les sans-vices et les agités. De la pure folie.

Cilla réussit presque à s'intégrer ; elle se serait peut-être mieux intégrée si sa maladie mentale avait été de la partie, car les soldats ignoraient la plupart des semeurs de troubles. Çà et là des hommes d'une vingtaine d'années, enragés par les stéroïdes, entravés par leurs pantalons portés trop bas sur les hanches, brandissaient des poings marqués au fer rouge* tandis qu'un groupe de femmes hargneuses insultait quiconque portait un uniforme – militaire, médical, ou marqué du sceau des services sociaux –, ainsi que toute personne se livrant à des activités caritatives sans pourvoir à leurs besoins personnels les plus pressants.

— Comment ça, vous avez plus d'ibuprofène ? Passque lui, là, on dirait qu'il a c'qu'il veut ! cria une femme à un employé des services de santé publique de La Nouvelle-Orléans.

Le médecin avait suivi l'évolution des conditions climatiques pendant près de deux semaines et envoyé sa famille chez ses beaux-parents trois jours avant que l'œil de l'ouragan n'ait frappé la côte, mais lui avait choisi

---

* Allusion au *branding*, pratique récente consistant à se brûler la peau au fer rouge pour obtenir un genre de tatouage en relief.

de rester en ville, se frayant un chemin jusqu'au Superdome avec une trousse de premiers soins bien garnie dès qu'il avait su que ses portes étaient ouvertes. Au cours des quatre jours qui avaient suivi, il n'avait pas ingéré plus de trois bouteilles d'eau et six barres de céréales. Ça le rendait plus lent. Ça lui rappelait son internat. Il avait du mal à suivre les rotations de perfusion, alors il notait très précisément les temps de pose et les quantités sur les sacs génériques avec un feutre noir qu'il avait rapporté de chez lui. Sa femme s'en servait pour écrire sur les sacs de poulets qu'elle stockait dans le congélateur. Bon Dieu, pensa-t-il, la maison doit puer. Quatre jours sans électricité ; toute cette volaille en train de pourrir... Ainsi en était-il : son esprit vagabondait. Il dut relire ce qu'il avait écrit sur le sac à perfusion : deux volumes de H_2O pour deux volumes...

— Vous m'écoutez, oui ? J'ai dit qu'vous avez pas d'ibuprofène pour moi, mais vous lui donnez c'qu'il veut, à lui ?

La femme refusait de se laisser ignorer. Elle haranguait le docteur depuis la travée surplombant la zone de but, où les personnes en fauteuil roulant s'entassaient sur cinq rangées, le sac à perfusion d'un homme suspendu à un panneau d'orientation, les autres accrochés au poteau de but.

— Pour l'amour de Dieu, lui cria le médecin, il a la jaunisse !

— Et moi, j'ai mes règles ! répliqua l'agitatrice.

L'assistant du médecin se glissa près de lui et chuchota :

— Laisse tomber, mec. (Il tapota l'épaule de son collègue.) Tiens bon. J'ai entendu dire qu'ils envoyaient un bus pour évacuer quelques-uns des patients dialysés.

La femme finit par rejoindre les mâchoires serrées et les torses bombés qui arpentaient les halls supérieurs en martelant les rambardes, une source de tapage, rien de plus. Dans une foule qui préférait se voir offrir des couches que des excuses, les rébellions isolées de ce genre ne risquaient pas de dégénérer en véritable insurrection ; conséquemment, docteurs, soldats et bénévoles faisaient la sourde oreille, et les rebelles s'énervaient jusqu'à s'enrouer et perdre toute pertinence.

Telle était Cilla lorsqu'elle pénétra dans le Superdome, et peut-être le serait-elle restée, faisant la queue en silence, attendant d'être fouillée en se balançant doucement aux côtés de sa fille tandis qu'elles avançaient petit à petit dans la file des réfugiés qui n'avaient pas encore été inspectés. En entendant la femme rudoyer le médecin, Rosy avait pensé : ça pourrait être ma mère. Puis elle s'était demandé : pourquoi ça ne l'est pas ? La normalité de Cilla avait quelque chose d'inquiétant ; ce calme inhabituel était probablement un effet secondaire de ses blessures. Rosy lui caressa la joue. Cilla se laissa faire. C'était mauvais signe. En phase maniaque, Cilla ne supportait pas qu'on la touche ; blessée, elle le supporterait peut-être. Elle avait la peau moite. Les pupilles fixes. Avec une culpabilité grandissante, Rosy se dit que son geste pour sauver la vie de sa mère – lui cogner la tête contre la poutre afin de s'assurer sa docilité – lui avait peut-être fracturé le crâne. Souffrait-elle d'un traumatisme au cerveau ? La sueur ruisselait de ses cheveux, s'accumulait dans ses oreilles, dégouttait de son nez. Rosy se demandait si Cilla avait contracté une fièvre quand une goutte tomba de son propre nez et atterrit sur son avant-bras. Tout le monde dégoulinait de sueur, ils étaient collés les uns aux autres, et l'air conditionné ne fonctionnait plus depuis quatre jours. Au cœur de l'été, dans ce cloaque condamné du Sud, même les briques exsudaient un trop-plein de fluides, résultat de l'humidité née de l'orage et des corps qui fermentaient depuis plus de quatre jours. Bon Dieu, ça puait. Une puanteur telle que Rosy en avait la nausée. Il fallait qu'elle se force à ne pas y penser, qu'elle s'empêche de remarquer la puanteur, qu'elle mette ses sens en veilleuse. Cela pouvait expliquer les pupilles dilatées de Cilla et des autres. La solution : regarder droit devant soi, ne pas penser, obéir. Sinon, c'était insupportable.

Malheureusement, quand Cilla se tourna et vit Rosy pliée en deux par un haut-le-cœur, elle en eut un aussi. Un soldat à proximité franchit le cordon de sécurité pour les orienter vers les toilettes, promettant de leur garder une place jusqu'à leur retour, tant elles étaient proches du point de contrôle en milieu de terrain.

C'était ce qu'il aurait pu faire de pire.

Trente mille personnes, quatre jours, des douzaines de toilettes laissées sans entretien. Bouchées, toutes les cuvettes débordaient ; les lunettes étaient mouchetées de sang et d'excréments ; les sols étaient recouverts d'une couche insalubre d'urine et de papier coagulé – le papier toilette avait été épuisé dès dimanche ; lundi, il n'y avait plus de serviettes en papier ; mardi, les affichettes et les pages de livres sur lesquelles les réfugiés s'étaient rabattus pour s'essuyer avaient été entièrement consommées. Mercredi, les gens s'accroupissaient dans les coins ; c'était plus hygiénique. On ne s'essuyait plus : il ne restait rien pour le faire. À la fin de la semaine, après l'évacuation du Superdome, plus de quatre mille tonnes de déchets et de débris humains seraient nettoyées par les soldats restés sur place. Il faudrait encore treize mois et cent quatre-vingt-treize millions de dollars pour réparer et réaménager la structure ravagée par les hordes qui avaient détruit ses portes, arraché ses sièges pour les installer dehors et brisé en mille morceaux les miroirs des toilettes pour graver leurs noms dans les travées bétonnées.

Rosy et Cilla contournèrent le verre brisé au pied des lavabos, mais elles ne parvinrent pas à faire plus de deux mètres avant que la puanteur ne les fasse déguerpir; elles se laissèrent glisser le long du mur dans le hall inférieur, vomissant de l'air, n'ayant plus de bile après quatre jours sans manger. Des spasmes incontrôlés parcoururent le corps de Cilla, et ses jambes se mirent à trembler. Rosy les immobilisa de ses mains pour empêcher sa mère de perdre l'équilibre. "Tiens bon", murmura-t-elle, pour elle-même comme pour sa mère, sachant qu'elles ne pouvaient consulter de médecins sur le terrain, pas avant d'avoir rejoint la foutue queue pour franchir les détecteurs de métal. Quand Cilla hocha la tête, complice, lui souriant avec gratitude au lieu de se mettre en rage, l'inquiétude de Rosy grandit. Elle percevait l'apathie de sa mère comme un manque de lucidité, pensant à tort que sa maladie – qui avait toujours été ce qu'il y avait de plus fort en elle – aurait dû l'emporter sur la faim, la déshydratation, les contusions. À moins que la contusion ne fût grave. Alors, après avoir souhaité des années durant que la maladie disparaisse, dans cette situation des plus désespérées, Rosy aurait voulu qu'elle revienne.

Mieux valait une psychose maniaco-dépressive qu'un traumatisme crânien, sans hésiter.

À cet instant, terrifiée à l'idée que sa mère souffre d'une sorte d'hémorragie cérébrale, Rosy passa le bras de Cilla autour de son propre cou, la hissa debout et la ramena vers la foule, moitié traînant, moitié poussant. Et puis merde, pensa Rosy. Contournant la file de sécurité obligatoire, elle se dirigea droit sur le personnel médical en milieu de terrain, appelant à l'aide.

Le soldat qui les avait entraînées vers les toilettes leur barra le chemin:

— Doucement mesdames! Retournez dans la queue.

— Ma mère est malade! insista Rosy. Elle a besoin de soins. *Maintenant.*

— Elle a pas l'air d'être plus mal en point que les autres, dit-il en jetant un œil sur Cilla.

— Je vais bien, dit Cilla.

Elle s'éloigna de Rosy, répétant "Je vais bien. Je vais bien. Je vais bien." L'agitation de Rosy l'avait mise en alerte. Elle hochait la tête de haut en bas, de bas en haut. Grand sourire: "Je vais bien!" Elle reprenait ses habitudes de démente.

— Vous voyez: elle va bien, dit le garde avant de désigner les détecteurs de métal entre lesquels les gens se faisaient peloter, palper, bras en l'air, dix minutes chacun, leurs sacs plastique remplis d'habits et de nourriture vidés par terre au cas où ils recèleraient des armes ou de la contrebande.

N'ayant rien emporté d'autre que la boîte à bijoux de Cilla, Rosy et sa mère seraient passées rapidement.

Cilla commença à émettre son caquètement aigu, un bruit familier qui rassura Rosy jusqu'à ce qu'elle réalise que ce signe annonciateur d'un retour de phase maniaque n'excluait pas forcément un traumatisme crânien:

— Elle a un traumatisme crânien fermé, affirma Rosy d'un ton péremptoire. Une hémorragie cérébrale! Elle a besoin d'être traitée sur le champ!

— Elle sera traitée quand elle aura franchi le contrôle de sécurité, répondit le garde. Si elle peut parler et marcher, elle peut faire la queue. Bon Dieu, ça fait combien de temps que vous attendez? Presque quatre heures? Calmez-vous, merde. Vous y êtes presque!

Rosy aurait probablement obéi si un docteur ne les avait dépassés à cet instant précis: il s'éloignait du terrain, en quête d'air frais, et elle se tourna vers lui pour lui demander de jeter un rapide coup d'œil à Cilla. Faisant volte-face, elle se mit en travers du chemin d'un policier plongé dans une discussion avec un officier de l'armée sur la meilleure manière d'évacuer les patients dialysés. Expliquant que les barricades devaient être placées en milieu de terrain, il accompagna son argument d'un grand geste du bras vers l'arrière, cueillant Rosy en plein sternum avec le dos osseux de sa main.

Surprise, souffle coupé, elle aurait crié quoi qu'il fût arrivé. Mais le malheur voulut que la main l'atteigne à l'endroit précis où Cilla lui avait administré son coup de pied aquatique désespéré plus tôt dans la journée, la blessant au sternum en déplaçant un éclat de cartilage costal. Si bien que Rosy ne se contenta pas de crier; elle s'effondra à genoux, bras autour de la poitrine, comme si quelqu'un l'attaquait. Ce qui acheva de ramener sa mère à la vie.

Ce qui, de fait, lui fit complètement perdre la tête. Dans l'échauffourée qui suivit, Cilla brisa la mâchoire du flic et renversa deux soldats de la Garde nationale ; agrippée au Glock du policier stupéfait, elle braquait invraisemblablement le barillet semi-automatique sur son propre pied quand un coup de taser la força à se soumettre. Les délits potentiels, parmi lesquels violence sur agent de la force publique et sur militaire, étaient trop nombreux pour les compter. Oh, ils ne se montrèrent pas bienveillants ! Ils empoignèrent Cilla par les cheveux pour la traîner, menottée, jusqu'aux cages grillagées de la prison improvisée devant la gare Union Passenger, à quelques pâtés de maisons au sud-ouest du Superdome. Elle se débattit avec une rage digne d'un cheval de rodéo, le corps secoué de spasmes, envoyant des gerbes d'eau aux visages de ses ravisseurs qui pataugeaient, les aspergeant à parts égales de crachats et de remous.

Rosy suivait péniblement les agents furieux, luttant pour suivre la cadence ; au croisement des rues Liberty et Girod, l'eau qui lui arrivait aux genoux créait un effet de succion, ralentissant sa poursuite des hommes bien nourris et bien hydratés. La houle soulevée par sa mère rendait sa progression plus difficile encore. Sanglotant, elle supplia les hommes de l'attendre et se fit menotter quand elle attrapa un policier par la manche, s'accrochant à lui pour éviter de basculer tête la première dans l'eau trouble ; elle refit surface en crachotant la même phrase qu'elle avait aux lèvres au moment de couler :

— Mais vous ne comprenez pas ! C'est pas une criminelle ! Elle est malade !

Une fois arrivés à la prison de fortune, ils relâchèrent Rosy mais enfermèrent Cilla ainsi que deux voyous arrêtés pour agression sexuelle dans le Superdome, un évacué qui avait tiré sur un soldat de la Garde nationale au palais des congrès, quelques-uns des voleurs et des tireurs isolés de l'autoroute, une ribambelle de pillards et les bandits qui arrachaient leurs valises aux touristes fuyant les hôtels inondés du centre-ville.

Rosy resta accrochée au grillage jusqu'au soir, trempant à nouveau ses habits d'urine parce qu'elle refusait d'abandonner Cilla ne serait-ce qu'un instant, tenant la main de sa mère à travers la barrière métallique tandis que celle-ci pleurait. Mais après la tombée de la nuit, l'équipe de surveillance ne comptait plus qu'un gardien baraqué, temporairement débauché d'Angola, qui brandit une matraque au-dessus de la tête de Rosy et menaça :

— Si vous dégagez pas d'ici, j'vais vous casser un putain de bras et vous jeter là-dedans avec elle. Regardez autour de vous : y a personne pour m'en empêcher.

Comprenant qu'elles seraient toutes deux perdues si elle se faisait arrêter, elle aussi – comprenant que la meilleure façon d'aider sa mère était de partir chercher du secours –, Rosy défit les doigts de Cilla des siens et abandonna sa mère.

— Me laisse pas ! Me laisse pas ! supplia Cilla, pleurant des larmes d'une peur qui se mua rapidement en rage. Espèce de salope ingrate ! T'as laissé Maya mourir, et maintenant c'est moi que tu tues ! Assassin !

Ces mots jetés à la silhouette de Rosy qui s'éloignait – les insultes suscitées par une psychose qui les chargeait de haine et de désespoir – seraient les derniers qu'elle adresserait à sa fille. Un ultime adieu à son enfant adorée : "Je te déteste, sale pute trouillarde !"

CILLA et Rosy avaient toujours formé une paire affectueuse. Elles plongeaient ensemble sous les couvertures sans la moindre gêne, déambulaient ensemble dans le quartier chaque soir, hanche contre hanche, et ne se privaient jamais d'un baiser ou d'un câlin. Mais ce qu'elles préféraient, c'était se tenir la main.

Ce n'était pas seulement parce que Rosy, enfant, s'était accrochée à la main de sa mère pour traverser la rue ou monter en toute sécurité les escaliers : c'était parce qu'elle ne l'avait jamais lâchée. Elles dormaient blotties l'une contre l'autre, mains jointes entre les vêtements de nuit élimés, et se réveillaient les doigts encore entrelacés. Et chaque fois que, de jour, sa fille terrifiée avait couru se cacher dans le placard à balais, Cilla n'avait eu qu'à glisser une main dans l'entrebâillement de la porte pour que Rosy s'y agrippe, sa peur envolée. Quand Rosy était petite, elles se tenaient si souvent la main qu'elle était devenue ambidextre : elle pouvait écrire son prénom ou jouer ou manger de la main droite comme de la main gauche, selon celle qui se trouvait être blottie dans la main de sa mère.

Par ailleurs, et depuis si longtemps que Rosy ne savait même plus comment la tradition était née, elles se communiquaient leur amour en silence, par le biais de leurs mains, prenant l'initiative de la déclaration chacune à leur tour en serrant la paume de l'autre trois fois d'affilée, brièvement, une pression par syllabe : "je-t'ai-me."

"Moi (pression) aussi (pression)" répondait la dépositaire, après quoi elles ne manquaient jamais de se tourner l'une vers l'autre en souriant, ravies de leur échange tacite.

Rosy adulte, elles continuèrent de se tenir régulièrement la main, la fille assise aux pieds de la mère, leurs doigts enchevêtrés de 7 à 8 heures tous les jeudis soir, la pression de leur étreinte suivant le rythme de l'action dans *Survivor*. La chute de Michael Skupin dans le feu : un doigt presque cassé ; la demande en mariage de Rob Mariano à Amber Brkich : une prière de joie à deux poings. Cela en gênait quelques-uns – ceux qui adhéraient à des normes strictes déterminant qui était autorisé ou pas à se toucher en public – de voir deux femmes adultes déambuler dans les rues de la ville en se tenant la main. Mais les petits esprits ne pouvaient saper leur rapport mère-fille. Rosy s'était immunisée contre les regards et les remarques des fouinards, et Cilla n'en avait tout simplement jamais rien eu à faire. De toute façon, chaque fois que sa main se refermait autour de celle de sa fille, elle se retrouvait ramenée au souvenir viscéral de leur premier contact, au point de ne plus voir les personnes alentour. Elle se délectait toujours de la manière dont la main droite de Rosy avait jailli de son propre corps avant que le reste de son bébé ne fût né. C'était ce qu'elle avait touché de son enfant en premier.

L'accouchement était en cours, il n'y avait pas encore de bébé à tenir. Mais Cilla avait senti quelque chose qui l'avait amenée à rouler légèrement sur la gauche, les genoux repliés, le corps calé entre le cabinet et le mur et, tout en poussant, elle avait tendu le bras gauche au-dessus de son ventre et tâtonné entre ses jambes, où elle trouva la main droite de Rosy. Les doigts glissants du nourrisson, gonflés d'une sagesse instinctive, indéniable, s'étaient immédiatement enroulés autour de l'auriculaire de la mère.

— Retire ta main ! avait crié Maya. J'ai b'soin de voir c'que je fais.

Maya avait fait irruption dans la maison quelques instants auparavant. Au cours des semaines précédentes, elle avait remarqué, dans la maison anciennement inoccupée de l'autre côté de la rue, les allées et venues de la jeune fille enceinte qui donnait l'impression qu'elle allait accoucher d'une minute à l'autre. Leurs chemins ne s'étaient pas encore croisés, mais les beuglements de Cilla avaient tout changé.

Cilla avait essayé de se faire discrète. Elle se disait que les femmes accouchaient tout le temps, qu'il n'y avait là rien d'exceptionnel. Elle avait entassé des serviettes dans la salle de bains et comptait s'en sortir toute seule, chez elle, sans attirer l'attention de quiconque. Mais Seigneur! La douleur n'avait fait que s'amplifier, à tel point qu'elle avait complètement oublié sa résolution de rester silencieuse, s'agrippant au cabinet, défonçant le mur à coups de pied, renversant la tête en arrière pour hurler comme une possédée. Ce genre de cris s'entend de loin, et Maya avait reconnu le bruit: soit une femme accouchait, soit un homme s'était coincé les testicules dans un étau. Sans prendre le temps de réfléchir, elle avait essuyé sur son tablier ses mains pleines de farine, éteint le gaz et balancé dans l'évier la poêlée de poisson-chat, avant de se précipiter chez l'inconnue de l'autre côté de la rue.

Rosy connaissait l'histoire de sa naissance par cœur, puisqu'elle lui était souvent racontée avec verve par Cilla comme par Maya, chacune revendiquant son rôle dans l'événement. Cilla soutenait qu'elle avait accouché seule, ayant saisi la main de Rosy dès que celle-ci était apparue pour ne plus la lâcher, poussant et tirant le nourrisson hors de son corps. Maya soutenait que c'était à elle que revenait le mérite d'avoir libéré le bébé: "Si la vieille Maya avait pas débarqué, j'suis sûre que ta maman y s'rait encore dans les toilettes, en train de cogner la faïence d'une main et de te caresser les doigts de l'autre!" Elles ressassaient régulièrement chaque détail avec humour et fierté. Difficile, donc, pour Rosy de croire que quelque détail ait pu être omis.

Il n'empêche, certains secrets mettent des décennies à être révélés.

Rosy disait toujours qu'elle se ferait tatouer le jour de son dix-huitième anniversaire. Cilla était contre les tatouages, ainsi que les piercings, les ongles en acrylique, et, plus particulièrement "ces étudiants à la con qui s'adonnent au branding, comme si on était encore en 1800 et qu'ils étaient redevenus esclaves! Imagine ce que diraient leurs grands-pères: ils se sont battus pour être libres, tout ça pour que leurs petits-enfants retournent le fer contre eux-mêmes!" Selon Cilla, ça n'avait pas de sens de trafiquer avec ce que le Seigneur vous avait donné, le corps était un temple, et tout et tout. Mais à dix-huit ans, Rosy n'aurait plus besoin de la permission d'un parent pour se faire tatouer, et quand arriva le jour fatidique, elle en parlait depuis si longtemps que Cilla, à contrecœur, s'était faite à cette idée. C'est ainsi qu'elles en vinrent à choisir le tatouage ensemble, assises à la table de la cuisine, la veille de l'anniversaire de Rosy.

Rosy serrait contre sa poitrine les quatre derniers motifs retenus, attendant de les révéler. Elle avait passé beaucoup de temps à chercher les images, uniquement des dessins au trait ; elle voulait une composition simple, aux contours noirs, rien de tape-à-l'œil ou de coloré, rien qui risquerait de parasiter le symbolisme. Chaque image était connectée aux autres – elles contribuaient toutes à ce que Rosy souhaitait exprimer –, mais seule l'une d'entre elles constituerait la prière parfaite.

Elle s'était creusé la tête pour trouver la meilleure manière d'expliquer ses choix à Cilla sans l'accabler pour autant, parce que ses choix étaient liés à sa mère, bien sûr, liés aux ravages des derniers temps. Les docteurs n'arrivaient pas à déterminer si des années de traitement avaient émoussé la réaction de Cilla au lithium, ou si une ménopause précoce en avait perturbé les effets, ou si la maladie avait tout simplement empiré, comme c'était souvent le cas avec les troubles bipolaires, mais les crises étaient devenues plus pénibles, leurs assauts plus soudains, et les accalmies moins durables. Il y avait eu hospitalisation sur hospitalisation, les interventions policières avaient dépassé le cadre du simple internement, le nom de Cilla était apparu dans le journal et des dettes avaient été contractées pour les dommages occasionnés. Leur déshonneur s'étendait au-delà des confins de leur rue, par-delà les frontières d'un voisinage enclin au pardon.

Rosy regarda sa mère, grossièrement tondue, sans cheveux ni sourcils, balafrée aux endroits où le rasoir qu'elle avait brandi s'était enfoncé dans sa voûte crânienne, une légère teinte indigo encore perceptible à la lisière des croûtes malgré les frottements répétés pour retirer la peinture dont elle s'était maculée en taguant les voitures d'un bout à l'autre de North Clairborne Avenue.

— Ils symbolisent tous le changement, lui expliqua Rosy d'une voix douce, à propos des motifs sélectionnés. La transformation. La conviction que ce qui vient sera mieux que ce qui a été. (Cilla soutint son regard, tristement. Rosy s'empressa d'ajouter :) Ce qui ne veut pas dire que…

— Chut…, souffla Cilla. J'sais bien, Rosy ma fille. On cracherait pas sur des temps meilleurs. Mieux, c'est bien. (Elle se toucha le crâne d'un air contrit, comme pour s'excuser.) Fais-moi voir c'que t'as.

Rosy déplia le dessin d'un colibri sur la table. Cilla l'examina tandis que Rosy lui en expliquait le sens : un joyeux messager. Celui qui apparaît dans les moments de chagrin et de peine, présage de l'apaisement à venir. Puis elle tendit le deuxième dessin à Cilla :

— Le phénix. Tu connais l'histoire, il renaît glorieusement de ses cendres, etc.

— Ça pourrait fonctionner, mais tu trouves pas que c'est un peu trop dramatique ?

D'humeur taquine, Rosy pinça les lèvres et scruta les petits cheveux qui commençaient tout juste à repousser sur le crâne teint de Cilla. À deux doigts de pouffer, elle lui fit un grand sourire et haussa les épaules comme pour dire : c'est toi qui le dis.

— Mouais, t'as raison, remarqua Cilla. N'empêche, le phénix, c'est pas mon préféré.

Rosy lui tendit la troisième option :

— Le papillon. Un symbole classique de changement, de renaissance et de renouveau, mais c'est tellement commun. J'ai peur de passer pour quelqu'un qui manque d'originalité.

— C'est pas pour toi alors. T'es sacrément originale.

— OK. Le dernier dessin ressemble au papillon, expliqua Rosy. (Elle retardait le moment de la révélation, signe de sa préférence.) Mais ça symbolise surtout la sagesse de la maturité. Les Amérindiens pensent qu'il incarne les premières années de passion et d'émotions contrebalancées par la lucidité et la maîtrise qui viennent avec l'âge.

— Laisse-moi voir.

Cilla prit la feuille et la retourna, révélant une libellule délicate, les ailes représentées par deux volutes épurées, comme des ondulations à la surface d'un étang ; une ligne sinueuse dessinait la queue, qui se terminait en étoiles. De l'eau à l'air, du chagrin à la joie, la reine d'un double royaume. Cilla, le souffle coupé, renversa sa chaise dans son empressement à quitter la pièce :

— Bouge pas ! J'reviens tout de suite !

Elle revint avec la boîte à bijoux. Elle la mit sur la table et posa la main droite sur le dessus, caressant la veloutine du bout du pouce, comme elle l'avait fait presque chaque jour au cours de son adolescence. Le tissu n'avait pas résisté à son trop-plein d'amour : le couvercle avait été usé jusqu'au bois, dépouillé du tissu rouge chatoyant qui n'adhérait plus guère qu'aux rebords extérieurs et aux côtés de la grosse boîte.

Même neuve, la boîte n'avait jamais été un véritable coffret à bijoux : trop grande, trop rouge, trop vulgaire. Qui pouvait dire comment elle avait commencé ? Une grande boîte à cigares peut-être, ou une caisse à outils rudimentaire ? Peu importe : la grand-mère de Cilla ne s'était jamais souciée de la fonction première des objets, préférant se concentrer sur leur potentiel. Femme au foyer pendant la Grande Dépression, elle taillait des robes dans les rideaux, des rideaux dans les robes, et nourrissait ses enfants grâce à ses travaux de couture, accomplis à la lumière de la lune pendant que son mari cuvait ses cuites payées avec l'argent du lait. Elle était capable de ramener n'importe quel objet à la vie avec une aiguille et du fil, ayant même une fois contraint un seul pantalon à servir trois jeunes propriétaires – son aîné, sa cadette et le dernier né – cousant des voitures de pompier par-dessus des fleurs qui avaient recouvert des voitures de pompier. Son mantra : si ça existait, eh bien, ça devait être recouvert. Y a pas une seule chose en ce bas monde qui ne puisse être rendue plus belle, pour peu qu'on se donne le mal de cacher ce qu'elle était au commencement.

C'était vrai pour les gens, c'était vrai pour les objets et c'était aussi vrai pour la nourriture.

Cilla était arrivée devant la porte de sa grand-mère avec rien de plus qu'un biberon de coca à la surface duquel flottaient quelques cacahuètes, et elle s'était réveillée tous les matins en réclamant à grands cris et avec une ferveur égale sa mère et des chips. D'ailleurs, l'enfant avait perdu tout souvenir de sa mère avant de perdre son goût pour les chips. Durant cette première année, la grand-mère de Cilla avait dû ruser pour lui faire ingérer quoi que ce soit de nutritif, intégrant des œufs crus aux milk-shakes, ajoutant de la compote de pommes à la pâte des cupcakes, enrichissant les biscuits de flocons d'avoine et de noix. Huit ans plus tard, quand les services sociaux étaient venus arracher l'adolescente à sa grand-mère, la mangeuse difficile s'était muée en gastronome doublée d'une cuisinière accomplie. Elle avait notamment testé la poudre à filé Zatarain's jusqu'à obtenir un poisson-chat grillé à la perfection, et son roux était réputé – un savoureux mélange blond pour les écrevisses à l'étouffée, ou une sauce à base de beurre qui nécessitait une heure de fouet, mais qui donnait un gumbo dont la couleur rappelait celle du chocolat noir. Même ses plats les plus simples, tel son pot liquor, pouvaient mettre un homme adulte à genoux. Ses compétences culinaires faisaient d'elle une enfant adoptive convoitée, lui donnaient de la valeur, et il était difficile de croire que, petite, elle avait été si peu portée sur la nourriture.

Mais personne ne s'était jamais donné la peine d'imaginer l'enfance de Cilla ; son histoire était devenue obsolète le jour où elle avait poussé sa grand-mère dans l'escalier.

Sa maw-maw ne l'avait jamais tenue responsable de ce qui était arrivé. "Je suis tombée", avait-elle déclaré aux auxiliaires médicaux qui l'avaient sanglée à la planche dorsale après qu'elle se fut fracturé le col du fémur. "Je suis tombée", avait-elle insisté en regardant fixement sa petite-fille à travers ses larmes, transmettant à Cilla le mensonge qu'elle souhaitait la voir propager. Elle était certaine que Cilla n'avait pas pensé à mal. Vraiment, c'était un accident. Elle l'avait répété tout au long du trajet jusqu'à l'hôpital, afin de convaincre Cilla et de s'assurer que les ambulanciers le noteraient sur leur formulaire. Elle savait que les travailleurs sociaux risquaient d'alerter la police s'ils écrivaient autre chose. "C'est écrit dessus ?" avait-elle demandé. "Ça dit bien que je suis tombée dans l'escalier ?" Elle avait posé la question jusqu'à ce que l'auxiliaire consente à lui montrer le formulaire, sur lequel, dans la case "Cause des blessures", était inscrit : "Chute dans l'escalier".

"Ouais, avait-elle dit. C'est exact. Je suis tombée."

Depuis qu'elle avait remarqué les premiers changements chez sa petite-fille, un an auparavant, elle craignait que Cilla ne lui fût retirée suite à un accident de ce genre.

Quand les crises avaient commencé, la vieille femme avait d'abord pensé à la puberté. La puberté pouvait rendre une fille folle. La puberté pouvait même affecter le sommeil, du moins c'est ce qu'elle s'était dit les premières fois qu'elle avait été réveillée à 3 heures du matin par la radio, le volume poussé au maximum tandis que Cilla chantait avec les Jackson Five en se dandinant sur *Serpentine Fire*. Puis, une nuit, Cilla n'avait pas dansé à la maison mais dehors, sa peau nue luisant de sueur, plus que celle d'une putain dans une église. Au clair de lune, bras tendus, tête renversée en arrière, elle avait interprété, à la perfection et à tue-tête, une chanson de Roberta Flack parlant de gémissements, d'attouchements et de sentiments qui s'expriment tout en tournoyant lascivement dans la rue déserte.

— Doux Jésus, avait soufflé maw-maw en lui passant une couverture autour des épaules avant de l'entraîner à l'intérieur. Qu'est-ce que tu fabriques?

Cilla – la fillette qu'elle bordait chaque soir avec un bisou, l'enfant qu'elle serrait dans ses bras quand un orage éclatait, la petite qui trempait ses biscuits dans du lait – avait alors lancé à sa grand-mère un regard dédaigneux digne d'une prostituée et crié:

— J'ai envie de faire l'amour!

Maw-maw avait manqué s'évanouir sur place. L'aurait probablement fait si elle n'avait pas été si soucieuse de ramener Cilla à la maison, loin des yeux ensommeillés qui les épiaient derrière les rideaux tirés d'un bout à l'autre de la rue. À présent elle comprenait que sa petite-fille souffrait d'un mal dangereux, et elle comprenait tout autant sa mission: rester discrète, rester aux commandes. L'État enlève les enfants noirs indomptables.

La serrure autoverrouillante qu'elle avait fait installer sur la porte de la chambre de Cilla leur avait assuré quelques mois de tranquillité lors des flux et reflux de la maladie qui se développait. Elle leur avait permis de rester ensemble, en sécurité, jusqu'au jour où Cilla avait déclaré qu'elle pouvait voler et que maw-maw s'était interposée entre sa petite fille et la marche la plus élevée de l'escalier, s'exclamant: "On est des humains, pas des oiseaux, ma chérie! Les humains sont pas faits pour voler."

Euphorique, Cilla avait répondu: "Sûr qu'on l'est!", avant de pousser sa grand-mère en arrière pour le prouver.

— Je comprends qu'il s'agit d'un accident. Personne ne dit le contraire, répéta l'assistante sociale pour la sixième fois après avoir expliqué la prescription du docteur: trois mois d'internement dans un établissement spécialisé. Mais avec ou sans accident, et puisqu'il n'y a pas de proche pour s'occuper de votre petite-fille, nous n'avons pas d'autre option que de la placer en maison d'accueil.

Cilla dormait dans la chaise à côté du lit d'hôpital de sa grand-mère. Cela faisait trois jours qu'elle dormait là; chaque fois qu'elle se réveillait, maw-maw lui glissait un des analgésiques qu'elle feignait d'avaler devant l'infirmière avant de le dissimuler dans sa taie d'oreiller pour le faire ingérer à sa petite-fille. Cilla se comportait convenablement, mangeant la nourriture sur le plateau d'hôpital, avalant les cachets que maw-maw lui tendait, secouée par les circonstances, assommée par les narcotiques.

La vieille femme pleura sans bruit, pour éviter de réveiller Cilla.

— Y a pas un autre moyen ? demanda-t-elle à l'assistante sociale.

Pas de mots : un simple non de la tête.

— Dans ce cas, je peux vous demander un service ?

La jeune femme n'était pas censée s'impliquer dans les histoires personnelles de ses patients, mais elle accepta néanmoins la clé de la maison et les indications pour s'y rendre, parce que la vieille dame et l'enfant lui faisaient de la peine. Elle savait qu'elles ne reverraient probablement jamais leur maison et se sentait donc obligée de leur rendre service en leur apportant quelques affaires : une boîte en bois rangée sur l'étagère d'une armoire, une panière à couture, une chaîne en or cachée dans une boîte de bicarbonate de soude au fond du congélateur. L'assistante sociale ne parvint pas à retrouver la poupée de la fille, et les habits qu'elle préleva dans la penderie étaient ceux qui se trouvaient être propres, non pas les vêtements préférés dans le panier à linge sale ; ainsi Cilla perdit tout ce qu'elle aimait le plus. C'est pourquoi le cadeau – fabriqué par maw-maw sur son lit d'hôpital pendant que Cilla dormait et que des inconnus cherchaient à les séparer – prit une telle importance et fut tant chéri. Il était tout ce qui lui restait de son foyer.

Cilla resta sous sédation jusqu'au bout, quand sa grand-mère la réveilla et lui tendit le cadeau en guise d'adieu tandis qu'une employée des services de protection de l'enfance faisait les cent pas dans le couloir, pressée de partir :

— Prends ça et suis la dame. Elle va s'occuper de toi un moment, dit maw-maw, et rien de plus.

Malgré neuf placements en maison d'accueil dans les sept années qui suivirent, Cilla ne cessa jamais de croire à la nature temporaire d'"un moment", ne cessa jamais d'espérer que sa grand-mère la retrouverait et la ramènerait à la maison. À dix-sept ans, elle s'affranchit du système en fuguant et, bien décidée à déguerpir de la Louisiane à moins de trouver une bonne raison d'y rester, commença par faire du stop jusqu'à l'hôpital pour convaincre un bureaucrate de lui donner le nom de la maison de retraite où sa grand-mère avait été transférée tant d'années auparavant. Peu de temps après, à la maison de retraite, un administrateur compatissant lui confirma que maw-maw avait succombé à une pneumonie cinq semaines et demie après son arrivée.

Pourtant Cilla continua à la chercher, prêtant l'oreille aux conversations entre femmes âgées dans l'espoir d'entendre le son de sa voix, y regardant à deux fois quand elle apercevait par la fenêtre d'un restaurant une femme trapue de la taille de maw-maw, tête inclinée sur la droite, comme sa grand-mère quand elle jaugeait l'assaisonnement d'un plat avant d'attraper le piment. Elle avait même pris un emploi au foyer d'étudiantes Theta, à Tuscaloosa, uniquement parce qu'Ada May, la cuisinière en chef, prononçait le mot "chérie" avec la voix, la cadence et l'intonation que Cilla avait appris à aimer. Mais c'est quand elle rencontra Maya que sa grand-mère fut véritablement ramenée à la vie. Mêmes manières, même attitude, même dynamisme – elle le vit et le sentit sitôt que Maya franchit la porte de ses toilettes, malgré la douleur de l'accouchement. Le choc lui coupa le souffle, ce qui facilita la naissance de Rosy en ralentissant et en régulant la respiration de Cilla. Quand elle passa le bras entre ses jambes pour tirer la main de sa fille, ses yeux se posèrent sur Maya, et Cilla décida que Dieu lui rendait sa grand-mère en même temps qu'Il lui offrait un bébé.

— Retire ta main ! dit Maya d'un ton ferme teinté de bienveillance. J'ai besoin de voir ce que je fais.

Avec cette phrase, une décennie entière s'envola, et Cilla, à nouveau âgée de dix ans, se retrouva dans la chambre d'hôpital ; derrière la porte résonnait le son de talons claquant impatiemment dans le couloir tandis que maw-maw retirait en la tortillant une alliance de son annulaire. Malgré la torpeur due aux analgésiques, Cilla perçut l'importance de ce geste. Lorsqu'elles jouaient à se déguiser ou qu'elles se blottissaient l'une contre l'autre, Cilla demandait souvent à sa grand-mère de lui prêter son alliance. "Impossible", répondait toujours maw-maw. "J'peux pas la retirer. Un jour j'ai fait une promesse, 'Jusqu'à ce que la mort nous sépare', et j'ai la ferme intention de mourir avec cette bague au doigt."

En dépit de toutes ces journées passées à l'hôpital, Cilla ne ressentit de la peur qu'au moment où sa grand-mère retira l'alliance. Le temps que maw-maw enfile l'anneau sur la chaîne en or et l'attache à son cou, elle s'était mise à pleurer. Gênée, elle porta une main à son visage pour essuyer ses larmes.

— Retire ta main ! dit maw-maw d'un ton ferme teinté de bienveillance. J'ai besoin de voir ce que je fais.

Puis elle déposa le coffre à bijoux improvisé, tout juste recouvert d'un velours rouge chatoyant, dans les mains de Cilla et dit :

— Prends ça et suis la dame. Elle va s'occuper de toi un moment.

Ensuite, les talons claquèrent du couloir à la chambre, et l'inconnue prit Cilla par la main pour l'entraîner vers la porte.

— Mais attends ! cria Cilla en se tournant vers sa grand-mère. Ta bague !

— Elle est pour toi, ma chérie, répondit-elle en retenant ses larmes. Garde-la pour moi. Jusqu'à ce qu'on soit de nouveau ensemble.

Cilla la garda au doigt jusqu'au lendemain de la naissance de Rosy, quand elle fit glisser l'alliance de la chaîne pour la passer au doigt de Maya.

— Je peux pas, dit Maya.

— Chut. Tu peux, répondit Cilla en embrassant avec douceur la main qui avait saisi la tête de son bébé. Fais-moi confiance : elle a toujours été à toi.

Dans la boîte à bijoux remplie de reliques, Cilla avait déposé la chaîne en or sans la bague parmi les boutons de rose, les recettes et les talons de tickets qui composaient l'histoire de sa jeunesse vagabonde. Durant son enfance et son adolescence, Rosy avait ouvert la boîte une ou deux fois par an, intriguée par les souvenirs de sa mère, mais Cilla ne l'ouvrait plus que rarement. Elle avait une enfant à charge, maintenant. À vrai dire, jusqu'à ce que Rosy lui montre le dessin de la libellule, elle n'avait pas pensé à la boîte ou à son contenu depuis des années. À présent, de nouveau assise à table, elle furetait dedans :

— Je l'savais. Je l'savais ! murmura-t-elle. Regarde ça.

De la boîte, elle sortit une libellule en bois de la largeur d'une pièce d'un dollar à l'effigie de Susan B. Anthony* et la posa devant Rosy. La sculpture avait été travaillée en relief, et l'insecte semblait avoir été estampé dans le morceau de bois tendre. Elle plaça le dessin de la libellule à côté de la sculpture : ils étaient en tous points identiques.

— Oh mon Dieu, dit Rosy. Comme c'est étrange. Ça fait une éternité que je n'ai pas regardé dans cette boîte. Je veux dire…

---

* Susan B. Anthony était une militante des droits civiques. Des pièces de un dollar à son effigie ont été frappées entre 1979 et 1981. Une frappe finale a été réalisée en 1999.

Les femmes se dévisagèrent de part et d'autre de la table. Elles en avaient la chair de poule. Les yeux de Cilla s'emplirent de larmes ; du bout des doigts, elle caressa la joue de sa fille avant de ramasser la sculpture :

— Je t'ai déjà raconté l'histoire de cette libellule ?

— C'est celle que papa a sculptée pour toi. Celle que tu as trouvée dans ta poche après ton premier après-midi avec lui, à la foire des arts populaires.

— Hmm. Mais je t'ai déjà raconté la suite ?

Rosy secoua la tête.

— Je l'ai serrée pendant tout l'accouchement, dit Cilla. J'pensais y arriver seule, mais quand c'est devenu plus difficile, j'ai eu peur. Et ton père m'a sacrément manqué, ce jour-là. (Elle plaça la main droite sur son bas-ventre, effleurant l'endroit où Rosy avait jadis poussé.) Alors, quand la douleur est devenue insupportable, j'suis allée chercher la libellule, pour avoir un petit morceau de lui avec moi, histoire de m'sentir moins seule. J'ai dû la serrer comme une malade, passque plus tard j'ai remarqué que l'image s'était imprimée là, juste en dessous d'mon pouce. (Elle ouvrit la main dans laquelle elle étreignait la libellule tout en parlant, et Rosy aperçut l'image gravée dans sa paume.) Tu vois. Comme maintenant. Mais voilà l'truc : ce jour-là, l'image est restée des heures. Elle refusait de s'effacer. J'ai commencé à croire qu'elle partirait p'têt jamais, mais le lendemain, quand j'me suis réveillée, ma main était revenue à la normale. J'te l'dis, j'ai serré cette libellule tous les jours pendant près d'une semaine, pour essayer d'incruster le dessin de ton papa dans mon corps, mais ça n'a pas marché. Il finissait toujours par s'effacer, sauf le jour où je t'ai faite, toi, et qu'il est resté toute la journée.

"Seigneur, il me manque.

Rosy tendit le bras pour attraper la main de sa mère, toujours posée sur la table entre elles. Elle plaça le dessin juste à côté :

— Juste là, dit-elle en désignant la zone charnue à la base du pouce de Cilla, où la libellule avait jadis pris vie. Et juste là, dit-elle en montrant sa propre paume tandis qu'elle serrait la main de sa mère, entrelaçant leurs doigts, les agrippant avec force, trois pressions : Je-t'ai-me.

Voilà comment elles en vinrent à se faire toutes deux tatouer la paume le jour du dix-huitième anniversaire de Rosy.

Elles s'étaient tenu la main tout le long – du tatouage, et du reste de leur vie.

Mains jointes, ainsi avait commencé l'histoire de Cilla et de Rosy, ainsi Rosy avait-elle débarqué dans le monde de Cilla, et c'est ainsi qu'elle le quitta. Ces libellules posées sur leurs paumes, une ode à la joie, furent le dernier point de contact entre leurs corps, mains désespérément entrelacées à travers le grillage derrière le Superdome, jusqu'à ce que Rosy retire la sienne pour se fondre dans la nuit, s'élançant au-devant de sa mort dans l'espoir de les sauver toutes les deux.

9

Rose

Avoir un numéro de téléphone en poche, c'est avoir un lien, un allié.
Ça veut dire qu'on est un peu moins seul au monde.

INCROYABLE, tout ce que les gens sont prêts à vous raconter, si vous leur demandez avec un sourire et l'air de savoir de quoi vous parlez.

— Salut! lança Rose en se dressant sur la pointe des pieds pour atteindre le comptoir surélevé du bureau des infirmières dans la zone restreinte des urgences de l'hôpital communal de Natchez.

Elle s'appuya sur la surface stratifiée, la poitrine pressée contre les avant-bras, penchée en avant, l'air complice, comme si elle faisait un petit saut depuis un autre service pour demander une faveur avant de se remettre au boulot. Sans prendre la peine de se présenter, elle demanda:

— Amanda embauche à minuit ce soir, ou elle a changé d'horaires?

Rose espérait que l'infirmière, très occupée à passer des commandes en ligne, penserait qu'elle aurait dû la reconnaître et présumerait que son badge obligatoire était coincé quelque part entre ses bras et son chemisier. Quand l'infirmière hésita avant de lui répondre, Rose insista en faisant claquer – *clac clac clac* – ses phalanges sur le comptoir: Allez, allez, on a du travail. J'ai pas toute la journée!

L'infirmière ronchonna en levant les yeux au ciel, mais elle passa rapidement à un autre écran d'ordinateur:

— Ouaip. Amanda embauche à minuit.

— Merci! dit Rose, dents blanches, yeux malicieusement plissés, lançant un clin d'œil qui promettait à l'infirmière de lui renvoyer l'ascenseur un jour.

Puis elle disparut promptement par là où elle était entrée, derrière les portes coulissantes, tandis que la femme perplexe se tournait vers sa chef pour demander : "C'était elle, la nouvelle technicienne respiratoire en cardio ? Celle qui est en formation continue ? Elle s'appelle comment déjà ?"

— Je l'ai trouvée, annonça Rose dans son téléphone portable quand les portes des urgences se refermèrent dans son dos et qu'elle pénétra dans le hall d'accueil de l'hôpital.

Le téléphone était dissimulé dans sa poche arrière – ligne ouverte, la personne à l'autre bout silencieuse mais à l'écoute – tout le temps qu'avait duré la comédie. Mac lui avait acheté le portable avant son départ de l'Alabama, lui faisant promettre de l'appeler régulièrement ; il attendait maintenant que Rose lui confirme avoir retrouvé l'infirmière qui avait soigné Rosy et lui avait acheté un billet de bus pour Tuscaloosa.

— Bien joué. À présent, tâchez de vous reposer, dit-il. Oh ! Attendez. Y a un truc que vous devez absolument voir. Ça s'appelle Mammy's Cupboard. Prenez l'autoroute 61, vers le sud, vous ne pourrez pas le louper. L'endroit remonte au déluge, mais je vous jure que leur tarte au citron est la meilleure que vous ayez jamais goûtée. Il y a un mur entier de gelées et de confitures…

— Mac, dit Rose avec une pointe d'amusement dans la voix, vous ne pensez qu'à manger, ou quoi ?

— Un corps doit se nourrir ! Surtout dans des moments pareils !

— D'accord, Papa, répondit Rose d'un ton sarcastique, avant de raccrocher le téléphone dans lequel résonnait encore le rire de Mac.

C'était Mac qui lui avait expliqué comment surveiller les urgences, Mac qui lui avait recommandé de s'asseoir dans le hall avec un magazine pour observer les allées et venues des gens, lui intimant de repérer le bureau des infirmières (derrière les portes coulissantes), qui ne devait pas être confondu avec le bureau d'accueil (devant).

— Je ne peux pas aller là-bas, avait répondu Rose depuis sa planque dans la salle d'attente, calée entre un type qui pressait une poche de glace contre son crâne et un adolescent qui semblait avoir le bras cassé. Il y a un panneau RÉSERVÉ AU PERSONNEL sur la porte.

— Vous croyez tout ce que vous lisez ? avait répondu Mac, sous-entendant que les panneaux n'étaient que des panneaux, pas des verrous. (Il lui avait affirmé que personne ne l'arrêterait tant qu'elle adopterait une attitude naturelle.) Faut vous adresser aux infirmières, parce qu'elles sont souvent moins méfiantes que les réceptionnistes à l'accueil.

Puis il lui avait décrit le comportement à adopter, les expressions à employer. Elle avait répété son script plus d'une demi-heure avant de trouver le courage d'accomplir ce qui, au final, ne lui avait pas pris plus de quinze secondes, grand maximum. Une bonne chose pour elle, car son sang-froid avait une date de péremption qui avait expiré sitôt que les portes coulissantes s'étaient refermées derrière elle. Son objectif atteint, elle fonça aux toilettes qui jouxtaient le hall pour vomir la moitié d'un sac de chips et un coca tiède. Elle détestait les hôpitaux, elle détestait les inconnus. Non mais, qu'est-ce que je fais là, bon Dieu ? s'interrogea-t-elle.

À ce moment précis, une voix retentit dans son dos :

— Excusez-moi, madame.

La voix aiguë et nasillarde la déconcerta. (Ils m'ont démasquée ! pensa Rose. Alors que j'ai la tête dans les toilettes !) Dans son empressement à se relever pour faire volte-face et justifier son subterfuge, Rose se cogna la tempe contre un énorme distributeur de serviettes en papier et s'affaissa sur un genou, se retrouvant nez à nez avec une petite fille. À quatre pattes, la fillette épiait Rose par-dessous la porte :

— Excusez-moi, madame, répéta-t-elle. Mais vous buvez l'eau des toilettes ?

Boom boom boom ! Un poing s'abattit vivement sur la paroi entre les compartiments, et une voix de femme couvrit le bruit d'un jet d'urine :

— Rebecca Sue ! Occupe-toi de tes oignons !

L'enfant rabrouée ne battit pas en retraite mais, profitant du bruit de chasse d'eau dans les toilettes avoisinantes, invita Rose à se pencher vers elle en repliant l'index et chuchota :

— Ça me paraît pas très logique, mais maman dit que l'eau des toilettes, c'est pas pareil que l'eau des lavabos, et que si on a soif il faut simplement...

À cet instant, le corps de la fillette fut tiré en arrière par des mains puissantes agrippées à ses chevilles, et Rose ne vit plus que ses mains potelées accrochées au bas de la porte alors qu'elle criait : "... demander un verre !", avant de disparaître.

Le rire de Rose noya les mots réprobateurs de la mère embarrassée qui emportait son enfant.

Un jour, petite, Rose avait fait exactement la même chose : elle s'était accroupie pour observer une inconnue par-dessous la cloison séparant les toilettes. Dans un hôpital aussi, d'ailleurs. Rose avait huit ans quand

Gertrude l'avait amenée aux urgences parce qu'elle disait avoir avalé l'œil-bouton de son lapin en peluche. La vérité, c'était qu'elle avait arraché l'œil et l'avait jeté dans le conduit d'aération de sa chambre. Elle s'était souvent demandé où menait le conduit (jusqu'en Chine, peut-être ?) et avait élaboré un plan au cours de la semaine précédente, consistant à fabriquer une potion pour rapetisser, comme Alice, afin de rendre possible une excursion excitante en Asie. Il ne lui restait plus qu'à vérifier que le conduit traversait bien la terre sans obstruction, et elle se souvenait encore de sa profonde déception quand elle avait entendu le *plic ploc ploc* de l'œil-bouton rebondissant contre la bordure métallique du conduit avant de rouler sous les lattes, juste assez loin pour être hors d'atteinte.

Plus tard dans la soirée, alors que le lapin trônait sur son perchoir habituel à la table de la salle à manger, dans la chaise face à Rose, Gertrude avait hésité au moment de déposer la traditionnelle feuille de laitue dans son assiette, puis elle s'était tournée vers Rose en la dévisageant :

— Où est passé l'œil de Lapinou, Rose ?

Rose prenait grand soin de ses animaux en peluche. Si elle n'éprouvait aucun scrupule à dessiner des boutons de varicelle sur ses Barbie avec un feutre, à laisser allègrement rouiller sa bicyclette sous la pluie, chacune de ses peluches occupait une place spécifique sur son lit, et elle les repositionnait méticuleusement tous les matins avant de pourvoir à ses propres besoins. En bonne gardienne, elle veillait à tenir le loup éloigné de la brebis ("Il pourrait la manger, tu sais !" avait-elle crié à Gertrude quand cette dernière avait eu l'audace de les placer côte à côte après avoir changé les draps) et séparait religieusement les animaux qui faisaient du bruit (ceux qui gazouillaient ou qui aboyaient quand on leur appuyait sur le ventre) de la chauve-souris et des ours, qui avaient besoin de silence, n'est-ce pas, pour hiberner tranquillement. Elle ne se réveillait plus au milieu de la nuit, sauf quand un membre de sa ménagerie adorée tombait du lit, ce qu'elle percevait immédiatement via une souffrance nocturne extrasensorielle qui ne se dissipait qu'après que Gertrude se fut précipitée dans la chambre pour ramener la créature égarée au bercail. Si l'œil de Lapinou était tombé par accident, Rose, en larmes, aurait couru supplier Gertrude de le recoudre sur le champ. Gertrude avait donc compris que le regard désinvolte de Rose sur le lapin borgne de l'autre côté de la table signifiait qu'elle avait délibérément saboté la vision de Lapinou pour une cause importante, et sans aucun doute subversive.

— Rose? avait répété Gertrude face à son silence. L'œil?

La veille, Gertrude avait grogné "N'y pense même pas" en voyant sa fille jeter un regard louche dans le conduit, et Rose savait pertinemment que la vérité risquait de lui attirer des ennuis. Préférant tout naturellement être dorlotée plutôt que grondée, elle avait posé la main sur son ventre, composé sa plus belle tête de malade, et dit :

— Je l'ai avalé.

La stratégie avait relativement bien fonctionné, lui obtenant beaucoup d'attention affectueuse de la part de Gertrude dans le hall des urgences tandis qu'elles attendaient la radio, mais leur bonheur avait volé en éclats quand Rose était partie aux toilettes et, intriguée par un pet retentissant dans le compartiment voisin, avait passé la tête sous la cloison pour voir qui pouvait bien être à l'origine d'un tel bruit. Résultat : une lèvre fendue nécessitant trois points de suture parce que la retraitée ballonnée qui se trouvait là, mortifiée de se faire surprendre déculottée, papier toilette à la main, par une enfant hilare, l'avait frappée au visage du bout de sa canne en hurlant : "Sors d'ici, petite fouineuse !"

Il avait fallu deux directeurs d'hôpital pour calmer la vieille dame, qui criait à tue-tête, évoquant les lois sur la protection de la vie privée, les enfants laissés sans surveillance, le fait que la nouvelle génération n'avait ni morale ni manières, tandis que Rose se terrait sous un drap sur un brancard, imbibant le tissu de sa honte et de son sang. Le restant de la soirée, Gertrude s'était répandue en excuses auprès de toute oreille encline à l'écouter, dont, deux heures plus tard, l'interne qui venait de prendre son poste ; il était arrivé trop tard pour être témoin de la scène, mais juste à temps pour recoudre la blessure de Rose.

— Je suis vraiment désolée, avait dit Gertrude.

— Aucun problème, avait répondu l'interne tout en injectant un analgésique dans la lèvre de Rose.

— Je ne l'ai pas quittée des yeux plus d'une minute.

— Il n'en faut pas plus, avait répondu l'interne en donnant des petits coups d'aiguille dans la lèvre de Rose pour vérifier que celle-ci était bien endormie.

— Elle sait que ça ne se fait pas.

— Je n'en doute pas, avait-il dit en se préparant à piquer la peau de Rose.

— Je lui aurais fait sa fête, aussi, si j'avais été à la place de cette femme.

Rose avait violemment rougi, et la lèvre qui n'était pas endormie s'était mise à trembler.

— Écoutez, je ne sais pas ce qui s'est passé, et ça m'importe peu, avait dit l'interne en se tournant vers Gertrude. Mais si vous pouviez la tenir pendant que je la recouds, ça lui rendrait les choses moins pénibles.

— Rendre les choses 'moins pénibles', ça n'apprend rien à personne, avait répondu Gertrude en croisant les bras et en s'appuyant contre le mur près de la porte.

Pendant les cinq minutes qu'avait duré l'intervention du médecin, mère et fille, chacune à un bout de la pièce, s'étaient fusillées du regard. Leurs yeux étaient pleins de larmes, mais aucune des deux n'avait laissé couler la moindre goutte.

Le simple fait de penser à cette journée déjà ancienne fit monter le rouge d'une honte renouvelée aux joues de Rose. Elle se pencha au-dessus du lavabo, aspergea son visage d'eau froide pour calmer ses rougeurs et se rinça la bouche pour en chasser le goût du vomi.

Lorsqu'elle tendit le bras pour attraper une serviette en papier, Rose aperçut dans le miroir le compartiment qu'elle venait de libérer et se surprit à sourire. Elle revoyait la fillette à quatre pattes, sidérée par cette femme adulte qui plongeait la tête dans la cuvette en émettant des bruits étranges. Lapait-elle l'eau ? S'offrait-elle un petit rafraîchissement ? Rose se mit à rire, et cela tempéra le mélodrame. Plus elle riait, plus elle se sentait soulagée.

Elle se dirigea vers la sortie, toujours en train de pouffer, et poussa la porte ; c'est alors qu'une pensée toute simple la traversa : la fillette était sacrément mignonne.

Mignonne. Mignonne ! Pas odieuse. Ni insolente ! Une enfant qui jetait un œil sous la porte des toilettes, c'était drôle ! Normal ! Ce genre de comportement ne méritait ni coups de canne sur la tête ni excuses à profusion. Il fallait bien que jeunesse se passe, n'est-ce pas ? Revoyant la fillette penchée sous la porte ("Excusez-moi, madame, mais vous buvez l'eau des toilettes ?"), Rose comprit pour la première fois que son propre comportement avait peut-être été normal, non pas grossier, et que c'était la vieille carne qui avait été dans son tort, non pas elle.

Alors pourquoi ma mère ne m'a-t-elle pas soutenue ? se demanda Rose.

C'est cette question – pas les agents de sécurité, ni le personnel infirmier, ni un directeur en colère – qui la suivit hors de l'hôpital et faillit

170

l'emboutir quand elle quitta le parking pour s'enfoncer dans les rues de la ville. Chaque feu rouge était une joue empourprée, une explosion de rage brûlante : Pourquoi ma mère ne m'a-t-elle pas soutenue ?

Une voiture de police la dépassa à toute vitesse sur la gauche, et dans le cri strident de la sirène, elle crut reconnaître la voix de sa mère qui la condamnait : "Rendre les choses 'moins pénibles', ça n'apprend rien à personne !"

Un camion poubelle accrocha le trottoir, et dans le fracas métallique des déchets ricochant les uns contre les autres, elle entendit sa mère qui la dénonçait : "Si tu ne nous avais pas attiré tous ces ennuis, on ne serait pas dans cette situation !"

Un moteur s'emballa : "Qu'est-ce que tu as encore fait ?"

Un coffre se referma dans un claquement sec : "Tu me fais honte !"

Les klaxons rejouaient le refrain tacite qu'elle avait cru percevoir derrière chaque reproche, le slogan imaginaire qu'elle attribuait à Gertrude : "Je m'en sortirais mieux sans toi." Un klaxon, encore : "Je m'en sortirais mieux sans toi." Encore. "Je m'en sortirais mieux sans toi." L'horrible klaxon lui hurla dessus, encore et encore, jusqu'à ce qu'elle voie enfin le véhicule fonçant droit sur elle et qu'elle se range prestement sur une voie de garage, cédant la priorité au conducteur, qui lui fit un doigt d'honneur en dévalant la route à sens unique dans laquelle elle s'était malencontreusement engagée.

Elle se mit à trembler de tout son corps. Elle posa le front contre le volant, se laissant bercer par le bruit du moteur, et fondit en larmes. Comme une vieille rengaine qu'elle ne pouvait s'empêcher de fredonner, Rose réentendit tous les mots qui, au fil des ans, l'avaient fait tressaillir. Des blessures anciennes fraîchement rouvertes. Elle resta assise là, à pleurer jusqu'à ne plus en avoir la force, quand elle sentit qu'on l'observait. Un vieil homme s'était penché à sa fenêtre :

— Tout va bien, petite ?

— Oui, ça va. (Elle s'essuya rapidement les yeux et s'efforça de reprendre son souffle.) Je vais bien, vraiment. (Elle se retourna pour désigner la route à sens unique.) Je l'ai prise dans le mauvais sens sans faire exprès.

L'homme hocha la tête :

— Ça arrive à tout le monde. Pas besoin de se mettre dans des états pareils. Vous savez, il suffit de faire demi-tour.

La simplicité du conseil la fit sourire. L'homme passa un bras par la fenêtre pour lui tapoter la main.

Rose fit demi-tour. Elle sortit de la voie de garage en marche arrière et s'engagea dans la bonne direction, étrangement ragaillardie.

Elle salua l'homme de la main, il agita la sienne en retour.

Tout près, un éboueur vida une poubelle dans la benne de son camion. Cette fois-ci, seul le fracas des déchets se fit entendre ; aucune voix ne retentit. Dans la file des voitures garées, une portière claqua, mais ce n'était plus qu'une portière. Le feu passa au rouge, parce que c'était ce que faisaient les feux.

Tandis qu'elle traversait l'intersection, Rose jeta un œil au siège passager. Vide. Elle posa la main sur le siège afin d'en être absolument certaine.

Sa mère n'était plus dans la voiture.

METTANT cap au sud sur l'autoroute 61, elle se dit qu'elle pourrait demander la direction du Mammy's Cupboard dans une station essence si nécessaire. Mais elle comprit rapidement que, quand Mac avait précisé "Vous ne pouvez pas le louper", ce qu'il avait voulu dire c'était, littéralement, "Il est impossible de passer devant ce bâtiment sans s'arrêter".

— Bon Dieu, Mac ! s'exclama-t-elle dans le téléphone portable tandis qu'elle descendait de la voiture, s'appuyait contre le capot et contemplait le bâtiment représentant une femme noire haute de dix mètres qui surplombait le parking. Il n'y a que dans le Mississippi qu'on peut voir ça !

— C'est quelque chose, pas vrai ? J'ai entendu dire qu'ils avaient été rattrapés par la vague du politiquement correct et qu'ils l'avaient repeinte, blanche comme un lys. Vous confirmez ?

Rose scrutait la poitrine généreuse de Mammy, qui portait le foulard rouge et les créoles traditionnelles, un plateau entre les mains comme si elle s'apprêtait à servir des rafraîchissements à l'homme sur la lune ; sous la partie supérieure de son corps s'étalait une jupe rouge à crinoline dans laquelle avaient été découpées une porte et des fenêtres qui invitaient les clients à déguster un casse-croûte dans ses parties les plus intimes.

— On dirait l'enfant illégitime de Aunt Jemima et de Paul Bunyan*.

---

* *Aunt Jemina* est une marque de produits alimentaires représentée par une femme noire au sourire soumis, sorte d'Oncle Tom au féminin. Paul Bunyan est un bûcheron géant, figure légendaire du folklore américain.

— Mais est-ce qu'elle est *noire*?

— Je dirais moka.

— Qu'est-ce que c'est que cette couleur, bon sang?

— Brun clair.

— Eh merde! J'en étais sûr! Avant, elle était noire! Pourquoi faut-il que les gens se mettent à tourner autour du pot, tout à coup? Si elle porte un foulard sur la tête et qu'elle sert des Blancs dans le Sud, elle est noire, qu'elle soit peinte en brun clair ou pas!

— Mac!

— Rose!

Il se tut un instant, puis:

— OK. Vous êtes en train de la regarder en ce moment même. Imaginez qu'elle soit jaune. Jaune doré. Vous pensez que Mammy nous est venue d'Asie, ou vous vous dites qu'un libéral daltonien l'a peinte de la mauvaise couleur?

Rose soupira:

— Mammy est noire, sans aucun doute.

— C'est tout c'que j'dis.

Seul le bâtiment avait succombé au révisionniste de l'histoire de l'art: la Mammy plus petite, unidimensionnelle, du parking, indiquant que le restaurant était OUVERT DU MARDI AU SAMEDI, UNIQUEMENT LE MIDI, avait une peau noire comme l'ébène.

Rose raccrocha et s'approcha de la fenêtre pour jeter un œil à travers les rideaux qu'on avait entrouverts afin de laisser entrer l'air frais du climatiseur ronronnant sur le rebord.

Dans le crépuscule étouffant, sous le jupon de Mammy, se trouvaient trois tables et des étagères, sans oublier le mur de confitures évoqué par Mac, ainsi qu'un assortiment hétéroclite de Mammy miniatures incarnant tous les stéréotypes possibles et imaginables – la gouvernante maternelle moulée en forme de bocal à biscuits ventru, la sage gardienne aux lèvres fendues pour y introduire une pièce, la cuisinière crochetée sur des maniques, la matrone sévère gravée sur le manche d'une cuillère en bois, la conciliatrice en céramique, à poser en sentinelle sur un buffet ou une table de nuit. Rose s'attendait presque à voir Sambo franchir nonchalamment le seuil de la salle à manger. Mais non, pensa-t-elle. Sambo est banni de nos jours. Seules les femmes noires sont encore à vendre au plus offrant.

Quand les rideaux se mirent à onduler derrière les carreaux, comme si une Mammy s'était animée pour les écarter et révéler l'intruse, Rose eut un mouvement de recul. Mais le tissu continua de flotter, et elle comprit que c'était le climatiseur qui le faisait bouger, non pas le fantôme de Hattie McDaniel. Quelqu'un – une vraie personne, faite de chair et d'os – était encore à l'intérieur quelque part, tâchant de rester au frais.

Rose regarda sa montre : 8 h 15. Le bus l'avait débarquée à Natchez, dans le Mississippi, à 4 h 05 de l'après-midi, dix minutes avant l'heure prévue, après un trajet de sept heures au départ de Tuscaloosa. Obtenir une voiture de location avait pris plus de temps que d'habitude, parce que le gérant avait dû confirmer l'accord légal de Mac donnant à Rose la permission de signer malgré ses dix-huit ans, quelques années en deçà de l'âge autorisé. Puis elle avait trouvé l'hôpital, confirmé l'emploi du temps d'Amanda, réservé une chambre pour la nuit… Quatre heures de plus s'étaient envolées. Si son estomac gargouillait en vain – on ne lui servirait pas de dîner ici ce soir, le service n'étant pas assuré –, elle n'était pas encore décidée à partir. De toute façon, elle avait du temps à tuer ; rien ne pressait. Amanda arriverait à minuit, mais Mac avait conseillé à Rose d'attendre 6 heures du matin pour l'aborder, au moment où elle aurait besoin d'une pause. Alors Rose fit lentement le tour de l'établissement, passant sa main sur le jupon-mur de Mammy's, enjambant les mauvaises herbes et les vieux mégots par terre.

Depuis qu'au lycée elle avait suivi un cours de dessin sur les techniques américaines contemporaines, Rose avait cultivé un goût pour l'art populaire – particulièrement le style faussement naïf d'artistes féminines d'inspiration africaine ou sudiste, telles Faith Ringgold et Grandma Moses. Chaque année, elle attendait avec impatience la foire de Northport consacrée à l'art populaire et contemplait les créations des heures durant avant d'en sélectionner une pour l'adopter. Acheter des œuvres d'art, c'était comme construire une famille ; ses achats n'avaient pas grand-chose à voir avec le talent, mais tout à voir avec le cœur. Une année, elle s'était entichée d'un elfe à quatre dollars fabriqué avec des brindilles, un clou pour le nez aplati au marteau par un inconnu aveugle. Une autre année, elle s'était amourachée d'un loup miniature – méticuleusement sculpté par un artiste dont la réputation proscrivait tout achat – au point de passer un dîner entier à décrire pour Gertrude la créature et les sentiments qu'elle lui inspirait. Au matin, elle s'était réveillée sous le regard du loup ; il était posé en équilibre sur le rebord de la fenêtre au-dessus de son lit.

D'après Rose, c'était l'une des plus gentilles attentions que sa mère ait jamais eue à son égard, juste après le jour où elle s'était procuré deux entrées pour le vernissage de l'exposition sur l'art populaire de l'Alabama au musée de Birmingham, l'année dernière. Il y avait eu des cocktails, des petits fours et des chorales, et le gouverneur en personne avait prononcé le discours d'ouverture, mais tout cela avait été éclipsé par les courtepointes. Soixante-dix chefs-d'œuvre du Bend*, des bouts de tissu transformés en histoires aux motifs colorés et géométriques. Pas de cabane en rondins ou de nine patch ici, rien de si convenu. Ces courtepointes-là étaient des actes de résistance, l'esprit de Harriet Powers version rebelle ; six générations de femmes issues des comtés du Black Belt de l'Alabama qui avaient transformé l'utile en art et qui, en se regroupant dans les années 1960, avaient sauvé leurs familles de la ruine, lorsque tous les hommes jusqu'au dernier avaient perdu leur travail après s'être inscrits pour voter sous l'impulsion de Martin Luther King Jr.

Transfigurée, Rose regardait le clou de l'exposition. Gertrude plissa le nez.

— Elles te plaisent ? demanda Gertrude.

Rose hocha si fort la tête que le bout de sa queue-de-cheval lui fouetta le menton.

— Tu ne trouves pas qu'elles ont l'air un peu, euh… usées ? chuchota Gertrude.

— Bien sûr qu'elles sont usées ! On est dans un musée, pas un magasin ! répondit Rose en s'esclaffant.

Un rire bon enfant, dépourvu d'insolence.

— Tu connais l'histoire des courtepointes de Gee's Bend ?

Gertrude secoua la tête.

— OK, tu vois comme elles sont déformées, décentrées ?

Rose tendit les mains aussi loin que possible vers la courtepointe accrochée au mur, ouvrant grand les bras, comme pour lisser le tissu et montrer que les coins n'étaient plus tout à fait carrés.

---

* Depuis des générations les femmes de *Gee's Bend*, un hameau reculé de l'Alabama à la population majoritairement afro-américaine, confectionnent des courtepointes qui sont considérées comme de véritables œuvres d'art les *nine patch* sont des modèles traditionnels de courtepointe.

— Des gens s'en sont servis ! Pas simplement pour les empiler sur leurs lits et rester au chaud ; ils ont recouvert leurs fenêtres avec, ils les ont clouées aux murs pour arrêter les courants d'air. Ils les ont étalées par terre pour faire des pique-niques. Elles faisaient partie de la *vraie* vie de *vraies* personnes. Pendant plus d'un siècle des femmes les ont confectionnées parce que c'était une nécessité vitale. Les critiques d'art disent que ces courtepointes sont parmi les pièces les plus extraordinaires de l'art moderne produites en Amérique, et pourtant, jusqu'à récemment, aucune des couturières ne se considérait comme une artiste. Je me souviens avoir lu une citation d'une des femmes qui disait : "Si mon mari m'avait vue en train de peindre au lieu de travailler, il m'aurait frappée si fort que j'aurais atterri dans l'jardin." Tu ne trouves pas ça fascinant ?

Gertrude pencha la tête d'un air perplexe :

— Tu trouves fascinant que son mari la frappe au point de l'envoyer dans le jardin ?

— Mais non, pas ça, répondit Rose, le regard illuminé, avant de poursuivre : L'idée, c'est qu'à n'importe quel moment, n'importe lequel d'entre nous pourrait être en train de faire quelque chose qui soit considéré un jour comme extraordinaire, et nous ne le savons même pas ! On est juste en train de faire ce qui doit être fait pour que la journée passe, pour garder un bébé au chaud ou surmonter une tempête, et un jour quelqu'un en fait un livre, ou accroche notre création au mur d'un musée, et le monde entier la voit et s'en trouve inspiré ! C'est *ça* que je trouve fascinant. C'est pour ça que j'aime tant ces courtepointes.

Sans être convertie, Gertrude ne put s'empêcher d'être contaminée par l'enthousiasme de Rose :

— Laquelle préfères-tu ?

— Je les aime toutes, mais pour différentes raisons. Regarde celle-ci. Tu vois ce que c'est ?

Gertrude se rapprocha mais secoua la tête, non.

— Un jean de travail ! Tu vois les endroits plus brillants, ceux qui sont usés ? Ça devait être les genoux ! L'essence même de l'art vernaculaire !

— C'est-à-dire ? demanda Gertrude, ravie de provoquer un sourire, plutôt que du mépris.

— Ce n'est pas simplement de l'art populaire, dit Rose, réfléchissant tout haut. Comment dire… OK, disons que le terme vernaculaire se réfère au parler propre à un endroit précis – le créole à La Nouvelle-Orléans, par exemple. Donc l'art vernaculaire est une manière de représenter visuellement la culture d'un groupe spécifique – comme les Afro-Américains – ou d'un endroit spécifique – comme Gee's Bend.

Lorsque son regard se tourna vers le vestibule, Rose eut le souffle coupé :

— Viens voir ça ! dit-elle avant d'attraper la main de Gertrude et de contourner un groupe de mères de famille embourgeoisées de Mountain Brook sirotant du champagne, dos tourné à la courtepointe de Nora Ezell intitulée *A tribute to Civil Righters of Alabama** qui dominait un petit couloir sur le côté.

— C'est ma courtepointe préférée de tous les temps ! Je ne pensais pas la voir ici ! s'exclama-t-elle avec émotion. C'est comme si un livre avait pris vie. Regarde là, au milieu, c'est l'église Sixteenth Street Baptist...

Gertrude secoua de nouveau la tête, sans comprendre. Rose en fut stupéfaite :

— ... Ici même, à Birmingham ! Là où les quatre fillettes noires ont été tuées, quand le mouvement pour les droits civiques battait son plein.

— Ah. D'accord, dit Gertrude.

— Et le bus de Rosa Park est juste là.

Rose se tut et jeta un coup d'œil à sa mère.

— Ça, je connais, dit Gertrude.

— Et là, c'est le pont Edmund Pettus, dit Rose en regardant Gertrude à nouveau.

Cette fois, Gertrude haussa les épaules, perdue.

— Tu rigoles, dit Rose.

— Non. Quoi ?

— La marche de Selma à Montgomery pour le droit de vote ? "Bloody Sunday" ?

Le regard de Gertrude disait : Vas-y, mets-moi au pilori si tu veux, mais ça ne changera rien au fait que je ne sais pas.

Rose leva les yeux au ciel mais réussit à maîtriser son ton, comme si la courtepointe pouvait lui en vouloir de raconter son histoire avec la mauvaise attitude :

---

* "Un hommage aux militants des droits civiques de l'Alabama."

— En mars 1965, près de six cents militants des droits civiques sont partis de Selma, mais ils n'ont pas réussi à aller bien loin – pas plus loin que le pont Edmund Pettus –, avant d'être attaqués par la police et reconduits en ville. Deux jours après, Marthin Luther King a mené une marche symbolique jusqu'au pont, mais ce n'est que plus tard dans le mois que les militants ont obtenu la protection de la cour fédérale pour mener la marche à son terme. Quand ils sont arrivés à Montgomery, il y avait plus de vingt-cinq mille marcheurs ! À peine deux mois plus tard, le Président Johnson a signé le *Voting Rights Act* de 1965, qui donnait aux Noirs le droit de voter.

— Qu'est-ce qu'ils faisaient ?

— Qu'est-ce que tu veux dire ? Qui faisait quoi ?

— Les manifestants. Qu'est-ce qui s'est passé pour que la police soit impliquée ?

— Absolument rien, répondit Rose, détachant chaque syllabe pour donner plus de poids à ses mots. Justement. Ils ne faisaient rien d'autre que traverser le pont.

— Mais enfin, insista Gertrude. Tu sais bien qu'ils devaient être en train de faire quelque chose de répréhensible. La police n'intervient pas sans raison.

Rose prit une grande inspiration, croisa les bras sur sa poitrine, et lança d'un ton sec :

— Sauf s'ils n'ont pas la même couleur de peau que toi et moi.

Comprenant que sa logique menaçait de briser leur connexion, Gertrude fit marche arrière :

— Eh bien, je ferai mieux de fermer ma grande bouche ! dit-elle avec une ferveur inhabituelle.

Puis elle sourit à la courtepointe comme si cette dernière avait mené la marche et que Gertrude s'apprêtait à lui taper dans la main en un geste congratulatoire.

— Si c'est pas fou, ajouta-t-elle en regardant Rose du coin de l'œil. C'est à cause de marches comme celle-là que ce genre de choses n'arrive plus à notre époque ! Pas vrai ?

Rose fit un pas en arrière, comme si elle actionnait un pont-levis temporaire, son esprit de nouveau tapi derrière un mur infranchissable. Dans ces moments, Gertrude avait tendance à battre en retraite. Mais pas ce soir. Ce soir, elle franchit avec aplomb l'espace qui les séparait, arrima ses bras aux épaules de sa fille et déclara :

— Je vais t'offrir cette courtepointe !

Surprise par l'étreinte, par la folie de la déclaration, Rose se demanda si sa mère anti-alcool n'aurait pas secrètement bu un verre. Percevant la perplexité de sa fille, Gertrude s'empressa d'ajouter :

— Bon, bien évidemment, je ne te l'offre pas *pour de vrai*. Comme si je pouvais me le permettre. Mais, allez. Fais semblant que je te l'offre – parce que si ton feu ne démarre pas, c'est que ton bois est mouillé. Alors, qu'est-ce que tu vas en faire ?

— Elle appartient au Smithsonian, dit Rose d'un ton glacial.

Mais Gertrude refusa de la relâcher, même quand l'instant se prolongea au point de devenir gênant ; elle s'accrochait à sa fille comme à une bouée, et son désespoir fit fondre la dureté de Rose.

— D'accord ! dit Rose, se secouant pour échapper à l'étreinte. Tu as le droit de me l'acheter, mais uniquement si tu me lâches !

Gertrude sourit et laissa retomber ses bras :

— Tope là.

Rose leva les yeux au ciel et poussa un soupir, mais elle se donna tout de même la peine de répondre.

— OK, je garderais la courtepointe une semaine environ – je me roulerais dedans pour dormir ! Ensuite, j'en ferais don au Smithsonian.

— Voilà qui serait généreux.

— Mais peut-être que je préférerais la voir accrochée aux murs du musée de la Confédération, ajouta-t-elle d'un air narquois.

Gertrude secoua la tête et mima l'expression de Rose :

— Un peu moins généreux.

— Mais tellement plus gratifiant.

Elles éclatèrent toutes deux de rire. Connexion réamorcée.

— OK, dit Rose. À mon tour de poser une question. Quelle est la chose la plus généreuse que tu aies jamais faite ? Et la plus gratifiante ?

— Ça fait deux questions !

— C'est quoi, ce truc que tu me dis toujours, Maman ? "Énerve-toi, réjouis-toi ou gratte-toi le cul, je m'en contrefous" ! Réponds !

Gertrude rit de cette caricature inhabituelle :

— Touché, dit-elle, et elles continuèrent sur ce mode tout au long de la soirée.

Elles déambulèrent dans les couloirs, indifférentes à la foule, parlant chacune à leur tour, se sondant, s'écoutant vraiment, se découvrant l'une l'autre. Certaines de leurs questions n'avaient rien à voir avec l'art; d'autres fois elles étaient inspirées par l'exposition. Au bout d'une heure environ, debout sous une tonnelle de roses en chutes d'étain, Rose demanda:

— Pourquoi tu m'as appelée Rose?

— C'était ma fleur préférée, avant. (Le regard de Gertrude se perdit au loin et elle s'empourpra.) C'était la fleur préférée de ton père, aussi.

Gertrude ne parlait jamais du père absent de Rose. Hormis le jour où elle l'avait pointé sur la seule photo qui lui restait, collée dans l'album, c'était la première fois en dix-huit ans qu'elle le mentionnait à sa fille. Sa remarque appelait une explication, au lieu de quoi les lumières vacillèrent et un guide se matérialisa pour les entraîner dehors. Fendre la foule, récupérer les manteaux, sillonner le parking pour retrouver la voiture temporairement perdue, tout cela acheva de déchirer le voile de leur intimité, comme s'il s'était pris dans la porte au moment de leur sortie: c'est sans lui qu'elles s'élancèrent dans l'air hivernal. Le temps que Rose s'installe dans le siège passager, retire ses chaussures et pose les pieds sur le tableau de bord, la révélation de Gertrude avait déjà flotté par-delà sa conscience, son esprit manquant d'un espace sécurisé pour stocker les informations fournies deux décennies trop tard.

À présent, sa mère morte, Rose laissait courir sa main le long du mur en brique rouge d'un petit restaurant étrange dans une ville étrange, se rejouant le bref moment de complicité dans des vies tout aussi brièvement partagées, et le commentaire de Gertrude lui revint enfin: "C'était la fleur préférée de ton père, aussi."

Il avait une fleur préférée. La rose.

Du vivant de sa mère, Rose pensait peu à son père. Ce n'était pas un sujet de conversation; en ce qui la concernait, il n'existait même pas. Une simple image de huit centimètres sur treize sur papier brillant, pas une personne avec des préférences, une personnalité. Ce qui n'avait jamais eu de réalité pour Rose n'avait pu lui manquer; elle avait eu sa mère. Maintenant que Gertrude était morte, savoir que son père avait une fleur préférée le rendait plus tangible aux yeux de Rose: ce n'était plus seulement un visage inconnu sur une photo passée. Elle porta ses mains à sa poitrine et pressa la paume de sa main droite contre les doigts repliés de sa main gauche. *Crac*! L'articulation de son pouce craqua.

Si, auparavant, l'absence de son père en avait fait un connard et rien de plus, aujourd'hui, elle prenait un sens nouveau : l'absence de son père faisait de Rose une orpheline.

Crac! L'articulation de son index claqua.

Qu'est-ce que j'aurais pu découvrir d'autre, pensa-t-elle, si nous n'avions pas été interrompues par la fermeture du musée?

— Nous sommes fermés, annonça une voix de femme dans le dos de Rose qui, dans sa surprise, serra si fort ses mains que les trois derniers doigts crépitèrent en un chœur tonitruant.

— Devriez pas faire ça, dit la femme, qui secouait la tête en frottant ses mains enfarinées sur son tablier.

Elle était debout dans l'encadrement de la porte, qu'elle occupait complètement, hanches calées entre les montants, pied tendu devant elle pour maintenir la porte grillagée entrouverte. Elle s'essuya la figure du dos de la main droite, laissant une traînée gluante et blanche sur son front noir, et dit :

— Vous allez vous donner de l'arthrite, à force.

— C'est ce que disait toujours ma mère, répondit Rose.

La femme se dégagea lentement de l'embrasure, poussant la porte grillagée de la main gauche, un geste d'invitation qui brassa juste assez d'air pour envoyer une bouffée revigorante de gâteau chaud jusqu'à Rose. Des arômes de cannelle, de pêche, de noix de coco et de meringue se déversèrent dehors.

— Alors vous devriez écouter votre mère, gronda la femme.

— Ma mère est morte.

La femme fit ce que ferait toute personne compatissante : elle se pencha pour consoler la fille éplorée qui s'était effondrée en larmes, enveloppant Rose dans le refuge de son giron. Rose ne se rappelait pas avoir jamais été tenue ainsi, lovée dans des bras qui accueillaient son chagrin au lieu de le repousser, au lieu de la repousser, elle. Touchée par tant de sollicitude, elle succomba à cette tendance ancestrale qu'ont les jeunes femmes blanches à se laisser aller dans l'étreinte de matriarches noires : elle raconta son histoire, du début à la fin. Les manteaux qui n'avaient jamais été envoyés aux victimes de Katrina. Les chaussures délacées sur les pieds d'un cadavre, aujourd'hui lacées sur ses propres pieds. L'enterrement. La morgue. Sa quête, la prochaine étape, les impondérables.

Quand elle partit, elle connaissait le numéro de téléphone de la femme, mais pas son nom. Elle n'avait pas eu la présence d'esprit de le lui demander.

— Si vous avez b'soin de quelque chose, lui avait gentiment dit la femme en glissant le bout de papier avec son numéro dans la poche de Rose lorsqu'elles avaient marché jusqu'à sa voiture, main dans la main.

Rose savait qu'elle ne l'utiliserait jamais et, pourtant, ça faisait une différence. Avoir un numéro de téléphone en poche, c'est avoir un lien, un allié. Ça veut dire qu'on est un peu moins seul au monde.

Elle était également partie rassasiée avec, en bonus, "pour la route", la fameuse tarte au citron et sa tour de meringue dans une boîte entourée de ficelle.

— Comme j'vous l'disais, avait répété la femme, "Le sucre adoucit tous les maux."

Cette phrase, elle l'avait prononcée une première fois tandis qu'elle aidait Rose à se relever après que cette dernière eut fini de lui raconter son histoire, la guidant jusqu'à la cuisine, où elle lui avait dispensé une dose abondante de sucre, coupant l'entame de chacune des créations de la soirée : une tarte au chocolat du Mississippi, une tarte à la meringue et à la noix de coco, une tarte à la pêche grillée, une tarte au beurre de cacahuètes de plantation et, bien entendu, l'inoubliable tarte au citron qui avait poussé Mac à parler de Mammy à Rose.

Perchée sur un comptoir en bois, Rose avait tout dévoré – pas seulement les desserts, dont elle s'était délectée jusqu'à ce qu'il n'en restât plus que des miettes, mais aussi la tendresse maternelle qui lui manquait tant. Derrière elle, tandis qu'elle engloutissait les tartes, Mammy veillait. Ayant terminé pour l'heure de pétrir et de pincer la pâte, elle avait passé ses mains dans les cheveux soyeux de Rose, les entrelaçant pour faire des tresses. Mèche à mèche, elle avait transformé l'utile en art, faisant du récit d'une tragédie un moment d'une beauté inattendue.

Quand elle entendit Amanda saluer la serveuse du comptoir à café dans le hall de l'hôpital, Rose l'aborda en remarquant :

— Vous n'êtes pas du coin.

Ça semblait moins intrusif que "Excusez-moi, il y a une morte à propos de laquelle j'aimerais vous poser quelques questions", et ça ne demandait pas beaucoup d'imagination. Le phrasé d'Amanda, pour ne rien dire de son accent, trahissait ses origines : ce n'était pas une fille du Sud. Si elle avait été du Sud, elle aurait laissé traîner les voyelles de son "Salut" et n'aurait certainement pas émis un "Bonjour" si formel et coincé. Pourtant, Amanda n'était pas distante ; elle n'était donc pas du Nord. Rose était derrière Amanda quand celle-ci s'était dirigée vers le comptoir à café au moment de sa pause, à 6 heures, et le temps qu'elles payent les premiers cafés au lait et viennoiseries de la matinée, Rose avait appris que la colocataire d'Amanda à l'université avait répondu à une offre d'emploi qui avait rapporté à Amanda une prime de six mille dollars à la signature de son contrat d'embauche et deux mille cinq cents dollars à son amie pour son parrainage ; cela avait largement couvert les frais du déménagement depuis Sacramento. Les infirmières sont très demandées.

— Il y a autre chose que j'espérais pouvoir vous demander, dit Rose quand Amanda fit demi-tour pour retourner aux urgences.

— À moi ? Amanda marqua une pause, perplexe quant à ce qu'un visiteur pouvait bien vouloir lui demander en dehors du chemin des toilettes ou de la maternité.

— Hmm-hmm, acquiesça Rose en lui emboîtant le pas. Vous avez soigné une patiente il y a quelques semaines...

Amanda s'arrêta net :

— Je ne peux pas parler du traitement des patients avec vous.

— Je sais. Je ne suis pas venue vous parler du traitement d'un patient... Pas vraiment...

Il ne lui restait plus qu'à dire la vérité ; hélas, il n'est jamais facile d'admettre son implication dans la mort – même accidentelle – de quelqu'un. La condamnation qu'elle lut dans le regard d'Amanda lui sembla injuste. Elle la mit en rogne. Pour la première fois dans la semaine et demie qui avait suivi l'accident, la colère l'emporta sur la culpabilité. La mâchoire crispée de Rose disait : Va te faire foutre, j'ai perdu quelque chose dans cette histoire, moi aussi.

Elles se tenaient là, face à face, debout dans le couloir, leurs mains encerclant des gobelets de café tenus serrés contre leur poitrine – gardes du cœur, boucliers des temps modernes. Aucune des deux femmes ne parlait, les passants contournaient leur confrontation ; elles se contentaient de se dévisager, toujours sous le coup de leurs émotions, mais également conscientes d'une sympathie naissante. Dans le silence qui s'installa entre elles, les conclusions logiques s'imposèrent : l'infirmière se sentait concernée. La fille voulait expier. Aucune des deux n'était tout à fait vertueuse, ni tout à fait faillible.

— Écoutez, finit par dire Rose, je n'ai ni envie ni besoin d'informations médicales. J'ai parlé au médecin légiste, j'ai vu le cadavre de Rosy. J'en sais probablement plus que nécessaire. Certainement plus que ce que j'aurais voulu. Je voudrais juste savoir d'où elle venait. Est-ce que vous auriez un indice, quoi que ce soit qui puisse m'aider à la ramener chez elle ?

Amanda prit une grande respiration, balaya furtivement le couloir des yeux, tripota son gobelet de café jusqu'à ce que le personnel ait disparu. Puis elle fit signe à Rose de la suivre et, tandis qu'elles se dirigeaient vers les urgences, elle se pencha à son oreille et murmura :

— Elle a dit qu'elle était partie de La Nouvelle-Orléans après le passage de Katrina, et qu'elle avait besoin d'aller à Tuscaloosa. La famille de son père habite là-bas. (Amanda réfléchit un instant.) Merde, je ne me souviens plus de son nom de famille.

— Ne vous en faites pas, je le connais déjà. C'est Howard.

— C'est ça. (Elles approchaient des urgences. Amanda ralentit le pas.) Elle était allée à Alexandria, je crois, et comptait faire du stop jusqu'à Tuscaloosa quand…

Rose l'interrompit :

— Vous savez ce qu'elle faisait à Alexandria ?

— Non. Je ne sais pas.

— Elle logeait chez quelqu'un là-bas ? Quelqu'un qu'elle connaissait ?

— Je n'en sais rien. Je ne lui ai pas posé plus de questions. Je lui ai juste demandé où c'était arrivé, où est-ce qu'elle avait été… blessée. Pour le rapport médical. Et elle a dit qu'elle était venue d'Alexandria en stop. C'est tout ce que je sais.

— Comment est-elle allée de La Nouvelle-Orléans à Alexandria ?

Amanda leva les deux mains, paumes vers le ciel, l'une d'elles serrant toujours son gobelet de café :

— Je n'en ai aucune idée. Pas la moindre. Je ne sais rien de plus. J'aimerais pouvoir vous aider. (Elle ramena ses mains vers sa poitrine et fixa le sol.) C'était une fille si gentille. Si seule. (Elle posa de nouveau les yeux sur Rose.) Vous savez, comme tout le monde, quand j'ai entendu ce qui était arrivé à La Nouvelle-Orléans je me suis dit que j'allais faire un don. Puis j'ai rencontré Rosy, et payer pour son ticket de bus semblait être une manière plus personnelle de faire une bonne action. (Elle plaqua sa main libre sur ses yeux.) Mais il y a une question que je me pose sans arrêt depuis que le policier a appelé : est-ce qu'elle serait encore en vie si je ne lui avais pas acheté ce ticket ?

Rose lui prit le poignet avec douceur :

— Vous n'y êtes pour rien. Vous avez été gentille ; la gentillesse n'a jamais tué personne. Si *nous* ne l'avions pas tuée, elle serait encore en vie aujourd'hui.

Amanda laissa glisser sa main de ses yeux à sa bouche, un instant seulement. Elle la retira rapidement pour tapoter l'épaule de Rose :

— Merci.

Rose hocha la tête :

— Je vous suis reconnaissante pour votre aide.

Puis les deux femmes se séparèrent. Rose emprunta le couloir par lequel elle était venue ; Amanda franchit les portes de sécurité des urgences.

— ATTENDEZ ! (Amanda courait dans le couloir en criant.) Attendez !

Rose n'était plus qu'à quatre enjambées de la sortie quand elle l'entendit et fit demi-tour.

— Dieu merci, je vous ai rattrapée, dit Amanda en reprenant son souffle. Je viens de réaliser que quelqu'un d'autre pourrait peut-être vous aider. Une de nos femmes de ménage est restée avec Rosy cette nuit-là. Elle était de service aujourd'hui, je pense qu'elle termine à 8 heures. (Elle tendit un billet de vingt dollars à Rosy.) Un complément à ma contribution initiale. Il y a un café à quelques pas d'ici. Un endroit tranquille pour s'asseoir et parler.

Rose attendit la femme de ménage sur le parking ; cette dernière sortit des urgences vers 8 h 15, accompagnée de quatre autres employés. Rose sut immédiatement laquelle aborder, parce qu'Amanda l'avait bien décrite :

— La quarantaine, noire, elle chante.

— Elle chante?

— Elle chante, avait répété Amanda en riant. Vous verrez.

Contrairement aux infirmières, les femmes de ménage n'ont guère besoin de déménager pour trouver du travail. Heureusement pour Rosy, la femme était un authentique spécimen du Sud, c'est donc sans hésiter qu'elle accepta l'invitation à petit-déjeuner d'une inconnue. Tout en marchant, Rose lui raconta son histoire. Hormis quelques pauses çà et là, pour un "Hmm-hmm", un "Mon Dieu", un "pauvre petite" ou une caresse dans le dos, la femme de ménage ne cessa jamais de fredonner. Quand Rose eut fini de parler, la femme hocha la tête, pensive, et mit sa mélodie en mots, élevant la voix. À la fin de la chanson, elle se tourna vers Rose:

— En quoi puis-je vous être utile?

Rose aurait pu l'embrasser. Mais il lui fallait d'abord satisfaire sa curiosité:

— Vous chantez toujours?

— Oh ben oui. J'm'arrête plus. La première fois que j'ai rencontré le Seigneur, j'ai beaucoup réfléchi à la meilleure manière de partager Sa parole. Puis j'me suis dit: "Latonya, le Seigneur t'a fait un don. Tu Lui dois de chanter Sa gloire!" Et c'est c'que j'fais depuis!

"N'empêche, poursuivit-elle en agitant l'index pour appuyer son propos, Y a des fois, j'essaye d'être plus discrète. Y a des fois, j'me contente de fredonner, surtout au boulot, parce que j'comprends qu'on ait pas envie d'entendre louer le Seigneur. Mais la vérité, c'est que je récolte plus d'étoiles de satisfaction de la part des clients que n'importe qui d'autre dans ce foutu hôpital, dit-elle en montrant les étoiles qui entouraient le nom sur son badge. Ils ont même écrit un article sur moi et mes chansons dans le journal. D'ailleurs, c'est comme ça que j'ai rencontré Rosy. Elle m'a demandé de chanter pour elle.

Battue, laissée pour morte, Rosy avait été déposée à l'hôpital par un bon Samaritain. Seule et blessée, attendant d'être soignée, elle avait appelé la femme de ménage dont elle apercevait les pieds sous le rideau qui l'isolait; dans le box adjacent, Latonya chantait un air de gospel tout en nettoyant une flaque de sang.

— S'il vous plaît, avait lancé Rosy d'une voix timide, vous ne voudriez pas venir vous asseoir cinq minutes et chanter à nouveau cette chanson?

Prenant appui sur sa serpillière, se balançant doucement en rythme à côté du lit de Rosy, la femme de ménage avait entonné une interprétation personnelle de *Move on Up a Little Higher*, de Mahalia Jackson.
À la fin de la chanson, le visage de Rosy ruisselait de larmes :

— Quand vous chantez, ça me rappelle ma mère, avait-elle soupiré.

À la demande de Rosy, Latonya était restée près d'elle les quatre heures qu'avait duré la procédure. Elles chantaient ensemble quand une infirmière avait retiré vingt cheveux sur le crâne de Rosy et passé ses poils pubiens au peigne fin pour comparer son ADN à celui de son assaillant. Elles chantaient le jour où les fardeaux s'allégeraient quand un infirmier avait prélevé son sang, après six tentatives pour trouver une veine qui dispensât une quantité suffisante pour un dépistage du VIH et de l'hépatite. Leur prière lyrique avait couvert les grattements de l'aide-soignant qui cherchait des morceaux de peau et de fibres sous les ongles de Rosy et à l'intérieur de ses plaies. Elles chantaient les retrouvailles d'un matin quand le flash avait crépité pour photographier le visage de Rosy, ses seins, son entrejambe ensanglanté. Elles chantaient les retrouvailles devant l'autel quand une infirmière avait examiné ses orifices, à la recherche de sperme. Elles chantaient les retrouvailles devant les anges quand un docteur avait recousu ses blessures.

Loin de la scène, des jours après l'incident, Latonya chancela enfin lorsqu'elle en fit le récit à Rose. Cette fois, elle ne chanta ni ne fredonna, mais sanglota ouvertement :

— On était comme un vieux disque. Chaque fois qu'on arrivait à la fin, on recommençait. On a chanté la même chanson pendant près de quatre heures. Rosy s'est arrêtée de chanter qu'une seule seconde. (Elle se couvrit le visage des deux mains à l'évocation du souvenir.) Pauvre petite, elle appelait sa maman en pleurant quand ils lui ont écarté les jambes pour les placer dans les étriers métalliques ! (Elle prit une grande respiration et se ressaisit.) Mais j'ai continué à chanter et elle s'est jointe à moi, et on s'est tenu la main en chantant et en pleurant tout du long.

À l'entrée du café, Latonya se tourna vers Rose :

— Faut que j'vous dise, j'voulais pas voir, mais j'ai vu quand même ! Et j'ai l'impression d'avoir regardé la fille se faire à nouveau violer. (Elle poussa la porte du restaurant d'une main, s'essuya les yeux de l'autre.) C'est bien, c'que vous faites, d'essayer d'empêcher qu'on l'oublie.

Les portes s'ouvrirent sur une foule affairée autour du petit déjeuner. Le temps de trouver une table, de parcourir le menu, de passer commande, elles rendirent un hommage involontaire aux souffrances de Rosy. Un moment de silence avant que les questions ne reprennent.

— Je suis bloquée à Alexandria, expliqua Rose. Je sais tout ce que j'ai envie de savoir sur ce qui s'est passé entre Alexandria et Natchez, et je sais comment Rosy est allée de Natchez à Tuscaloosa, mais je ne sais pas ce qu'elle faisait à Alexandria, ni comment elle s'y est rendue.

— L'est allée à Alexandria parce que c'est là qu'habite sa tante, répondit Latonya d'un ton neutre.

Rose s'arrêta et leva les yeux, une cuillerée de porridge au maïs dégoulinante de beurre à mi-chemin entre l'assiette et sa bouche :

— Vous connaissez la suite de son histoire ?

— J'en sais c'qu'elle m'a dit. Elle est allée à Alexandria pour voir si sa tante pouvait l'aider à libérer sa mère...

— Comment ça, "libérer" ?

— Elles étaient au Superdome quand sa maman s'est fait arrêter...

— Pour quelle raison ?

— Ben, elle a pas vraiment précisé. Elle a dit qu'c'était une erreur, que sa mère n'était pas une criminelle, qu'elle était malade. Quoi qu'il en soit, elle est venue à Alexandria pour voir si sa tante pouvait l'aider, d'une façon ou d'une autre.

— Et ?

— Et sa tante lui a dit – j'oublierai jamais ça ! – "Pour faire sortir quelqu'un de prison, faut être blanche ou riche, et moi j'suis ni l'une ni l'autre." Si c'est pas la vérité ! (Latonya eut un petit rire, avant de reprendre son sérieux.) Rosy a dit qu'elle avait pas d'autre famille, alors elle a essayé d'retrouver les proches de son papa, à Tuscaloosa, pour leur d'mander un coup de main.

Aux autres questions de Rose – "Elle vous a précisé le nom de la tante ? Vous savez quelque chose à propos du père ? Vous connaissez son adresse à La Nouvelle-Orléans ?" – la femme de ménage répondit par la négative.

— Tout c'que j'sais d'autre, et ça va sûrement pas vous avancer parce que j'sais plus si Rosy m'a donné son nom, c'est que la femme qui a conduit Rosy à Alexandria était l'une des personnes les plus gentilles qu'elle ait jamais rencontrées. Qu'elle l'avait sauvée pile au moment où elle avait besoin de l'être, voilà c'que Rosy a dit.

À cet instant, Rose retint son souffle : elle resta immobile afin de capter l'ébauche d'une idée qui papillonnait, élusive, à la périphérie de sa conscience, l'impression diffuse de savoir quelque chose, qui se concrétisa quand la femme de ménage ajouta :

— La dame l'a trouvée sur le pont qui rejoint Gretna.

Et soudain, l'idée était là ! Le souvenir de la main de Mammy la veille, déposant dans sa poche un morceau de papier avec un numéro de téléphone, "Si vous avez b'soin de quelque chose." C'est ce que font les gens bien ! pensa Rose. Ils donnent leur numéro de téléphone, au cas où. Avoir un numéro de téléphone en poche, c'est avoir un lien, un allié. Ça veut dire qu'on est un peu moins seul au monde.

Elle se remémora la main de Mac faisant glisser la carte de visite sur son bureau, le jour de leur première conversation. "C'est tout ce qu'elle avait sur elle quand on a dégagé son corps de sous la voiture, avait-il dit. Rien d'autre que cette carte de visite, cette page d'annuaire et ce reçu du City Cafe."

Rose se redressa légèrement sur la banquette afin d'extraire la page d'annuaire de sa poche arrière. Elle la déplia, ainsi que la photocopie de la carte.

— Cette femme-là ? demanda Rose en désignant le nom sur la carte.

— Jennifer Goldberg ! C'est bien elle ! C'est cette femme-là qu'a sauvé Rosy sur le pont.

Rosy poussa un soupir de soulagement. Elle avait trouvé le maillon manquant, la prochaine étape, mais la curiosité l'emporta temporairement sur la joie :

— À votre avis, que voulait dire Rosy par "sauvée" ? Elle n'était pas…

Latonya lui coupa la parole :

— Vous voulez dire que vous ignorez c'qui est arrivé sur le Crescent City Connection ?

— Bien sûr que si, je sais que la police de Gretna a attaqué les évacués sur le pont, dit-elle. Mais vous ne pensez tout de même pas que Rosy était…

Elle se tut quand Latonya hocha la tête :

— Sur ma tête, murmura doucement Latonya. Rosy y était, pauvre petite. Ça semble injuste, n'est-ce pas ? Tant de souffrance pour une seule âme. Mais elle y était. D'ailleurs, de ce que j'sais, c'est la seule personne qui ait réussi à traverser le pont sans encombre avant qu'ils bloquent l'accès.

10

La gazette de Birmingham

ÉDITION SPÉCIALE : KATRINA, UN AN APRÈS
AOÛT 2006

TRIBUNE LIBRE

Maintenant c'est qui, la pomme pourrie ?
Par Rose Aikens

L'éthylène tue. Il touche en priorité les vieux, les estropiés, les faibles. Il les fait pourrir de l'intérieur. Sa capacité à contaminer et détruire tout ce qui l'entoure est une réalité scientifique bien documentée. À petites doses, son effet reste relativement bénin, mais une exposition prolongée à des taux élevés peut entraîner l'annihilation totale de l'espèce.

Après l'ouragan Katrina, toutes les conditions étaient réunies pour la biosynthèse de l'éthylène : inondation, sécheresse, refroidissement, plaies ouvertes. S'il était avéré que l'être humain fût un vecteur d'éthylène, on pourrait comprendre que les voisins de La Nouvelle-Orléans aient craint une épidémie. Cela pourrait expliquer pourquoi les autorités à l'est de la ville, dans la paroisse de Saint-Bernard, empilèrent des voitures sur les voies pour protéger leur communauté des victimes fuyant l'inondation. Cela pourrait expliquer pourquoi un policier blanc de la West Bank braqua son pistolet sur un groupe d'Afro-Américains – composé pour la majorité de femmes, d'enfants et de personnes âgées – qui empruntaient la seule travée encore utilisable pour franchir le Mississippi, tirant un coup de feu au-dessus de leurs têtes et hurlant : "Dégagez de mon pont, bordel !" Cela pourrait excuser le maire de Gretna, une ville avoisinante, d'avoir répondu à des accusations de racisme et d'inhumanité d'un "À quoi s'attendaient les gens ?" étonné, après que le chef de la police – soutenu sans réserve par tout son conseil municipal – eut décidé de bloquer la seule autoroute accessible aux piétons à la sortie de Crescent City Connection, confinant les survivants à la zone inondable alors que les eaux continuaient de monter.

Mais l'éthylène est une hormone végétale. Sous sa forme gazeuse, l'éthylène est le facteur invisible derrière la théorie de la "pomme pourrie" – selon laquelle il suffit d'une pomme pourrie pour gâter tout le tas. Stimulé par les températures élevées de la première semaine de septembre 2005, l'éthylène noircit les bananes et gâta les pommes d'un bout à l'autre de la ville, transformant l'amidon en sucre, faisant moisir les rayons fruits et légumes dans tous les supermarchés abandonnés et cadenassés de La Nouvelle-Orléans.

On emploie l'éthylène à des fins obscures, on synthétise l'hydrocarbure en sacs-poubelle, en gaines de câbles, en placages. On l'ingère dans nos sodas, on lave nos mains dans son eau savonneuse, on le porte. On l'utilise pour emballer nos objets fragiles et isoler nos maisons. On l'expulse sous diverses formes, mais on ne l'exsude pas. Les êtres humains ne sont pas des pommes. Un individu pourri ne contamine pas tout le groupe.

Allez donc faire comprendre ça aux habitants de Gretna qui, dans leur immense majorité, soutinrent la décision du chef de police Arthur S. Lawson Jr. consistant à bloquer le Crescent City Connection afin de contenir l'afflux des Néo-Orléanais en fuite. "On se sent en sécurité quand on habite dans une ville comme ça", confia Paul Ribaul au *Los Angeles Times*. Lors de son interview pour l'édition matinale de la radio publique, Judy Burchette se répandit en compliments : "On était extatiques. [Dans La Nouvelle-Orléans], ça pillait et ça tirait, et nous ne voulions pas de ça chez nous. J'avais deux enfants en bas âge et nous étions morts de peur, alors bénie soit la ville de Gretna, parce qu'elle s'est occupée de nous."

Soyons justes : La Nouvelle-Orléans est célèbre pour sa prolifération de pommes pourries. Toujours en tête de course pour le titre de capitale du meurtre aux États-Unis, elle l'aurait remporté une nouvelle fois en 2005 – on comptait déjà 202 meurtres quand l'ouragan Katrina frappa la côte le 29 août, et des modèles informatiques en prévoyaient 107 de plus d'ici la fin de l'année – si les criminels n'avaient été déplacés avec le reste de la population. Bien connue pour la corruption de ses politiciens, La Nouvelle-Orléans est également handicapée par un système judiciaire véreux : parmi toutes les personnes arrêtées entre 2003 et 2004, seules 7 % furent condamnées à une peine de prison. Et ses forces de l'ordre sont considérées comme une bande d'incompétents ingérables, une réputation amplement méritée quand près d'un tiers des policiers ont déserté la ville en prévision du chaos de Katrina – la plupart dans leurs voitures de fonction, certains avec des véhicules volés au concessionnaire Cadillac local. Quant aux policiers dévoués qui restèrent, un touriste dit en avoir approché un pour lui demander de l'aide après le début de l'orage. "Allez vous faire voir, aurait-il répondu. C'est chacun pour soi."

Cela n'avait pas commencé comme ça.

Au commencement, la compassion régnait. Les voisins partageaient leurs greniers et leurs toits. Des hommes se jetaient à l'eau pour sauver de la noyade des fillettes alors qu'eux-mêmes ne savaient pas nager. Des bénévoles délaissaient leurs propres familles pour aider les victimes réfugiées dans les arbres ; des femmes s'occupaient d'orphelins rescapés comme si c'étaient les leurs. Et les habitants de La Nouvelle-Orléans écoutèrent et obéirent quand le maire leur dit que de l'eau, de la nourriture et des bus prêts à les emmener au Texas les attendaient de l'autre côté du Crescent City Connection ; il n'y avait qu'à le traverser.

Alors le mercredi 31 août, des milliers d'évacués pleins d'espoir s'engagèrent sur le pont cantilever de neuf cent vingt mètres de long qui permet de franchir le Mississippi par l'autoroute 90, et prirent la première sortie vers la rive ouest du Mississippi. Ils s'arrêtèrent à l'intersection de Whitney Avenue et de la voie express West Bank, près d'un hôtel gratte-ciel aux proportions démesurées et de l'académie chrétienne Conquering Word, dans la banlieue aisée de Gretna, 17 500 habitants.

Et Gretna, accusé d'être la quintessence du mauvais voisin, fit quelque chose que personne ne remarqua, au regard des actions qui suivirent. Le matin de leur première apparition, Gretna accueillit les réfugiés. Ceci malgré le fait qu'aucun fonctionnaire de La Nouvelle-Orléans n'ait contacté les autorités de la paroisse de Jefferson pour demander de l'aide, ou ne les ait même prévenus qu'on leur envoyait des réfugiés. Ceci malgré le fait qu'environ cinq mille citoyens de Gretna étaient pris au piège dans une ville privée d'électricité, d'eau et de nourriture ; une ville dont la propre digue, endommagée, menaçait de céder ; où l'eau affluant du sud se mélangeait au gazole qu'un bateau-citerne déversait dans les rues.

Au matin du troisième jour après l'ouragan, après que le gouvernement de la Louisiane et la FEMA eurent refusé à plusieurs reprises de l'aider à secourir ses propres citoyens, le chef Lawson regarda le pont et vit un flot de personnes doubler sa charge d'âmes en l'espace de quelques heures. Néanmoins, il fit ce qu'il pouvait. Il dit à un subalterne, également conducteur de bus scolaire, de conduire les réfugiés à un point de ravitaillement aux abords de la ville. Peu de temps après, d'autres policiers réquisitionnèrent deux bus dans un dépôt et se joignirent à l'opération de sauvetage. En moins de vingt-quatre heures, il est estimé que la police de Gretna emmena plus de six mille Néo-Orléanais à Metairie, à vingt-cinq kilomètres environ de Gretna, où avait été installé à la hâte un centre de distribution d'eau et de nourriture.

Mais les gens continuaient d'affluer. Pour chaque personne déposée en lieu sûr, trois autres arrivaient, les suppliant de les aider. "On n'avait pas prévu d'évacuer qui que ce soit", déclara Lawson. Puis, à mesure que les survivants de plus en plus désespérés s'entassaient sur les rives de Gretna : "J'ai réalisé qu'on ne pouvait pas continuer comme ça, on manquait d'hommes, on manquait de carburant."

Et les gens continuaient d'affluer. Mais à présent, enragés. Affamés, assoiffés, frustrés, ils virent trop peu de bus pour un trop-plein de personnes et comprirent qu'on leur avait fait de fausses promesses. "À La Nouvelle-Orléans on leur avait annoncé – en les regardant droit dans les yeux ! – 'Vous trouverez de l'aide là-bas', dit Lawson. Ensuite, ils se sont énervés contre nous quand ils sont arrivés ici et qu'ils ont vu qu'il n'y avait rien. On leur avait promis un Eldorado, mais ce n'en était pas un. La confusion régnait." La foule, de plus en plus déchaînée, se jeta sur les bus, et un policier afro-américain tira le premier coup en l'air pour essayer de rétablir l'ordre. Ensuite, des bagarres éclatèrent quand des hommes dégainèrent leurs armes et que la foule s'agglutina autour et à l'intérieur du centre commercial d'Oakwood. Des gens s'énervèrent, on brisa des fenêtres et le bâtiment s'embrasa. Tâchant de contenir la foule qu'ils avaient d'abord tenté de sauver, les policiers confisquèrent les armes et chassèrent les pillards présumés des magasins. "La situation était très tendue", objecta Lawson. De son côté, Harris, le maire de Gretna, fit appel à la police de l'État. "Je leur ai dit : 'Si ça continue, le sang va couler sur la West Bank ! Gretna n'est pas comme ça. Je ne vais pas abandonner notre communauté !'"

Ce fut comme si en se couchant le soleil de mercredi avait fait sauter la valve d'une cocotte-minute au bord de l'explosion ; le jeudi 1er septembre, La Nouvelle-Orléans et ses environs étaient devenus une zone de non-droit. Tôt dans la journée, Nagin, le maire de La Nouvelle-Orléans, lança un "SOS désespéré" sur CNN, et ce n'était pas seulement pour obtenir de la nourriture et de l'eau. C'était pour qu'on l'aide à réprimer une foule déchaînée. Michael Brown, le directeur de la FEMA, ajouta : "[Nous travaillons] dans des conditions de guérilla urbaine."

Des pillards, des bandits armés et des gangs de malfrats arpentaient les rues en toute impunité. Les évacuations d'hôpital par voie aérienne durent être arrêtées, et des centaines de patients et de soignants se retrouvèrent pris au piège dans des infrastructures ravagées. "Dans tous les hôpitaux, déclara le lieutenant commandant des gardes-côtes Cheri Ben-Iesan, on rapporte que les gens tirent sur les hélicoptères qui approchent." Parmi les personnes visées par des tireurs isolés, un professeur de l'école de médecine de Tulane, un docteur et un chauffeur d'ambulance local qui essayait d'acheminer par bateau de la nourriture pour les deux cents patients enfermés depuis quatre jours avec seulement quelques conserves de légumes et des biscuits. La police riposta en positionnant des snipers sur les toits et fournit des gilets pare-balles et des fusils d'assaut aux policiers chargés de maintenir l'ordre dans le quartier français et ses environs.

Pendant ce temps, les abris avaient dégénéré en véritables tranchées de premières lignes. Depuis l'intérieur du Superdome, utilisant un téléphone portable, Raymond Cooper, un réfugié néo-orléanais, sidéra une audience internationale avec son récit : "Y a pas mal de gens ici qui courent partout avec des fusils. Y a des jeunes gars qui violent des filles. Y a deux vieilles dames décédées, elles viennent juste de mourir, et des gens traînent leurs cadavres dans des coins." Le chef de la police néo-orléanaise Edie Compass confirma : "Des individus se font violer, des individus se font battre. Les touristes qui marchent dans cette direction se font attaquer."

Pourtant, les quatre-vingt-huit policiers envoyés pour restaurer l'ordre dans le Superdome furent repoussés par une foule grouillante et enragée. Dans cette ville, les citoyens n'ont jamais fait confiance à la police, et la police croit voir un criminel dans l'ombre de chaque citoyen : quand arriva le chaos, ils se retournèrent les uns contre les autres. Gordon Russell, un journaliste du *Times Picayune*, évoqua "une situation proche de l'émeute. La ville n'est plus un lieu sûr pour quiconque."

"C'est chacun pour soi!" cria le policier au touriste. Le touriste eut beau trouver ces paroles dures, le policier ne faisait peut-être qu'énoncer la vérité crue.

Chacun pour soi: après avoir assisté à un échange de coups de feu entre la police et des citoyens qui fit un mort, le journaliste Gordon Russell se claquemura dans sa maison avec le photojournaliste Marko Georgiev du *New York Times*. "[Nous] projetons de quitter la ville ce soir, publia Russel sur le blog de son journal. L'ambiance ici est complètement différente de celle d'hier. Je suis terrifié. Je n'ai pas peur de l'admettre. Je me tire d'ici."

Chacun pour soi: le 1er septembre, après avoir vu à la télévision des images des maraudeurs du Superdome entassés dans des bus en direction de Houston, Eric Bearse, directeur de communication du gouverneur du Texas Rick Perry, adressa un e-mail au directeur de la sécurité intérieure de l'État. "Une question entre vous et moi: où se situe la limite entre faire preuve de compassion et se faire avoir (je veux dire, est-ce qu'ils nous envoient des types dont on ne veut pas)?"

Chacun pour soi: un adjoint du shérif de la paroisse de Jefferson, équipé d'un fusil de chasse et d'un chien de garde, se dressait fièrement au milieu de la barricade humaine empêchant les Néo-Orléanais de franchir le Mississippi pour rallier Gretna. "La West Bank ne va pas devenir La Nouvelle-Orléans, disait-il. Il n'y aura pas de Superdome dans notre ville."

Quatre mois plus tard, tandis qu'on révisait les comptes rendus des violences diffusés par les médias, tandis qu'on questionnait les mesures prises par l'Administration et qu'à Houston le taux de criminalité grimpait en flèche, Ed Bradley emmena une équipe de *60 Minutes* à Gretna afin de comprendre ce qui s'était passé sur ce pont. Ou plutôt, *pourquoi* cela s'était passé.

Le chef de la police Lawson, entendu dans plusieurs procès fédéraux ainsi qu'une enquête criminelle pour sa décision de fermer le pont, avait à ce moment-là cessé d'accorder des interviews. Mais le maire Harris accepta de parler à Ed Bradkey. Il dit avoir bloqué l'accès à la ville pour protéger les habitants de Gretna. "Il fallait être sur place pour voir le chaos extrême, la destruction extrême, le manque d'information, expliqua-t-il. Ce contexte de policiers se faisant tirer dessus, de citoyens étendus morts dans la rue, les images du pillage en cours à La Nouvelle-Orléans m'ont fait comprendre que notre communauté subissait une crise bien plus importante qu'un simple ouragan."

Néanmoins, demanda Ed Bradley, était-il bien certain qu'il ait été indispensable de condamner tout le monde parce qu'il y avait quelques pommes pourries dans le tas?

"Absolument pas!" répondit le maire.

Pourtant, remarqua le journaliste, c'est exactement ce qu'il avait fait. Il avait renvoyé tout le monde – y compris les personnes âgées et les enfants – parce qu'il y avait peut-être quelques pommes pourries parmi eux.

"Je suis sûr qu'il y avait des gens très bien, répliqua le maire. Il y avait des gens terrifiés. Il y avait des gens désespérés. Et malheureusement, parmi cette foule il y avait des éléments criminels. Ces éléments criminels ont brûlé, pillé, volé, menacé, et terrorisé."

La pomme pourrie a gâché le reste du tas. Toute la récolte: déclarée bonne à jeter. Un an après, le monde entier cherche encore à faire la différence entre les deux.

11

Rosy

Papa, c'est moi, Rosy.

TERRIFIÉE, Rosy courait tandis que les horloges sonnaient l'heure du crime entre la nuit du mercredi d'août et le matin du jeudi de septembre. Venant tout juste d'abandonner sa mère dans l'enclos grillagé à l'extérieur de la gare Amtrack, elle plongea dans l'obscurité, en quête de secours. Au lieu de quoi, elle se trouva désorientée. Elle ne reconnaissait plus les rues, tout était sous l'eau et ses repères avaient disparu. Déjà déconcertante de jour, la ville l'était encore plus de nuit ; sans éclairage, le bitume se mêlait au ciel sombre, et l'éclat de la lune décroissante était à peine perceptible.

L'adrénaline l'avait entraînée loin – dans un grenier, sur un toit, hors du Superdome –, mais les quatre jours sans manger commençaient à se faire sentir. Elle n'aurait probablement pas réussi à retrouver le chemin de l'abri – se serait probablement évanouie au moment de la fermeture –, si les gardiens de jour ne lui avaient pas donné une petite bouteille d'eau plus tôt dans la journée : ils l'avaient prélevée dans une réserve destinée aux prisonniers, un privilège dont les masses étaient privées. L'eau lui avait donné la force, plus tard, de fuir les menaces du gardien de nuit et de répondre à l'impulsion *Faut que j'nous trouve de l'aide*, mais elle n'était plus suffisamment hydratée pour rester concentrée sur son but.

Elle avait plutôt bien commencé, se dirigeant vers l'ombre imposante du Superdome, pensant le contourner puis le dépasser, pour trouver de l'aide – quelque part, de l'aide. Mais elle se retrouva prise dans une boucle perpétuelle : désemparée, elle n'arrivait pas à comprendre comment ni où échapper à l'attraction du bâtiment, et quand la confusion de la déshydratation s'abattit sur elle, elle oublia instantanément pourquoi même il le fallait. La faim, la soif, l'épuisement : un mélange hallucinogène.

Errant dans le sens inverse des aiguilles d'une montre autour du parvis de l'enceinte, dans le silence sinistre de la nuit profonde, elle eut la sensation grandissante que le Superdome la traquait. Où qu'elle allât, il flottait à quelques pas sur sa gauche. Elle lui jeta quelques coups d'œil avant de détourner le regard, ne souhaitant pas que le bâtiment sache qu'elle l'avait percé à jour; sa poursuite incessante était de plus en plus alarmante. Elle accéléra, essaya de courir, mais ses pieds ne pouvaient que se traîner en avant, ils ne décollaient jamais tout à fait du trottoir. Le bâtiment se rapprochait rapidement, elle n'arrivait pas à le semer!

"Il faut toujours se défendre! hurla Mme Armstrong. Toujours!" Elle appuya son propos d'un coup de sifflet. Rosy ne pouvait pas la voir, avec l'obscurité et tout le reste, mais elle pouvait la sentir: la sueur de Mme Armstrong, résultat de six cours de sport quotidiens, de 8 heures à 3 heures, passés à transpirer avec ses élèves en leur enseignant le basket, le volley ou l'autodéfense.

"Tu m'écoutes?" aboya la prof de gym qui se matérialisa devant Rosy dans son chandail de coach, les mots ALHS PYTHIANS inscrits en bleu pâle au-dessus de son cœur. "On s'active! On s'active, les Pythians!" cria-t-elle, transformant comme à son habitude le slogan de l'école en instruction personnelle, puis elle s'inclina vers Rosy jusqu'à ce que leurs nez se touchent presque. "Si tu ne parviens pas à distancer l'ennemi, alors tu te retournes contre lui et tu l'attaques!" Sur ce, Mme Armstrong attrapa Rosy par les épaules et la poussa en direction du Superdome. "Prends ton agresseur par surprise. Confronte-le. C'est ta meilleure chance de survivre à une attaque." Rosy, toujours réceptive aux conseils, hocha la tête. Mme Armstrong donna un nouveau coup de sifflet: "Vas-y!"

Rosy courut vers le Superdome, les deux bras tendus devant elle, hurlant "Laisse-moi tranquille!" tandis qu'elle se jetait contre le bâtiment pour le déséquilibrer.

"N'abandonne pas! N'abandonne pas!" l'encouragea Mme Armstrong.

Rosy continua à pousser, de toutes ses forces. Elle poussa sans relâche. Cela prit un moment, mais elle finit par sentir les murs céder sous son poids. Et voilà, pensa-t-elle, traversée par une vague de soulagement tandis qu'elle se tournait pour remercier le professeur, qui avait disparu dans la nuit.

Puis elle s'évanouit sur le bitume.

Elle revint à elle douze heures plus tard environ, enveloppée dans une couverture en laine, quand quelqu'un l'agrippa par la cheville et commença à la traîner sur le parvis.

Son dos cognait contre le trottoir, et elle n'avait pas la moindre idée de l'endroit où elle se trouvait. Aveuglée par la couverture bleu marine, toujours engourdie, déshydratée et désorientée, elle entendait des voix, des bruits de moteur et de pas, mais ils lui parvenaient par bribes étouffées, une bande-son fragmentée. Dans son brouillard, elle se laissa emporter, surprise, plus que toute autre chose, d'être déplacée de façon si incongrue. Elle ne protesta que quand sa peau se mit à racler, ses coudes et le haut de son dos éraflés par la texture de papier de verre, ses cheveux arrachés à leurs racines. Curieuse et indignée, elle repoussa brusquement la couverture de son visage, résista à la traction sur ses pieds et se redressa complètement.

— Putain de merde...

— Sainte Marie mère de Jésus...

Deux hommes en tenue de camouflage jurèrent en faisant un bond de côté, renversant la chaise longue qu'ils portaient à deux. L'un d'eux se prit les jambes dans le cadre en aluminium de la chaise et s'étala aux côtés de Rosy, tandis qu'un troisième soldat relâchait sa cheville et reculait en hurlant. Il trébucha en arrière, poussant des cris stridents dignes d'une actrice de série B, et la scène aurait pu être drôle s'il n'avait pas simultanément armé son fusil et visé les trois personnes empilées à ses pieds.

Les deux soldats près de Rosy recommencèrent à jurer :

— Mais merde, qu'est-ce que...

— Lâche ta putain d'arme !

Pourtant, le soldat livide continua de les braquer en vociférant. Le soldat par terre ne bougea pas, mais le soldat debout aux côtés de Rosy marcha lentement vers son compagnon, mains levées, doigts écartés, parlant d'une voix forte mais calme pour couvrir ses cris :

— Lâche ton arme, mec. Lâche-la. Ce n'est que moi et Darnell et... et... et un petit malentendu. (Il empoigna le canon du fusil de la main droite, l'inclinant vers le sol, et tapota l'épaule de son compagnon de la main gauche. Les cris cessèrent enfin.) C'est ça, mec. Calme-toi, merde. T'as eu la trouille. Personne ne mérite de se faire tuer pour ça.

Quand le silence se fit, les trois hommes se retournèrent pour contempler Rosy.

— Bon Dieu, s'exclama le crieur.

Ayant lâché son arme, il s'affaissa, accroupi comme un catcheur, tête dans les mains, cheveux blonds émergeant entre ses doigts, secouant d'abord la tête, puis son corps tout entier

— Je crois qu'il faut que je change de pantalon, marmonna-t-il.

— Sans déconner, répondit un des types noirs. Tu t'es vu ? Tu trembles comme un chien qu'essaye de chier un noyau de pêche.

Sur ce, le jeune blanc leva son visage et se mit à rire – les convulsions déchirantes d'un rire nerveux qui gagna les deux autres, même s'ils gardaient un œil prudent sur lui, puisqu'il y avait un instant à peine, il semblait sur le point de tuer quelqu'un.

Rosy attendit que le type à ses pieds se fût calmé un peu avant de demander :

— Qu'est-ce qui se passe ici ?

— On déplaçait les cadavres, répondit le soldat en se levant.

— Quels cadavres ? demanda-t-elle.

— Le vôtre ! répondirent les trois soldats en chœur.

— Et le sien, dit le réquisitionneur de fusil.

Il fit un mouvement de tête en direction du corps sous la chaise renversée : la couverture déplacée révélait un regard fixe et laiteux au-dessus d'une bouche grande ouverte, dépourvue de dents.

— Examinez-le, conseilla le crieur. Vérifiez qu'il est bien mort !

Ses compagnons le regardèrent, médusés. L'homme reposait par terre, raide ; sa position était identique à celle dans laquelle il s'était rigidifié avant de dégringoler de la chaise.

— T'auras qu'à lui tirer dessus s'il bouge, répondit le chef avec un sourire narquois en lui rendant son fusil. Finissez de le transporter. Moi j'reste avec la fille.

Le soldat récupéra son arme d'un air penaud :

— Qui aurait cru qu'un soldat de la Garde nationale aurait à emporter son fusil en mission de sauvetage, rien que pour se protéger de ses compatriotes ? se demanda-t-il tout haut. J'arrive pas à y croire. C'est une putain de honte, insista-t-il en aidant son compagnon à hisser le cadavre sur la chaise avant de partir avec.

Le soldat qui était resté s'installa par terre à côté de Rosy.

Avec un sourire, il lui tendit la main et se présenta. Des nombreuses poches dissimulées dans son uniforme, il sortit trois bouteilles d'eau, une barre chocolatée, deux rations militaires de spaghettis bolognaise sous vide et un sandwich aux crevettes à moitié dévoré, emballé dans de l'aluminium.

— Y a pas de condiments. Juste de la mayonnaise, s'excusa-t-il en étalant le pique-nique sur la couverture toujours drapée en travers des genoux de Rosy.

— J'ai pas besoin de condiments, marmonna-t-elle en s'attaquant au pain avec une telle ardeur que des miettes sautèrent au visage du soldat, lui donnant l'air d'un léopard en négatif : taches jaunes sur peau noire. Mais il se contenta de sourire en s'époussetant.

Ils analysèrent sa situation tandis qu'elle mangeait, la nourriture lui rendant sa lucidité ainsi que l'envie de parler. Il avait une attitude dégagée et un regard pensif – plus girafe expressive que léopard affamé, réalisa-t-elle en l'observant – et parce qu'il lui rendit immédiatement la boîte à bijoux de sa mère, qu'il avait trouvée à côté de son corps, elle décida de lui accorder sa confiance. En outre, il apaisa sa peur et sa culpabilité en lui assurant que Cilla avait eu de la chance de se faire arrêter, parce qu'elle serait nourrie et transportée jusqu'au Texas, où ils se rendraient certainement compte qu'elle était malade, pas malintentionnée, et l'enverraient dans un hôpital propre et moderne où son seul souci serait de déterminer si oui ou non elle avait vu tous les films qui passaient sur le câble.

— Ta maman sera en sécurité jusqu'à ce que tu trouves un moyen de la rejoindre. C'est mieux que c'qui attend la plupart des gens ici, dit-il. Mais avant de faire quelque chose pour elle, faut que tu te tires d'ici et que tu te trouves un endroit où loger…

— … et les ressources dont j'aurai besoin pour la retrouver, l'interrompit Rosy. (À ces paroles, elle détourna le visage, rentra la tête, ferma les yeux.) Il ne reste plus rien.

Elle laissa échapper un soupir bruyant, un *pff* ironique.

— Y avait déjà presque rien pour commencer, ajouta-t-elle avec un sanglot dans la voix. Et maintenant, y a plus personne.

— Y a toujours quelqu'un, répondit-il. Et la famille de ta mère ?

Elle secoua la tête :

— Ma mère a été adoptée. Elle a une sœur adoptive dont on est proches – ma tante, plus au nord, à Alexandria –, mais elle est encore plus mal lotie que nous.

— Plus maintenant, remarqua-t-il avec douceur. Et ton papa ?

— Il est mort, répondit-elle, les yeux toujours baissés.

— Et sa famille à lui?

— Ils ne peuvent rien pour moi. Je les ai même jamais rencontrés.

Il refusa de se laisser abattre.

— Qu'est-ce que c'est que cette façon de parler... "Ils ne peuvent rien pour moi"... Juste parce que tu les as jamais rencontrés? Moi non plus, je t'ai jamais rencontrée, et pourtant j'suis assis là à t'aider, pas vrai?

Il voulait simplement lui remonter le moral, mais soudain il perçut la vérité profonde de ce qu'il venait de dire, et ça le galvanisa:

— Mais t'imagines même pas! Le monde entier vous regarde! Ça va pas durer longtemps, mais d'ici quelques semaines, tous les gens avec un peu de cœur vont chercher des moyens d'aider les pauvres noirs de La Nouvelle-Orléans. Tu vois c'que j'veux dire? Y a pas de meilleur moment pour retrouver ta famille perdue. C'est ton joker! C'est ta chance de décrocher le gros lot!

Rosy leva son visage et le regarda, son espoir teinté de scepticisme. Pourtant il avait l'air sincère. Il ne plaisantait pas.

— Tu sais où vit la famille de ton père? demanda-t-il.

Elle ouvrit la boîte à bijoux de Cilla, en sortit la nécrologie de son père et la passa au soldat, en tapotant du bout de l'index le paragraphe "Il laisse dans le deuil..." en bas de page:

— Tuscaloosa.

— OK alors, dit-il. Tu sais c'qui t'reste à faire. D'abord, faut qu'on te sorte de cette ville. Une fois que t'auras réussi à t'échapper, va chez ta tante à Alexandria, histoire de te décrasser un bon coup et de te reposer. Ensuite, cap sur Tuscaloosa. Retrouve la famille de ton père: elle t'aidera. Je te le garantis. Compte tenu des circonstances, ils peuvent pas refuser de t'aider et oser se pointer à l'église le dimanche. Tu piges? Ils vont t'aider! Et une fois qu'ils l'auront fait, tu pourras partir à la recherche de ta mère.

Rose lui retira le papier jauni des mains:

— Mais c'était il y a près de vingt ans. Qu'est-ce qui nous dit qu'ils habitent encore là-bas?

Il haussa les épaules:

— Qu'est-ce qui nous dit le contraire? (Il réfléchit un instant.) De toute façon ma belle, c'est le Sud, ici! Tu connais une seule personne qu'a jamais voulu en partir?

Elle eut l'air légèrement moins dubitative, alors il poursuivit sur sa lancée :

— Moi j'dis : tentons le coup, et voyons c'qui se passe.

C'est ce qui emporta l'affaire ; elle lui lança un sourire complice.

Rosy s'était trouvé un plan d'action, après tout.

Le soldat de Rosy lui présenta un groupe de touristes qui s'étaient arrêtés pour demander le chemin du Crescent City Connection. Ils allaient dans la direction opposée à sa prochaine étape, Alexandria, mais on disait que le pont de l'autoroute 90 en direction de Gretna était la seule issue hors de la ville encore accessible aux piétons, alors il l'encouragea à les rejoindre :

— Quitte la ville, reprends tes marques, et ensuite, débrouille-toi pour aller à Alexandria.

Comptant plusieurs centaines de personnes, le groupe avait à l'origine été composé d'auxiliaires médicaux venus là pour une conférence sur les services d'urgence, ainsi que d'autres voyageurs en provenance du poste de police improvisé de l'hôtel Harrah's, sur Canal Street. Ils avaient été enfermés en dehors de leurs hôtels et perdu un total de vingt-cinq mille dollars quand les autobus qu'ils avaient loués pour quitter la ville avaient été réquisitionnés par les forces de l'ordre ; le chef de la police néo-orléanaise leur avait conseillé d'abandonner leur campement de fortune devant le poste pour rejoindre la voie express de Pontchartrain :

— Une fois là-bas, traversez le pont jusqu'à la West Bank. La police vous y attend avec des bus.

Ses paroles lui avaient valu les acclamations du groupe, qui s'était immédiatement mis en route. Cependant, quelques sceptiques parmi eux, rendus méfiants par les nombreuses informations contradictoires en circulation, avaient interrompu la migration pour demander au chef de confirmer la véracité de ses propos. Sa réponse avait été catégorique :

— Je vous jure que des bus vous attendent.

Une fois qu'ils eurent contourné le Superdome et attaqué la côte abrupte de l'autoroute 90 menant à la voie express de Pontchartrain, leur nombre avait triplé, Rosy et d'autres réfugiés locaux ayant décidé de franchir avec eux les six kilomètres qui les séparaient de Gretna.

Ils marchaient sous une pluie torrentielle. Beaucoup d'entre eux ouvraient la bouche pour capter les gouttes, les premières qu'ils avalaient depuis des jours. Grâce à la nourriture et aux bouteilles d'eau du soldat, Rosy avait plus d'énergie que la moyenne. Elle poussait une vieille dame en fauteuil roulant, sur les genoux de laquelle était blotti le nouveau-né d'une troisième femme. Parfois les gens se bousculaient, certains marchant plus vite que d'autres, mais peu de mots étaient échangés. Les pieds traînaient, la pluie martelait, de temps en temps des mains se cognaient au bitume ou claquaient contre la peau nue quand des inconnus tendaient un bras pour rattraper un marcheur en train de tomber. Le silence déterminé n'était que rarement troublé par un gémissement ou un "excusez-moi".

Après le chaos tapageur du Superdome, Rosy aurait pu trouver rafraîchissante la marche silencieuse. Mais non. Leurs rangs avaient quelque chose de sinistrement familier ; Rosy avait déjà été témoin de ce genre de scène. Des personnes émaciées, épuisées, parcourant à pied les écrans de cinéma ou de télévision de sa jeunesse : les Africains sur des vaisseaux négriers, les Juifs dans des wagons, les Cherokees en direction des plaines de l'Oklahoma. Des agneaux à l'abattoir, se dit-elle, mais elle entreprit de chasser rapidement cette pensée. Le pathos était superflu. La situation avait beau être critique, elle se trouvait sur une route surélevée aux États-Unis, à deux doigts de franchir un pont qui les mènerait aux secours promis par la police et la Garde nationale ; elle marchait de son plein gré, on ne l'avait privée d'aucune liberté. Donc, même si la situation rappelait certaines atrocités diasporiques, elle se rassurait ainsi : Je ne suis ni juive, ni africaine, ni cherokee. Je suis une Américaine au vingt et unième siècle. Tout va bien. Et elle se força à un pâle sourire.

Cela faisait longtemps qu'elle maîtrisait l'art du "Ça pourrait être pire."

— Y a rien qui soit si mauvais que ça pourrait pas être pire, répétait Cilla chaque fois qu'il arrivait quelque chose d'horrible.

Un clou dans le pied valait mieux qu'un clou dans l'œil, un trouble bipolaire valait mieux qu'une schizophrénie, un père mort valait mieux qu'un père violent, être coincée dans une zone inondable valait mieux qu'être coincée *sous* une zone inondable. Pas faux, mais de tels raisonnements ne manquaient jamais de rappeler à Rosy que le pire l'attendait quelque part, était peut-être imminent.

Dans les jours qui avaient suivi l'empalement sur le clou, tandis que guérissait le pied de ses cinq ans, ce raisonnement s'était imposé à Rosy pour la toute première fois, et elle était devenue de plus en plus méfiante.

Encore suffisamment jeune pour croire tout ce que lui disait sa mère, trop pour saisir les nuances du langage, elle avait pris Cilla au mot. Si un clou lui transperçait le pied, il pouvait tout aussi bien lui transpercer l'œil, et elle se mit à se mouvoir avec hésitation, à l'affût d'accidents qui ne s'étaient pas encore produits, s'attendant à se faire transpercer le visage. Au bout d'une semaine, elle avait développé une aversion complètement hystérique aux clous. Par coïncidence, cette même semaine elle avait rapporté de l'école son premier dessin d'être humain reconnaissable : appendices en bonne place, traits correctement alignés. Fière de sa fille, Cilla avait fait une folie en achetant un cadre qu'elle avait entrepris de suspendre au-dessus de leur lit. Tandis que travaillait sa mère, Rosy s'était recroquevillée aussi loin d'elle que possible dans la chambre, regardant avec horreur Cilla enfoncer un clou dans le mur avec le talon d'une chaussure.

— Qu'est-ce t'en penses ? Ça t'plaît ? demanda Cilla.

Rosy ne répondit pas. Se contenta de secouer la tête.

Cilla regarda le dessin :

— Qu'est-ce qui cloche ? Je l'ai accroché de travers ? (Elle s'écarta le plus possible de l'œuvre afin de gagner en perspective, tapotant doucement le rebord du cadre.) Ça m'a pas l'air d'être de traviole, conclut-elle.

Rosy suivit sa mère hors de la chambre et passa le reste de la soirée à essayer de retarder le moment du retour : elle traînassa dans la baignoire, réclama une deuxième histoire, pressa Cilla pour un deuxième câlin, un verre d'eau, un casse-croûte. Quand elle fut enfin obligée d'affronter l'heure du coucher, elle regimba, s'affaissant de tout son poids lorsque Cilla voulut la pousser vers la chambre, forçant sa mère à hisser sans aide la totalité de ses vingt kilos sur le matelas. Une fois couchée, elle se débattit jusqu'à échapper une nouvelle fois à l'étreinte de Cilla.

— Doux Jésus, ma fille ! T'es aussi folle qu'une poule mouillée coincée dans un fourre-tout ! hurla Cilla en malmenant Rosy sous les draps. Je vais te botter le train si tu ne te calmes pas !

Elle serra un peu trop fort les épaules de sa fille, sa fureur décuplée par le comportement épouvantable de Rosy et son propre manque de sang-froid.

— Arrête ça tout de suite ! cria-t-elle à tue-tête.

Rosy finit par abandonner toute résistance et s'endormit en pleurant, la tête sous l'oreiller, afin d'être protégée quand Cilla éteindrait la lumière. Elle dormait plus ou moins paisiblement quand, juste avant l'aube, un clou jaillit de l'œil sur son dessin avec un *zing* retentissant. Sur les talons du premier, trente autres clous au moins – des poinçons, des punaises et des vis à cloison sèche – se propulsèrent hors du trou et flottèrent dans les airs juste au-dessus de son moi rêvant. Ils se rassemblèrent en V devant son lit, une nuée de guêpes, dards amorcés, et se dirigèrent droit sur ses yeux. Elle se réveilla terrifiée, droite comme un piquet, se protégeant le visage de ses bras en criant "Mes yeux! Mes yeux!"

Surprise dans son sommeil, Cilla s'étala de tout son long sur le sol. Malgré ses assurances fermes et répétées que Rosy faisait un cauchemar, Cilla ne parvint pas à convaincre sa fille d'arrêter de crier ou d'écarter les bras de son visage, et elle dut la porter jusqu'au salon pour se pelotonner avec elle dans la chaise à bascule, où le doux va-et-vient les endormit toutes les deux, lovées dans les bras l'une de l'autre.

La nuit suivante fut témoin de la même scène:

— Ah là là! cria Cilla tandis qu'elles se débattaient sur le seuil de la chambre. Mais qu'est-ce qui t'arrive, nom de Dieu?

Rosy s'accroupit sur le sol et pointa le dessin du doigt:

— Le clou.

— Quoi, le clou?

— Il veut me transpercer l'œil.

Cilla se retourna pour contempler le cadre:

— Le clou peut pas t'piquer. Y a un cadre accroché devant.

— Il pourrait p'têt m'attaquer dans la nuit, insista Rosy. Il va sauter et me transpercer l'œil.

Cilla planta ses mains sur ses hanches:

— Va dans la chambre et au lit!

Ces âneries l'exaspéraient. Encore un stratagème pour éviter de se coucher, comme la soif inextinguible de Rosy, et cette manière de se laisser tomber en pesant de tout son poids.

— Y a pas de clou qui va te transpercer l'œil.

— T'as dit que ça pouvait arriver.

— Comment ça? J'ai jamais dit un truc pareil!

— Si.

— Non.

— Si.

— Quand, alors? Quand est-ce que j'ai dit ça?

— Quand le clou m'a transpercé le pied, t'as dit qu'il aurait pu me transpercer l'œil.

Cilla hésita. Rosy l'avait coincée. Hmm.

— Mais j'voulais pas dire que ça arriverait *vraiment*, expliqua-t-elle. Je voulais juste dire que c'était pas aussi grave que si le clou t'avait transpercé l'œil.

Les lèvres de Rosy tremblèrent lorsqu'elle répéta :

— Il pourrait me transpercer l'œil.

Cilla l'observa un instant, doigt levé, comme pour dire "attends une minute", et sortit de la chambre. Elle revint quelques instants plus tard, sauta sur le lit, enleva le cadre, et retira le clou du mur avec une fourchette. Ensuite, elle marcha jusqu'à la fenêtre et jeta le clou dans la nuit.

— Mieux ? demanda Cilla.

— Mieux, répondit Rosy en se glissant entre les draps.

Et elle ne bougea plus, jusqu'à ce moment au milieu de la nuit, quand elle se réveilla en sursaut alors que retentissait le *zing* féroce du clou traversant la fenêtre à toute allure pour se reloger dans son pied. Cilla dut allumer la lumière et contorsionner sa fille, orteils contre nez, pour lui prouver qu'aucun clou ne l'avait attaquée. Rosy voulut à nouveau quitter la chambre, mais Cilla insista pour qu'elles y restent :

— C'est rien qu'un cauchemar, répéta-t-elle. Ça pourrait être pire. Le clou aurait... (Mais elle ne termina pas sa phrase, comprenant que c'était ainsi que tout avait commencé. Au lieu de ça, elle serra sa fille sanglotante contre elle.) Je vais te chanter une chanson.

Tout en chantant, elle caressait les cheveux de Rosy et faisait de son propre corps un bouclier pour protéger sa fille des projectiles hallucinés.

Chut, mon enfant, plus un mot. Papa t'achètera un bel oiseau.

Et si l'oiseau reste muet, Papa t'achètera un bracelet.

Sans prendre le temps de réfléchir, tant elle s'était habituée à opposer le rire à l'absurdité, elle modifia le troisième couplet :

Et si un clou te perce l'œil, Papa t'achètera un millefeuille.

Rosy éclata de rire.

— Encore ! s'exclama-t-elle.

Et si le clou te grimpe dans l'nez, Papa viendra te l'aspirer.

Elles pouffèrent toutes les deux. Malgré quelques hésitations et faux départs tandis qu'elle cherchait des rimes, Cilla continua de chanter pour son public captivé :

Si un clou t'emmêle les ch'veux, Papa l'ôtera à coups de pneu
Si un clou te perce la ratte, papa l'tapera 'vec une patate.
Si un clou te perce l'oreille, Papa l'battra 'vec son orteil.
Si un clou te perce le cœur, Papa l'f'ra fuir 'vec un coussin péteur!

Quand elle sentit changer la respiration de Rosy, une descente lente et profonde vers le sommeil, Cilla conclut :

Si un clou s'coince dans ton g'nou, Papa l'enverra à Caribou.
Ils le f'ront fondre à Caribou, et Papa t'en f'ra un bijou.

De ces paroles improvisées naquit le mécanisme de survie de toute une existence. Quelques semaines plus tard, quand un des élèves de sa classe fit tomber Rosy de la cage à poules en la traitant de bébé, elle se précipita au bord du terrain de jeu et contre-attaqua en chantonnant lentement, délibérément. Même chanson, même principe, mais cette fois-ci elle chanta : *"Si tu ne me laisses pas jouer, Papa te donnera la fessée!"* Sur ces paroles, elle imagina son père traversant la cour à grandes enjambées et attrapant son agresseur par l'oreille pour lui donner une bonne raclée devant tout le monde. Après cette première fabulation, le fantasme prit de l'ampleur. Des rêveries lyriques au sujet d'un homme imaginaire devinrent l'instrument de sa vengeance puis se muèrent peu à peu en un simple fantasme de père justicier – quelqu'un pour la soutenir, la protéger.

Les comptines de son enfance disparurent, et Rosy devint une adolescente qui avait un ange gardien. Le visage imaginé de son père l'accompagnait dans les chambres d'hôpital et les postes de police ; au fil des ans, il acquit à ses yeux toutes les caractéristiques intrinsèques d'un véritable père : une odeur, une chaleur rayonnante, une manière de se rire des complexités propres aux situations les plus humiliantes avec un grognement voilé et un sourire en coin. Grâce à lui, Rosy trouvait le courage de se sortir de tous les mauvais pas dans lesquels sa mère les fourrait – les formulaires d'internement, les excuses, les regards de ses voisins et les moqueries de ses camarades de classe – parce qu'elle n'avait pas à le faire seule.

— Voilà une enfant bien mûre pour son âge, remarquait un docteur.

— Cette enfant a une sacrée maîtrise d'elle-même, marmonnait un psychiatre.

— Cette fille a plus d'aplomb que les boîtes Carter ne contiennent de cachets pour le foie, renchérissaient les policiers.

Personne ne sut qu'il fallait en attribuer le mérite à un être invisible, que pourtant Rosy percevait comme tangible, debout à ses côtés, prêt à affronter tous les inconnus qui, sans sa présence, auraient donné à Cilla et à sa fille une vie différente. Puisqu'il se manifestait si souvent dans ses rêveries, elle ne lui en voulut jamais de ne pas la secourir pour de vrai ; elle lui pardonna de s'être suicidé avant même d'avoir posé les yeux sur elle parce que, ce détail à part, il était un parent fiable et équilibré.

Pourtant, cela faisait des jours qu'elle n'avait pas pensé à lui. Depuis le passage de l'ouragan Katrina. Elle n'avait pas pu se payer le luxe de rêvasser tandis qu'elle avait à peine le temps de réagir : échapper à la montée des eaux, grimper dans le grenier de Maya, grimper sur le toit, grimper dans un bateau, trouver de la nourriture, trouver de l'aide. Mais prise par le rythme monotone de la marche, sachant son sauvetage imminent, avec des bus prêts à l'embarquer et une famille à localiser – une famille qui n'avait ni raison ni droit de la repousser –, Rosy se focalisa de nouveau sur son père. Sa main ferme se posait sur le bas de son dos pour l'encourager, sa voix l'appelait à franchir le fleuve : Allez Rosy, viens. Viens. Je suis de l'autre côté du pont.

Plus elle marchait, plus le fantasme de Rosy prenait corps. Après dix-huit années, fiction et réalité commençaient à se confondre. De fait, c'était vers son père qu'elle marchait, pas seulement vers sa famille. Dans son esprit, il l'attendait quelque part, l'attirant jusqu'à lui.

Ce n'était pas qu'elle ignorait sa mort. Sa mort importait peu. C'était qu'elle avait déjà vu l'espoir l'emporter sur la réalité. Année après année, des incidents isolés avaient nourri sa foi inébranlable, bien qu'habilement dissimulée, en l'impossible. Enfant, elle passait des journées entières tenaillée par la faim – des semaines de soupes en sachet et de jus de fruit coupé à l'eau – et soudain un sac de courses apparaissait sur le porche. Un jour en août, un cartable rempli de fournitures – crayons, cahiers, chaussures pour aller à l'école – s'était matérialisé sur le perron. Alors qu'elles se trouvaient dans une période particulièrement désespérée, leur loyer avait pris tant de retard qu'un shérif était venu poster un avis d'expulsion sur leur porte. Le lendemain, il avait été remplacé par une enveloppe pleine de billets qui leur avaient permis de régler les impayés, mais aussi le loyer du mois suivant. Enfin, quand au printemps de son année de terminale, elle avait été désignée pour représenter le lycée Alfred Lawless à une simulation de congrès auquel participait tout l'État et qu'elle s'était endormie tous les soirs en larmes parce qu'elle devait laisser passer l'occasion, n'ayant pas de quoi s'acheter une garde-robe convenable, elle avait découvert un matin trois belles robes dans ses couleurs préférées se balançant dans la brise, suspendues au crochet du porche.

Cilla adorait se pencher sur ces énigmes de bon Samaritain, et Maya se plaisait à conjecturer avec elle, concluant toujours par un "Ça pourrait être n'importe qui!" plein d'espoir. Ce vaste champ de possibles servait de point d'accroche aux attentes indéfectibles de Rosy. Si ça pouvait être n'importe qui, alors ça pouvait être lui.

Et tout à coup, sur le pont qui menait à Gretna, il apparut enfin.

Rosy marchait les yeux rivés sur le sol, le corps en extension maximum – bras tendus devant elle pour franchir la crête de l'entrée du pont avec la femme, le bébé et le fauteuil roulant –, mais quand le terrain s'aplanit et qu'elle leva les yeux, elle le vit. Debout au milieu de la route, campé sur ses jambes, il portait l'uniforme d'un adjoint du shérif de la paroisse de Jefferson. Il se tenait parfaitement droit: torse bombé, menton en avant, confit de confiance. Ses doigts, agrippés au canon d'un fusil, étaient à l'image de ses doigts à elle, agrippés aux poignées du fauteuil roulant, fins, délicats, et longs. Il était grand, tel qu'elle l'avait toujours imaginé, sa taille à elle étant un intermédiaire parfait entre celles de ses parents. Ses cheveux frisaient autour de ses oreilles, des boucles bien nettes... Mais quelles oreilles! De gros lobes décollés, semblables aux siens, et par habitude Rosy leva la main pour frotter l'encoche à l'extrémité de son oreille droite; à cette distance, elle ne pouvait percevoir l'encoche jumelle sur l'oreille de son père, mais elle savait qu'elle s'y trouverait, comme sur la photo du journal dans la boîte à bijoux de sa mère.

Elle lâcha le fauteuil roulant et le contourna en courant, bousculant les quelques personnes qui la séparaient de son père, criant "Papa!" tandis qu'elle se frayait un chemin en avant.

Il ne la remarqua pas, parce qu'il se disputait avec un auxiliaire médical de San Francisco, un homme peu rompu aux rivalités politiques entre paroisses et aux clivages East Bank/West Bank, qui répétait sans arrêt d'un air médusé: "Je ne comprends pas pourquoi on nous empêche de traverser ce pont!"

"Papa!", cria-t-elle à l'adjoint qui, chaque soir, se réjouissait d'entendre ce cri dans la bouche de ses enfants – un petit garçon, deux ans, et une petite fille, quatre ans – lorsqu'il poussait la porte de la cuisine à la fin de sa journée et qu'ils lui sautaient dans les bras. Il lui arrivait même de répondre à ce terme affectueux quand il émanait d'autres enfants ; la dernière fois, au parc, un jeune garçon coincé sur une balançoire à côté de ses propres petits l'avait appelé : "Le papa de quelqu'un, tu peux me pousser s'il te plaît ?" Le soir même, il en avait ri avec sa femme alors qu'ils se racontaient leurs journées respectives, amusé par la foi que l'enfant anonyme plaçait dans le rôle universel qu'impliquait ce titre.

— Papa ! cria Rosy qui se détacha de la foule, et s'approcha de lui.

Mais il continua de lui tourner le dos.

Au lieu de se retourner, l'adjoint coupa court aux questions de l'auxiliaire médical avec cette affirmation péremptoire :

— La West Bank ne va pas devenir La Nouvelle-Orléans ; il n'y aura pas de Superdome ici !

C'est alors que Rosy l'atteignit. Ou plutôt elle lui tomba dessus, le soulagement et l'euphorie grisante du rêve devenu réalité la faisant chanceler, et enveloppa ses jambes de ses bras, la joue pressée contre sa cuisse. Tandis qu'elle levait les yeux pour lui sourire, répétant, plus doucement cette fois, "Papa !", le policier – surpris, déséquilibré – lui répondit par un coup de pied, la faisant tomber à terre au moment même où la foule se précipitait en avant.

Bras tendu, elle s'agrippa à sa chaussure, la seule partie de lui qu'elle pouvait encore toucher, pour qu'ils restent ensemble, en contact, mais il la repoussa une nouvelle fois du talon, écrasant sa main contre le bitume.

En d'autres circonstances, la foule aurait peut-être eu l'intuition qu'une femme de dix-huit ans réclamant de l'attention paternelle à un adjoint de vingt-cinq ans devait être complètement cintrée, et   aurait pris le parti du policier, mais quand Rosy atterrit sur le trottoir, celui-ci devint un symbole de brutalité policière. Les insultes fusèrent, les corps se rapprochèrent, les poings se levèrent et le calme se fissura.

Il réagit à nouveau, faisant ce qu'il pouvait pour contenir l'agitation croissante des marcheurs : il arma son fusil et tira au-dessus de leurs têtes.

Dans le silence médusé qui suivit, tandis que des renforts arrivaient au pas de course pour former la ligne bleue qui renverrait les réfugiés vers la ville inondée, elle regarda le jeune homme et dit :

— Mais Papa, c'est moi, Rosy.

Pour toute réponse, il braqua le canon du fusil sur son visage, doigt sur la détente, et grogna :

— Descends de mon putain de pont !

12

Rose

Je te pardonne, Maman.

L'ADRESSE trouvée sur la carte dans la poche de Rosy conduisit Rose non pas à un magasin de fleurs, comme elle s'y attendait, mais à une résidence privée. La maison coloniale tout juste terminée se trouvait à l'extrémité d'un nouveau lotissement où poussaient des maisons à différents stades de finition : quelques-unes étaient achevées, près d'une douzaine comptaient un toit, d'autres avaient une façade en attente de revêtement. Les matériaux de construction, qui à un moment donné avaient dû être proprement empilés, étaient maintenant disséminés sur toute la zone, tout ça grâce à l'ouragan Katrina. Les clous, les tessons de verre et les morceaux de béton proliféraient, aussi nombreux que l'auraient été les brins d'herbe si leurs graines n'avaient été emportées par le vent, et des bastaings fleurissaient aux endroits les plus incongrus : le parking, le bardage extérieur des bâtiments, la cabine d'une excavatrice à chenilles couchée sur le flanc dans des fondations en parfait état par ailleurs. Au milieu de la route principale non goudronnée, un rouleau de fibres de verre rose s'était dévidé, tapis rouge délavé qui ne menait nulle part.

L'allée asphaltée de la maison descendait en pente légère, pour finir dans un cloaque d'eaux pluviales. Rose se gara aussi près que possible, au coin de la rue, mais elle ne sortit pas de la voiture, convaincue d'avoir la mauvaise adresse. Il lui était difficile de concilier l'image qu'elle s'était faite de Jennifer Goldberg, femme d'affaires accomplie, sauveuse de Rosy, avec la maman sans prétention assise sur le perron en compagnie de deux petits garçons. Ils jouaient avec des hors-bord télécommandés dans les douves stagnantes qui encerclaient la maison, se donnant de grandes tapes dans les mains quand un bateau jaillissait hors de l'eau et traversait les airs pour se planter à la verticale dans le terrain inoccupé de l'autre côté de la rue. Rose rit quand la femme, équipée d'un bandana et de sabots en plastique, franchit l'eau en bondissant d'un bidon de peinture stratégiquement placé à un autre tandis que les enfants l'encourageaient à grands cris. Ça doit être sympa d'avoir une mère si géniale, pensa-t-elle en démarrant la voiture afin de retourner en ville et vérifier l'adresse quelque part, persuadée que la maison, la femme n'étaient pas les bonnes.

— Salut! lança la femme quand elle se fut suffisamment rapprochée, la saluant d'une main, serrant le bateau boueux dans l'autre. Je peux vous aider?

Rose secoua la tête:

— Ça va.

La femme l'observa de la tête aux pieds. Elle insista:

— J'étais justement sur le point de bricoler un truc pour le déjeuner. Si vous avez faim et que vous n'êtes pas trop difficile, vous pouvez vous joindre à nous.

Tant de familiarité de la part d'une inconnue mit Rose mal à l'aise. La femme le remarqua.

— Si vous cherchez quelqu'un, sachez que tous les autres sont partis, avança-t-elle en guise d'explication. Donc vous êtes toute seule, et moi, j'ai besoin de compagnie. Venez. On se connaît tous dans ces moments-là.

Ainsi, Rosy sut qu'elle avait bien trouvé Jennifer Goldberg.

SA quête, sinon sa mission, s'acheva, pour ainsi dire, dans la maison chaotique de Jennifer Goldberg. Ça sentait la morgue là-dedans, comme il seyait au dénouement d'une traque funèbre. Dans le désordre total d'une entrée encombrée de cartons s'élevant jusqu'au plafond, de comptoirs en granit recouverts de catalogues, d'auréoles de jus de fruit et de chewing-gums fossilisés, d'un plancher jonché, entre autres denrées périssables, de céréales écrasées, des milliers de fleurs pourrissaient dans des vases de fortune, ou étaient suspendues, tête en bas, aux placards et aux luminaires.

Des alstrœmères rose pâle, rassemblées en bouquets lâches dans des seaux industriels le long des murs du salon, avaient relativement bien tenu – toujours droites et épanouies deux semaines après avoir été cueillies – et des orchidées cymbidium vert céladon et rose incarnat, arrangées avec un goût indéniable, garnissaient les étagères et fleurissaient les tables. Les orchidées coupées sont robustes, et Jennifer avait voulu tirer parti de leur résistance. Elle avait dû passer plusieurs cartons au crible pour retrouver les vases en verre taillé qui abritaient les fleurs, leurs voluptueux pétales asiatiques débordant de l'ouraline bleu cobalt. Mais ses bonnes intentions n'avaient pas réussi à repousser totalement la mort. Les lys blancs, fourrés dans des seaux à bière et des seaux de plage disposés dans des recoins sombres, avaient une teinte post-mortem maronnasse, et leurs pétales étaient recroquevillés, comme pour dormir.

À mesure que Jennifer entraînait Rose plus loin dans la maison, leurs pieds réduisirent en poussière un tapis de feuilles mortes, pas après pas.

Souviens-toi que tu es poussière et que tu retourneras à la poussière.

Ayant avoué le rôle qu'elle avait joué dans la mort de Rosy trois fois dans la journée – à l'infirmière de Natchez aux premières lueurs du jour, à la femme de ménage des urgences dans la matinée, et enfin, quatre heures plus tard, à celle qui avait sauvé Rosy sur le pont de Gretna –, Rose regarda le résidu poudreux et imagina le pouce noirci d'un prêtre lui traçant une croix de cendre sur le front, signe de repentance.

Repentez-vous, et croyez à la bonne nouvelle.

Jennifer avait accueilli la nouvelle mieux que les autres : sans pleurer ouvertement, sans condamner Rosy. "Ce genre de choses arrive", avait-elle déclaré avec douceur, ayant déjà fait sien l'héritage de Katrina : la destruction est partout. D'un ciel bleu peut s'abattre l'enfer. La responsabilité n'en revient pas aux victimes, car la culpabilité ne rend que plus douloureux le deuil.

Les cendres retournent aux cendres, la poussière à la poussière.

Rose écrasa une nouvelle fleur. Lorsqu'elle la sentit résister sous son poids avant de se désintégrer, elle perçut un sens plus profond dans les paroles liturgiques. Trouver des confesseurs, se prosterner devant eux, reconnaître sa faute encore et encore ne changerait rien à la conclusion. La mort est aussi irréversible qu'elle est inévitable.

Car je reconnais mes transgressions, et mon péché est constamment devant moi.

En fin de compte, qui qu'elle trouvât, quoi qu'elle racontât, Rosy serait toujours morte.

Jennifer guida Rose jusqu'à la cuisine. Pour se frayer un chemin, les femmes durent éviter les roses suspendues dont les fleurs desséchées pointaient vers le sol. Des roses Queen Elizabeth avaient envahi le dessous des placards, et des roses blanches se balançaient aux voûtes à chaque extrémité de la pièce. De splendides spécimens aux teintes lavande, suspendus à chacun des luminaires, transformaient l'espace en labyrinthe, rendant le seuil de la cuisine infranchissable à moins de se baisser pour les esquiver en une manœuvre habile.

— Attention à Barbra, l'avertit Jennifer en retirant un pétale pétrifié de la queue-de-cheval de Rose tandis que cette dernière slalomait entre les bouquets, jetant un regard interrogateur par-dessus son épaule.

— Barbra?

— Les roses violettes sont appelées Barbra Streisand. Ne me demandez pas pourquoi.

Pourtant, sans que rien ne lui soit demandé, elle se mit immédiatement à énumérer les caractéristiques de la fleur.

— C'est une variété résistante et adaptable, aux pétales particulièrement opulents. Et leur parfum est entêtant, on ne peut l'ignorer.

On aurait vraiment dit qu'elle décrivait une star de cinéma. Du coup, le nom prenait sens, alors qu'une cuisine pleine de fleurs suspendues, non.

Rose s'interrogea tout haut:

— Pourquoi...?

Jennifer haussa les épaules:

— Elles sont en train de mourir, de toute façon. J'ai voulu sauver ce que je pouvais. Je fais sécher les roses dans l'espoir de transformer quatre mille dollars de pertes en pot-pourri.

Elles se dévisagèrent sans rien dire avant d'éclater de rire devant l'absurdité de la situation: coincée, affamée, occupée à préparer un pot-pourri.

— Toutes mes excuses pour l'état de la maison, dit Jennifer, qui avait cessé de rire et balayait la pièce d'un geste circulaire englobant tout autant le désordre du quotidien que l'étrange boucherie botanique.

Mais Rose ne remarquait rien; les yeux fermés, elle respirait profondément.

— Ça va? s'enquit Jennifer.

— Cette odeur…

Les fleurs étaient putréfiées, mais leur parfum sucré flottait encore – une présence forte et mélancolique dans l'air stagnant.

— C'est Barbra, et les lys, expliqua Jennifer. Enivrant, n'est-ce pas?

— Hmm-hmm. Ça me rappelle l'enterrement de ma mère. (Rose rouvrit les yeux et regarda Jennifer.) Délicieux, mais écœurant.

Jennifer se pencha au-dessus du comptoir et posa ses mains sur celles de la jeune fille. Alors qu'elles baissaient toutes deux la tête pour contempler leurs mains entrelacées en prière, Rose comprit que cet instant serait peut-être le seul enterrement auquel Rosy Howard aurait jamais droit.

Avant d'être réassignées au deuil, les fleurs avaient été cueillies pour célébrer un mariage dans le manoir historique Van Benthuysen-Elms Mansion and Gardens, sur St. Charles Avenue.

— C'était une occasion de percer, dit Jennifer.

Elle avait décroché le boulot il y avait plus d'un an, avant même d'avoir ouvert sa boutique dans le coin. C'était son ticket pour intégrer l'aristocratie néo-orléanaise, le lancement officiel de son entreprise de composition florale. Alors, malgré les annonces de mauvais temps, elle était restée en ville avec sa famille pour saisir l'opportunité. La veille du mariage, prévu pour le samedi 27 août, la mariée l'avait appelée sur la route pour tout annuler. Elle préférait se réfugier à Vegas, elle reprogrammerait la cérémonie quand l'orage serait passé et que les choses seraient revenues à la normale, et elle serait ravie de faire à nouveau appel aux services de Jennifer.

— C'était un plaisir de travailler avec vous! minauda Jennifer, imitant sa cliente. J'espère que ça ne vous causera pas trop de problèmes. Mais nous n'y pouvons rien, vous savez. C'est la faute de l'ouragan!

— J'imagine que l'assurance des fleuristes ne couvre pas les ouragans? demanda Rose.

— Dur à dire. Comme vous pouvez l'imaginer, les "catastrophes naturelles" sont sujettes à interprétation. Mais peut-être que l'assurance aurait marché *si j'en avais eu une*. Le formulaire est ici, quelque part…

Elle se mit à feuilleter un tas de papiers coincés sous une spatule et une serviette froissée: des formulaires de vaccination non complétés pour ses fils, un dossier d'inscription scolaire finalisé mais pas encore envoyé, trois menus de pizza à emporter, une enveloppe de bienvenue dans le quartier qui cracha des coupons de réduction lorsqu'elle la poussa sur le côté. Plongeant en avant pour rattraper les coupons, Jennifer renversa un vase qui inonda un paquet de biscuits salés et réhydrata une tranche de fromage collée au comptoir. D'un geste habile, elle épongea les dégâts et balança le tout, serviette comprise, dans l'évier, sans jamais s'arrêter de parler :

— … mais où, exactement, il a atterri reste à confirmer. Au début, j'ai été noyée sous les cartons, puis j'ai été noyée sous les formulaires. Et maintenant, bien sûr, on est noyé sous les fleurs et on essaye de ne pas se noyer tout court.

— Vous venez d'emménager à Gretna ?

— Ouaip. Ça fait un mois qu'on est là. On vient du Minnesota. Il a fallu défaire les cartons, transférer les dossiers scolaires et médicaux des garçons, régler tous les trucs administratifs comme les permis de conduire et l'immatriculation des voitures… Pff. Je n'ai pas eu un seul instant pour m'occuper de mon entreprise. Rien que de faire imprimer ces cartes de visite m'a semblé relever de l'exploit. Je m'étais dit que j'allais improviser cette première commande, et qu'ensuite je trouverais le temps d'organiser le reste. J'ai choisi le bon moment, pas vrai ?

— Vous voulez dire que vous êtes arrivés ici…

— Deux semaines avant Katrina.

— Mon Dieu, murmura Rosy. Vous parlez d'un déménagement.

Sur ce sujet, Rose se considérait comme une experte.

Malgré une structure familiale inchangée et une routine quotidienne plus machinale que fluide, Rose n'avait pas le moindre sentiment d'appartenance ou de permanence. Telle une feuille entraînée par un tourbillon dans des eaux par ailleurs calmes, sa vie consistait en une errance perpétuelle et sans but. Elle et Gertrude ne restaient jamais longtemps au même endroit. Elles avaient passé quatre ans dans leur dernier appartement, plus d'années que dans leurs résidences précédentes, record dont Rose ne s'émut point. Elle s'était tellement habituée à la nature temporaire de leurs logements qu'elle ne s'attachait ni aux lieux ni aux gens, et cela faisait longtemps qu'elle avait appris à ne plus compter les mois ou les années de stabilité par peur d'attirer le malheur et de rentrer un jour pour se retrouver confrontée à des pièces vides, des bagages faits, une nouvelle clé.

Elles passaient d'appartement en appartement, d'école en école, comme les familles de militaire, à cette différence près : elles ne quittaient jamais Tuscaloosa ; elles ne faisaient qu'errer d'un bout de la ville à l'autre. Au milieu de sa deuxième année de lycée, une fille avait débarqué du Panama ; elle avait successivement vécu en Jordanie, en Thaïlande et en Afrique du Sud, suivant les missions diplomatiques de son père. Dès sa première journée de lycée, avant même que n'ait retenti la première sonnerie, elle avait raconté une histoire sur des rats gros comme des chiens : l'un d'eux était tombé du toit et lui avait mordu le nez, ce qui lui avait valu toute une flopée de piqûres contre la rage. À midi, quand elle avait relaté l'anecdote une deuxième fois, elle avait été invitée à rejoindre la table des élèves les plus populaires. L'année suivante, elle avait été couronnée Reine du bal de début d'année, puis elle était partie retrouver des horizons plus exotiques un mois après, mais les lycéens s'étaient longtemps délectés de ses histoires de ragoût à la caroncule de coq et de ravages tsunamiques. Cette fille-là savait capter son public, une qualité que Rose admirait mais ne pouvait imiter. Quelles histoires aurait-elle pu raconter ? Le restaurant Dairy Queen à l'est de Tuscaloosa servait les mêmes plats que celui à l'ouest, la tornade qui avait frappé son ancienne école avait également frappé la nouvelle, et tous les élèves en avaient été témoins. Rose n'avait rien à leur apprendre. Ainsi, elle subissait l'humiliation d'être toujours nouvelle sans jamais être une nouveauté.

— Au fil des ans, j'ai fréquenté toutes les écoles de notre circonscription, dit-elle au dos de Jennifer, qui était penchée au-dessus d'une pile de cartons sur le sol. Quand on a pour seul atout de connaître par cœur la chanson de toutes les équipes rivales, on ne devient pas très populaire.

Concentrée sur ses recherches, Jennifer marmonna un "Quoi ?" distrait.

— On a beaucoup déménagé, résuma Rose en haussant les épaules.

La voix de Jennifer couvrit celle de Rose lorsqu'elle s'exclama :

— Je l'ai trouvé, voilà notre déjeuner ! en posant un carton sur le comptoir.

Rose lut à haute voix la liste griffonnée au feutre noir sur le côté :

— Chambre de Michael – déguisements, circuit & trains, Porcinet. (Elle se tut un instant et sourit.) Porcinet. Ça veut dire qu'on va manger des côtes de porc ?

— Vous rigolez ? répondit Jennifer. Michael me renierait ! Porcinet est son bien le plus précieux, c'est pourquoi ce carton a été défait, alors que les autres sont... Enfin vous avez vu, dit-elle en désignant les cartons scellés dans l'entrée. Mais cette boîte sert aussi de garde-manger familial. Vous pouvez choisir n'importe lequel de ces succulents hors-d'œuvre, avec les compliments de l'Oncle Sam. (Elle passa les rations militaires en revue.) Omelette aux légumes et au fromage, hamburger végétarien avec sauce barbecue, tortellini au fromage ou pâtes aux légumes accompagnées de sauce tomate. Autant que vous le sachiez, c'est là l'ensemble des options végétariennes : quatre ! Comme s'il me fallait une autre raison pour me réjouir de ne jamais avoir rejoint l'armée.

— Donc vous n'êtes pas une militaire, mais vous mangez comme un soldat parce que... Quoi ? Vous avez faim de punitions ? la taquina Rose.

Jennifer lui fit un large sourire.

— Non, attendez ! poursuivit Rose. Je sais ! Vous n'avez pas vraiment été nourrie au maïs du Midwest, n'est-ce pas ? Vous avez été nourrie au carton !

— En fait, ils distribuent les rations militaires dans la salle de bingo, expliqua Jennifer.

— Quatre bingos de suite égalent une ration de guerre ! Rose continua de plaisanter. Remplissez deux cartes en même temps, et gagnez un M-16 en bonus !

Jennifer pouffa :

— Non, non. Je suis sérieuse. Tous les jours, pendant les "heures ouvrables", on a droit à une sélection de la meilleure nourriture déshydratée des États-Unis d'Amérique dans la salle de bingo. Avec une boisson. (Elle sortit une poignée de bouteilles du carton.) Vous préférez quoi : de l'eau, de l'eau, ou de l'eau ?

— De l'eau, s'il vous plaît.

— On ne devrait pas se moquer, remarqua Jennifer d'un air pensif. Ça nous arrange bien. Tous les magasins sont fermés. Si on n'avait pas ça, à l'heure qu'il est on mangerait des tuiles en appelant ça des fibres.

— Vu l'alternative – tuiles ou Porcinet de Michael –, je vais prendre les tortellinis.

— Va pour les tortellinis.

Jennifer ouvrit la porte d'un coup de hanche et emporta les quatre portions dehors. Rose la suivit, observant son hôtesse tandis que cette dernière s'agenouillait pour activer la fonction autochauffante des rations militaires. Lorsqu'elle s'accroupit, son chemisier remonta, son pantalon descendit et l'élastique effiloché de sa culotte émergea. Elle avait des hanches larges, un grain de beauté sur la peau du dos. Ses cheveux étaient sales. Ses mains étaient calleuses. Elle était humaine, faillible.

— Je dois avouer que vous n'êtes pas la personne à laquelle je m'attendais.

— Ah bon ?

— Rosy vous appelait sa sauveteuse, et naïvement, j'avais imaginé quelqu'un d'exceptionnel. Mais vous êtes une maman comme une autre, qui travaille chez elle dans une maison remplie de cartons.

Quand Jennifer se retourna pour lui lancer un regard de reproche amusé, Rose se rendit compte que son ton et ses paroles pouvaient être mal interprétés.

— Je suis désolée, dit-elle, agitant les mains comme pour effacer l'insulte potentielle. C'est un compliment ! C'est agréable. Vous êtes bien réelle et vous êtes normale. C'est juste que vous n'avez rien à voir avec la personne que j'avais imaginée. (Elle secoua la tête et rit de sa propre bêtise.) J'avais visualisé une espèce de croisement entre Jeanne d'Arc et Wonder Woman. C'est bête, non ?

— Flatteur, même si c'est complètement faux.

— Mais vous avez fait quelque chose d'extraordinaire.

Jennifer pinça les lèvres, plissa les yeux :

— Je ne suis pas sûre que vous soyez au courant de ce que j'ai fait.

— Rosy dit que vous l'avez sauvée sur le pont.

Les traits de Jennifer se détendirent, elle haussa les épaules.

— Eh bien, je suppose que c'est une question de point de vue. Je suis bien allée sur le pont, un acte que mon mari a qualifié plusieurs fois d'irresponsable, disant que je me mêlais de ce qui ne me regardait pas, et qui m'a transformée en paria aux yeux de mes nouveaux voisins. Mais concernant mon statut de "sauveteuse", vous vous trompez complètement.

— Pas d'après Rosy. Elle jure que vous l'avez sauvée.

— Comme je vous l'ai déjà dit, j'étais bien sur le pont. Mais pour ce qui est d'avoir "sauvé" Rosy, il y a vraiment un malentendu. (Jennifer se tourna pour faire face à son invitée.) La vérité, c'est que je n'ai rien eu à voir avec ça.

Le jeudi 1ᵉʳ septembre, quatrième jour sans électricité – treize jours avant la visite-surprise de Rose – le frigo de Jennifer eut besoin d'être vidé. Il puait le lait caillé, même si le cheddar semblait avoir plutôt bien tenu. Mais il ne tiendrait pas une journée de plus. Jennifer prépara neuf sandwiches qui lui servirent d'excuse pour faire le trajet, risqué, jusqu'au centre-ville dépeuplé. Elle ne supporterait pas de rester une minute de plus dans la maison : trop de cartons partout, et les enfants qui devenaient raides dingues à force d'être enfermés. Elle était debout dans la cuisine, une poêle en fonte à la main, tâchant de lui trouver une place permanente, quand un coussin du canapé l'avait atteinte au milieu du dos, la faisant tomber par terre. "Désolé, Maman", s'était excusé Sammy, son fils de sept ans, d'un air penaud tout en ramassant l'oreiller. "Je visais Michael." L'espace d'un instant, Jennifer avait eu envie de lui fracasser la poêle sur la tête ; elle avait alors réalisé qu'il valait mieux sortir que rester cloîtrés là. Elle avait découpé le cheddar pour faire des sandwiches avec la laitue et les tomates qui restaient, puis elle avait rassemblé ses enfants et apporté le festin à son mari, Adam, et à ses collègues.

Quatre jours après l'ouragan, la station hydraulique de Gretna était en ébullition. La plupart des employés de la ville avaient abandonné leur poste et évacué Gretna, mais la majorité des ingénieurs hydrauliques s'était sentie obligée de rester, d'un point de vue moral et professionnel. Les ouragans, c'était un truc de gars spécialisés dans l'eau. Ils dormaient par tranches de trois heures dans la salle de réunion, se nourrissant de chocolat et de chips prélevés dans le distributeur automatique éventré ; le bâtiment était le siège d'une effervescence hagarde. Jennifer n'avait jamais vu son mari si excité, grisé par les complexités d'une énigme mathématique après l'autre – des calculs pour savoir si les digues tiendraient ou pas, si les égouts déborderaient ou pas, si l'eau potable serait contaminée ou pas. Katrina avait braqué un projecteur sur son boulot d'informaticien dans un bureau de seconde zone, l'investissant, en l'espace d'une seule nuit, d'une mission quasi divine : la survie de toute une ville dépendait de la puissance de son cerveau.

Dans un même souffle, Adam la remercia pour la nourriture et lui reprocha sa venue, inquiet pour sa famille, mais affamé. Un petit groupe se rassembla pour manger ; Sammy coupait les sandwiches en deux, son frère les distribuait aux employés. Tandis qu'on mastiquait et qu'on avalait, une personne qui venait de vérifier le niveau de l'eau fit un compte rendu de la situation sur le Crescent City Connection.

— Il était temps que la police intervienne, marmonna le superviseur, tandis qu'une feuille de laitue tombait de sa bouche et atterrissait sur sa chaussure. (Il s'essuya du revers de la manche.) Ces foutus réfugiés sont rien que des emmerdes ! Putain de nè… (Il jeta un regard de côté aux deux garçons et se tut.) Vous auriez dû voir dans quel état ils ont mis le centre commercial hier.

Jennifer ouvrit la bouche pour lui répondre, mais le regard d'Adam l'en empêcha. Au-dessus des têtes penchées sur leurs repas, il la fixa sans ciller, un message : Pas ici, pas maintenant.

— Amen, acquiesça l'un des machinistes.

Quelques hommes levèrent les yeux au ciel et donnèrent des signes d'impatience – tapant du pied, regardant dans le vide, par-delà les crânes de leurs collègues –, mais personne ne dit rien.

Jennifer releva le menton, les yeux agrandis par le défi, un reproche silencieux destiné à son mari : C'est inacceptable. Comment peux-tu rester là sans rien faire ?

— Moi je dis, laissons-les se noyer, poursuivit l'homme. On ne s'en portera que mieux !

— Laissons-les se noyer ? répéta Jennifer.

Sur ce, Adam ferma les yeux, secoua la tête et adopta la moue résignée d'un combattant las, confronté à un match inégal. Les yeux des garçons s'élargirent.

— Vraiment ? insista-t-elle. Vous êtes en train de parler de personnes, là, vous savez. D'êtres humains.

Tout le monde s'arrêta de mâcher. Un jeune homme avait un sandwich à moitié enfoncé dans la bouche. Son sourire s'agrandit autour de la croûte. Il en arracha une grosse bouchée :

— Pas le genre de personnes qu'on veut chez nous, l'aiguillonna-t-il.

Elle le fusilla du regard, il lui sourit en retour, la narguant, tandis que fusaient des ricanements.

— Ça veut dire que, eux, ils ne sont pas un ramassis de bouffons ? Qu'ils ne sont pas une bande de trous du cul racistes ?

Hormis l'espèce de *pff* qui échappa aux deux garçons – mi-gloussement, mi-soupir choqué –, le groupe se tut immédiatement : tous les yeux étaient braqués sur Jennifer. Adam se manifesta avec un "Allons, allons..." conciliatoire au moment même où le chef lança : "Je crois qu'il est temps que votre famille parte, mais nous vous remercions pour les sandwiches, madame."

Sans prononcer un mot de plus, Jennifer fit volte-face et se dirigea droit sur sa voiture, un enfant accroché à chaque main. Adam la rattrapa au moment où elle sanglait les gamins dans leurs sièges auto :

— Jen, il faut que tu comprennes...

— Il faut que *je* comprenne ? rugit-elle. Comprendre quoi ? Je ne comprendrai jamais ce genre d'attitude, et je ne vois pas pourquoi tu penses que je le devrais !

— C'est mon boulot. Je travaille ici !

Elle bondit dans le siège conducteur et claqua la portière. Elle démarra le moteur et passa la marche arrière, mais ensuite elle s'arrêta, mains sur le volant. Enfin, elle inspira profondément et sourit. Se tournant vers Adam, elle lui parla sur un ton au calme exagéré :

— Très bien. Remets-toi au boulot, alors.

Quand elle fut presque sortie du parking, sur le point de disparaître avec leurs deux enfants attachés à l'arrière, Adam comprit ce qu'elle avait l'intention de faire :

— Ne t'avise pas de faire ça ! cria-t-il en courant après la voiture. Jennifer ! Jennifer ! Ne va pas sur ce pont !

S'arrêtant brièvement pour remplir un sac avec la nourriture récupérée dans son garde-manger, quelques rouleaux de papier toilette et les trois parapluies appuyés contre la porte d'entrée, elle roula en direction du fleuve. Elle se perdit plusieurs fois, parce qu'elle ne connaissait pas la région et qu'elle avait dû quitter le chemin le plus direct à cause des lignes à haute tension sur la route, mais elle persista. S'inspirant du paysage, Jennifer et les garçons passèrent le temps en chantant toutes les chansons à thème aquatique qui leur passaient par la tête – *Row, Row, Row Your boat, My Bonnie Lies Over The Ocean, Waterloo* – avant de se lancer dans une partie stimulante de "Je vois, je vois, je devine quoi" qui leur valut une série de visions surprenantes.

— Je vois quelque chose de renversé. Un camion !

— Je vois quelque chose sur un toit. Un caddie !

— Je vois quelque chose de pointu. Une vitre brisée !

Ils s'amusaient bien, jusqu'à ce que Michael, quatre ans, s'exclame :

— Je vois quelque chose de mort!

Ils se retournèrent et virent les cadavres boursouflés d'un couple de pit-bulls attachés à un arbre qui s'était écroulé sur une maison adjacente.

— Beurk, dit Sammy, se détournant d'un air dégoûté.

De l'autre côté de la rue, un homme d'une quarantaine d'années était perché sur une échelle et peignait des lettres sur un morceau de contreplaqué cloué à sa fenêtre :

— Je vois quelqu'un qui peint! cria Sammy avant de lire à haute voix le message que l'homme avait accroché à sa maison : "Merci au Chef Lawson et à la police de Gretna, que Dieu vous bénisse".

— Qu'est-ce que ça veut dire? demanda Sammy alors que Jennifer s'engageait sur la voie express jouxtant la propriété de l'homme.

La rampe d'accès les fit déboucher sur la travée déserte du Crescent City Connection en aval de la rivière, là où il enjambe le Mississippi en direction de La Nouvelle-Orléans. N'importe quel autre jour, cent quatre-vingts mille véhicules auraient roulé avec eux, mais aujourd'hui seule une mouette solitaire planait le long du pont, sassant le silence de ses battements d'ailes imperceptibles. Tandis que voiture et oiseau traversaient ensemble le poste de péage, un coup de feu retentit sur la travée jumelle à gauche. Jennifer et les garçons se tournèrent à temps pour voir une ligne bleue s'élancer, la mouette plonger à l'abri, et des gens s'éparpiller en une pluie de confettis noirs vers la sécurité relative de la ville inondée.

Le pouls de Jennifer s'emballa. Ses mains agrippèrent le volant. Merde, pensa-t-elle. Elle n'avait pas considéré le fait qu'elle devrait rouler jusqu'à La Nouvelle-Orléans afin d'effectuer le demi-tour qui l'amènerait sur la partie isolée du pont où s'étaient rassemblés les évacués affamés. Malgré toute sa bravade, elle n'était plus si sûre de sa réaction impulsive. Soudain elle n'avait plus envie de sillonner une ville inondée avec ses enfants, n'avait plus envie de se trouver à un endroit où retentissaient des coups de feu.

Elle prit la première sortie sur Camp Street, puis une série de virages à gauche. Elle était si concentrée sur son projet de faire marche arrière qu'elle ne leva pas la tête en bifurquant de Julia Street à Loyola Avenue, et donc ne prêta pas attention aux soldats de la Garde nationale qui contournaient le Superdome à deux rues de là, portant une forme enveloppée dans un drap. Pas plus qu'elle ne remarqua les prisonniers qui embarquaient dans un bus près de la gare Amtrak, les pas alourdis par les chaînes à leurs chevilles, lorsqu'elle quitta Loyola pour s'engager sur Calliope Street. Non, Jennifer était à l'affût de panneaux indiquant "US-90 BR W" ou "PONTCHARTRAIN EXPY" et en trois kilomètres à peine, elle avait fait demi-tour et rejoint l'autoroute pour Gretna. Là, elle fit la queue avec des fonctionnaires de la ville sur le départ et les dirigeants militaires qui avaient été dispensés de passer la nuit à La Nouvelle-Orléans, ainsi qu'une poignée de survivants chanceux ayant mis la main sur un véhicule. Les policiers n'arrêtaient pas la circulation motorisée, dont ils se disaient qu'elle poursuivrait sa route par-delà Gretna une fois le pont franchi ; ils arrêtaient seulement les piétons : ceux qui n'auraient d'autre option que de se rassembler dans leur ville s'ils atteignaient l'autre côté.

Des personnes se trouvaient encore sur le pont, mais la plupart des réfugiés avaient entamé une retraite frénétique et contrariée vers La Nouvelle-Orléans après s'être fait tirer dessus par la police. Quelques-uns, des jeunes hommes pour la plupart, se déversèrent sur les voies et encerclèrent les voitures, cognant aux vitres des conducteurs en une supplication hargneuse, s'agrippant aux portières dans l'espoir qu'on les laisse monter. Un groupe de réfugiés véhéments, limités en nombre mais qui refusaient de se laisser impressionner, s'étaient approprié le terre-plein de la voie express Pontchartrain, entre les sorties O'Keefe et Tchoupitoulas, où ils avaient entrepris de construire un campement de fortune. Blottis les uns contre les autres sous une bâche, ils faisaient signe aux passants – certains appelaient à l'aide, d'autres chantaient le gospel, tous cherchaient à attirer l'attention sur leur sort.

Jennifer garda les yeux rivés sur la route et accéléra, résolue à rentrer chez elle. Elle se sentait ridicule. Cette mêlée n'avait rien à voir avec le cortège d'âmes reconnaissantes auxquelles elle s'était vue distribuer de la nourriture.

— Maman, regarde ! Des campeurs ! cria Michael en pointant du doigt le campement sommaire.

Sanglé dans le siège-auto derrière Jennifer, au plus près de la foule, Sammy ne pouvait atteindre le bouton d'ouverture automatique des fenêtres avec la main, alors il utilisa son orteil pour baisser la vitre, permettant ainsi aux deux garçons d'agiter le bras en criant "Salut !" à la foule.

— Arrêtez tout de suite ! cria Jennifer. Tenez-vous droit dans vos sièges et ne les regardez pas !

Son ton inhabituel les prit par surprise :

— Pourquoi ? demanda Michael. Pourquoi est-ce qu'on ne peut pas les regarder ? Regarde, ils viennent nous dire bonjour !

Elle appuya sur les boutons réservés au conducteur pour refermer la vitre arrière et se mit à bégayer :

— Parce que je ne veux pas... Ce n'est pas très...

Voyant sa vitre remonter, Sammy appuya un orteil sur le bouton et insista pour la baisser de nouveau. Coincée, réalisant ce qu'était en train de faire son fils, Jennifer passa le bras entre son propre siège et la portière de Sammy pour lui pincer la cheville en hurlant :

— Sammy, arrête ça ! (D'une tape, elle écarta son pied du bouton et remonta elle-même la vitre.) Laissez les fenêtres fermées, cria-t-elle, et ne regardez pas les gens parce que... parce que... parce qu'on ne dévisage pas les gens !

Elle manœuvra lentement la voiture, évitant les piétons agglutinés. Tandis qu'ils approchaient du pont, Sammy se tut et fixa le dos de sa mère d'un regard furieux, mais Michael continua de jeter des coups d'œil dehors :

— Sammy, réclama-t-il en tendant le bras pour saisir la main de son frère, les yeux pleins d'appréhension rivés à la fenêtre, Sammy, pourquoi est-ce que tout le monde ici est différent de nous ?

Il aurait aussi bien pu donner un coup de pied à sa mère, vu la manière dont la question explosa dans sa poitrine, vérité tangible sortie de la bouche de son enfant. Elle appuya sur l'accélérateur, cherchant désespérément à éviter la foule, mue par la crainte de la ville inondée, des coups de feu et de l'échauffourée, mais aussi gagnée par un malaise plus grand, celui d'un rapport de forces inversé. Elle n'avait jamais été une minorité dans une pièce, encore moins dans une ville, encore moins dans une foule. Facile de s'autodéclarer défenseur des droits civils quand on n'est pas entouré de gens noirs, énervés, remontés et revendicatifs. Facile de fourrer des biscuits et du papier toilette dans un sac sur la banquette arrière, beaucoup moins de baisser la vitre pour les distribuer à des inconnus.

Michael trépigna, effleurant le sac :

— Qu'est-ce qu'on va faire de la nourriture qu'on a apportée pour la partager avec les gens qui ont faim ?

Prise au dépourvu, Jennifer s'empressa de répondre :

— Personne ne semble en avoir besoin. (Elle jeta un coup d'œil par-dessus son épaule pour regarder le petit garçon, et étoffa son mensonge.)

Personne n'a l'air d'avoir très faim. En plus, ils sont tous en train de marcher. Il n'y a nulle part où s'asseoir pour manger.

Michael, toujours attentif, pondéra ses paroles. Il ne la croyait pas et ne daigna même pas le lui faire remarquer. Il se contenta d'exprimer sa déception en boudant dans sa direction; même après s'être retournée, elle pouvait le sentir qui la jugeait, et cette sensation de vulnérabilité mesquine la rendit à la fois docile et honteuse.

Elle accéléra encore.

Elle aurait franchi le pont. Elle aurait ignoré les cartes de visite encore emballées dans la boîte à gants pendant des semaines, voire des mois. Dans un futur proche, elle n'aurait pas marqué de pause tandis qu'elle bondissait de bidon en bidon pour franchir un fossé et récupérer un bateau, car la rue aurait été déserte, nulle voiture inconnue garée sur le bas-côté. Et elle n'aurait pas eu de quoi être fière si les voitures ne s'étaient brusquement immobilisées devant le mur de policiers au pied du pont quand un homme noir plutôt âgé tira le frein à main de sa LeSabre et se précipita dehors.

— Ce n'est pas bien, ce que vous faites! cria-t-il, agitant furieusement le poing en direction des flics. (Malgré sa peau fripée, son dos voûté, il ne recula pas quand deux policiers couverts de taches de rousseur foncèrent sur lui.) Ce n'est pas bien, ce que vous faites! Pas bien, j'vous dis! C'est n'importe quoi! (Sans un mot, ils lui glissèrent chacun une main sous l'aisselle et le ramenèrent à sa voiture.) Ces gens font rien d'autre qu'essayer de traverser le pont pour trouver un moyen d'aller au Texas!

Quand les flics fermèrent la portière, le piégeant à l'intérieur, il tendit le bras en arrière et ouvrit l'autre portière sur une banquette vide:

— Venez donc, vous tous, dit-il, apostrophant la foule: J'vais vous emmener, moi!

Un policier claqua la portière, faisant signe à l'homme de déguerpir, tandis que l'autre levait la main en l'air, un geste de mise en demeure censé arrêter le flot d'évacués enthousiastes qui s'empressaient d'accepter la proposition du conducteur.

Jennifer agrippa sa propre portière. Tolérer l'ire de ses enfants, passer sans ralentir devant une injustice, c'était une chose, mais regarder sans rien faire tandis qu'un vieillard rassemblait le courage qu'elle-même n'avait pas eu en était une autre. Elle bondit hors de la voiture:

— Messieurs les policiers, les interpella-t-elle d'un ton amical, retrouvant son assurance en présence d'hommes blancs, les abordant en alliée dans un océan d'inconnus.

Elle avait toujours fait confiance aux policiers et, en dehors de cet après-midi mémorable au centre hydraulique, elle n'avait jamais eu de mal à rallier les hommes à son point de vue. Elle leur lança un sourire charmeur, lèvres roses et charnues. Ce malentendu pouvait certainement être dissipé.

— Messieurs, répéta-t-elle en se frayant un chemin jusqu'à eux. Allons, ce ne sont que des gens qui traversent un pont. Pourquoi ne pas les laisser passer ?

— Madame, tout ça ne vous regarde pas. Je vous invite à remonter dans votre voiture.

La LeSabre n'avait pas bougé. Les voitures s'accumulaient derrière les deux véhicules immobilisés, et la foule continuait de se presser en avant, en dépit des policiers qui leur criaient de s'arrêter. Alors les policiers réagirent. Celui qui se trouvait à côté de la LeSabre ouvrit brutalement la portière côté conducteur, enclencha l'embrayage et hurla "Dégagez d'ici" tandis qu'un autre attrapait Jennifer par le haut du bras et l'escortait jusqu'à sa voiture.

— Ne me touchez pas ! se défendit Jennifer. Je ne suis pas sur une propriété privée. Je ne fais rien de mal. Vous n'avez pas le droit de…

— Écoutez, dit le policier, je devine à votre accent que vous n'êtes pas du coin. Alors je ne sais pas comment ils gèrent les problèmes là d'où vous venez, mais ici on fait ce qu'il faut pour protéger nos citoyens.

Chez Jennifer, l'intégrité morale l'emportait toujours sur l'embarras personnel. Si dans la voiture la peur avait dominé, dès que Jennifer en sortit, tout devint possible. Désignant d'un geste de la tête la foule derrière elle, elle demanda :

— Vous appelez ça "Protéger vos citoyens" ?

— Ce ne sont pas nos citoyens, répondit-il en la poussant en avant. Nos citoyens habitent de l'autre côté de ce pont. Ce sont des gens comme vous et moi.

Elle plaqua une main contre sa portière, empêchant le policier de l'ouvrir :

— Ça veut dire quoi, ça, exactement ?

— Ça veut dire que cette foule est hostile et menaçante, et que vous allez partir d'ici et nous laisser faire notre boulot.

Ils étaient face à face – elle, une main sur la portière, lui, une main sur son bras. Elle détacha son regard du sien pour jeter un œil sur la populace amassée – plus de bébés que de manifestants courroucés ; une grande majorité de personnes âgées ; plus de femmes que d'hommes, personne de visiblement armé, à moins que ne comptent les cannes. Elle hocha lentement la tête, un geste d'acquiescement exagéré.

— C'est ça que vous appelez "menaçant" ? Un groupe de gens déshydratés, affamés et épuisés ? (Elle se tint tout près de lui et chuchota :) Si c'est le cas, je pense que ce dont vous avez vraiment besoin, c'est de nouveaux policiers.

Il se figea sur place ; seule l'extrémité inférieure de sa mâchoire bougeait d'avant en arrière tandis qu'il serrait les dents, les relâchait, les serrait à nouveau.

— Montez dans la voiture.

Elle tint bon :

— Mais j'ai apporté de la nourriture à distribuer. Ne me dites pas qu'il s'agit d'un délit ?

La mâchoire bougea d'avant en arrière. Puis un sourire mauvais :

— Absolument pas. Nous serons ravis de vous débarrasser de la nourriture. Mes hommes n'ont rien mangé de la journée. Maintenant, montez dans votre voiture.

Elle aurait peut-être insisté, indifférente aux hurlements des klaxons tandis que les conducteurs derrière elle l'imploraient de bouger, mais soudain Sammy s'exclama "Maman !", et elle se rappela ses enfants. "Maman !", cria-t-il une nouvelle fois, et le policier relâcha son bras, la bataille gagnée, l'appel d'un enfant étant plus efficace que n'importe quelle arme de son arsenal.

— Michael a fait une bêtise, annonça Sammy trois fois d'affilée, couvrant le bruit du moteur tandis qu'ils filaient sur le pont – en bon aîné, il cherchait toujours à briller aux dépens de son frère.

Elle les observa dans le rétroviseur. Ses enfants étaient sains et saufs. Ils pouvaient momentanément se passer de son attention. Elle essuya la sueur de son visage, les larmes, aussi. Respira tel un animal traqué, inspiration rapide, expiration longue et forcée. Adam allait la tuer. Il allait vraiment la tuer. Et il aurait raison ! Tout ça, toutes ces personnes en danger, son caractère débile qui s'était emballé – bon Dieu, ses enfants auraient pu se faire tirer dessus! – pour accomplir... quoi? Rien. Pas la plus petite chose! Je ne peux pas habiter ici, pensa-t-elle avec désespoir. Je ne peux pas habiter ici! Je ne peux pas élever mes enfants dans un endroit pareil!

— Maman, l'implora de nouveau Sammy. Michael a fait une bêtise.

— Ça suffit Sammy! s'agaça Jennifer. (Elle ajusta le rétroviseur pour le regarder.) Tu as mal? Michael t'a fait mal? (Sammy secoua la tête, non.) Alors ce qu'il a fait ne te regarde pas. Arrête de rapporter!

Quand elle remit le rétroviseur en place, elle aperçut le reflet de Michael. Il affichait un large sourire. Il avait fait une bêtise.

Putain de merde.

— Michael, tu as fait une bêtise?

Il réfléchit à la question de sa mère, puis il secoua la tête de gauche à droite de manière parfaitement délibérée: non.

— Si, il en a fait une! insista Sammy, mais Jennifer leva vivement la main, signe qu'il fallait se taire.

Elle essayait de rester concentrée sur la route tout en observant Michael dans le rétroviseur.

— Tu es sûr que tu n'as pas fait de bêtise?

Il croisa les bras, hocha promptement la tête, une seule fois, et répondit:

— Je suis sûr que je n'ai pas fait de bêtise.

Jennifer scruta son reflet indomptable une dernière fois, dubitative, avant de laisser tomber. Elle avait d'autres chats à fouetter. Elle allait contacter l'Union pour les droits civiques, voilà ce qu'elle allait faire. Ce pont appartenait à l'État, bon Dieu! Comment pouvaient-ils se permettre d'empêcher les citoyens de l'État – dont les impôts avaient construit ce foutu pont! – de le traverser? Connards de racistes! Quant au policier qui avait agrippé son bras, elle avait mémorisé son numéro de badge; elle le dénoncerait.

— Je sais que j'ai fait quelque chose de bien, précisa Michael.

Tout était dans la formulation. Ne niant plus la bêtise, mais admettant que quelque chose avait bien eu lieu. Elle inclina de nouveau le rétroviseur dans sa direction et, regardant dedans, demanda:

— Qu'est-ce que tu as fait de si bien?

— J'ai fait une gentillesse.

Cette phrase si touchante! Ça la fit sourire et elle se détendit, enfin:

— À qui as-tu fait une gentillesse? demanda-t-elle en pivotant sur son siège, bras tendu pour lui caresser le genou, quel bon garçon.

Il désigna fièrement le plancher sous ses pieds.

— À elle !

Un filet de bulles s'échappa du fusil à pompe quand Jennifer l'immergea dans la baignoire à moitié remplie de l'eau propre qu'elle rationnait depuis deux semaines et demie.

— Je vais vous attraper, menaça-t-elle, et les garçons pressèrent leurs corps nus contre l'arrière de ses jambes, tapant des pieds et poussant des cris enchantés.

— Moi d'abord ! Moi d'abord ! Sammy se hissa sur le comptoir de la salle de bains et grimpa dans le lavabo, où elle l'arrosa de jets précis et chatouilleurs avec l'énorme pistolet à eau.

— C'est rigolo, ça les lave, et ça permet d'économiser l'eau, expliqua Jennifer à Rose, qui laissa la famille à son rituel de bain du soir improvisé et descendit au rez-de-chaussée pour balayer la cuisine, espérant remercier Jennifer de son hospitalité en lui donnant un coup de main.

Elle lava les couverts avec de l'eau en bouteille et se servit d'un chiffon humide pour essuyer les traces du dîner sur le comptoir, dessinant des cercles autour du plan que Jennifer lui avait griffonné au dos du formulaire d'inscription scolaire en retard et de plus en plus hors de propos : des indications pour traverser le Crescent City Connection et rejoindre la I-10 West, puis la I-49 North jusqu'à MacArthur Drive, où, juste derrière un restaurant Popeye, se tenait une maison violette aux finitions cyan, à Alexandria. La maison où Jennifer avait déposé Rosy treize jours auparavant. La maison de la tante.

— Je vous y conduirai demain, si ça vous dit, avait déclaré Jennifer, une proposition dont Mac s'était fait l'écho quand Rose l'avait appelé pour lui dire où elle comptait passer la nuit.

Mais non, leur avait-elle répondu à tous deux. C'était à elle seule que revenait cette tâche.

Ni Mac ni Jennifer ne s'étaient résignés facilement.

— Je sais que vous avez déjà fait ça trois fois aujourd'hui, avait remarqué Jennifer, mais vous n'avez pas encore eu à le dire à quelqu'un qui l'aimait. La réaction de la tante sera différente, plus intense.

— Je m'en occupe.

— Ce n'est pas à vous de vous en occuper, avait dit Mac. Je pourrais me rendre là-bas, vous y retrouver au matin, prévenir la tante à votre place.

— J'y serai en moitié moins de temps qu'il ne vous en faudra pour conduire jusque là-bas, avait répliqué Rose, tenant bon.

Ils avaient insisté tous les deux. Jennifer avait dit :

— Ce genre de mauvaise nouvelle peut rendre les gens fous, vous savez...

Mac avait dit :

— Quoi qu'elle fasse ou qu'elle dise, il ne faut pas le prendre personnellement...

— Elle va me haïr, avait annoncé Rose, d'abord à Jennifer, puis à Mac. Comment pourrait-elle faire autrement ? Je suis préparée à ce qu'elle me haïsse. Mais c'est à moi d'encaisser cette haine, pas à vous de la subir à ma place.

— C'est ça votre truc, alors ? Vous faites tout toute seule ? lui avait reproché Jennifer en prenant les garçons dans ses bras avant de les porter à l'étage pour leur bain de fortune.

Mac avait simplement raccroché, frustré.

— Têtue comme une mule, cette gamine, avait-il grommelé d'un ton affectueux en reposant le téléphone.

Rose glissa le plan dans sa poche, avec les papiers que Mac lui avait donnés – la page de l'annuaire, la carte de visite, le reçu – avant de se remettre à la tâche, replaçant le carton/garde-manger plein de rations militaires près de la porte d'entrée. En refermant les rabats du carton, elle réaligna les mots CHAMBRE DE MICHAEL de sorte que l'inscription fût à nouveau lisible. La spire ondulante à la queue du R, le ventre rebondi du B lui rappelèrent l'écriture de sa mère, gribouillée en travers d'un carton semblable sur une étagère de la penderie dans sa chambre à Tuscaloosa. Difficile de croire qu'hier encore elle plongeait la main dedans.

Durant son enfance, pendant de nombreuses années, un carton portant l'inscription CHAMBRE DE ROSE lui avait servi de coffre à jouets, posé au pied de son lit, un abri pour son surplus de peluches quand il n'était pas poussé dans un camion lors de leurs déménagements d'un appartement à un autre. Peut-être était-ce la méfiance qui avait motivé l'impulsion première de Rose à ne pas défaire le carton après un énième déménagement

– pour quoi faire, sachant qu'elle devrait sûrement le remplir à nouveau dans un futur proche ? –, mais par la suite, la robuste boîte en carton s'était avérée une constante rassurante dans des circonstances vacillantes, une micro-permanence pour ses possessions chéries dans un macro-environnement changeant, et sa méfiance s'était rapidement muée en sentiment de sécurité. Dans la boîte, ses mandataires molletonnés transitaient sains et saufs – toujours protégés, jamais sans-abri, sous perpétuelle surveillance. Elle la tenait sur ses genoux durant les courts trajets entre deux endroits temporaires ; c'était le dernier article qu'elle emportait de chaque appartement délaissé, et le premier qu'elle installait dans le nouveau. Posée sur un plancher inconnu, les rabats défaits, la boîte se répandait en visages veloutés chéris qui l'aidaient à s'approprier un nouvel espace, qu'elle n'aurait pas à affronter seule. La boîte lui rappelait plus un foyer que ne le ferait jamais un appartement, c'est pourquoi elle s'était délibérément battue avec sa mère le jour où Gertrude avait tenté de le lui arracher des mains.

À la croisée de l'enfance et de l'adolescence, à l'orée des années vulnérables, sa mère et elle s'étaient battues à cause du carton. Alors qu'elle le transportait d'une chambre tout juste vidée à leur voiture pleine à craquer, elle était passée devant sa mère, qui avait glissé sa main entre les rabats cannelés pour le lui arracher en lançant dédaigneusement :

— Ça suffit, Rose. Tu n'as plus besoin de ces trucs-là.

Je la protège, avait pensé Gertrude en attrapant la boîte. Ce n'est plus une enfant.

Pendant qu'elles faisaient les cartons, se frôlant en silence alors qu'elles acheminaient les indispensables, se baissant pour vider une armoire ou débrancher une lampe, Gertrude avait scruté les chevilles de Rose tandis que celle-ci traversait la pièce. Levant les yeux, elle s'était rendu compte que le pantalon acheté pour la rentrée, qui en septembre allait encore à sa fille, flottait maintenant à quelques centimètres du sol. Il lui boudinait les hanches, qui s'arrondissaient. Gertrude l'avait détaillée avec attention. Rose avait pris des formes ! Sa petite fille avait grandi, il lui fallait un soutien-gorge. Du maquillage aussi, bientôt. Un peu de rouge à lèvres ne lui ferait pas de mal ; c'est par là qu'il faudrait commencer. En triant sa propre collection – jetant deux tubes à la poubelle pour chaque tube gardé, se forçant à adopter une attitude positive, un nouveau départ pour un nouvel endroit, en s'intéressant à de nouveaux produits cosmétiques –, Gertrude s'était demandé quelle couleur siérait le mieux à Rose. Quelque chose de frais. Peut-être du gloss. Elle en choisirait un au magasin en achetant son hebdomadaire préféré, elle chiperait aussi un formulaire entre les pages d'un *Seventeen* pour y abonner Rose une fois qu'elles seraient installées à leur nouvelle adresse. Son projet lui avait donné le sentiment d'être moderne, encourageante, une mère attentive. C'est pourquoi elle avait voulu saisir la boîte. Les adolescentes collectionnent les posters, les CD et les bijoux, pas les poupées et les peluches, entre autres gamineries. Si Rose ne commençait pas à se comporter en fille de son âge, elle aurait du mal à s'intégrer, elle serait une paria dans sa nouvelle école, la pire façon de vivre son adolescence. Je la protège, avait pensé Gertrude, un bras tendu pour libérer Rose de ce que représentait la boîte.

Ce n'était pas seulement la manière dont Gertrude avait dit: "Tu n'as plus besoin de ces choses-là", c'était aussi la façon dont elle avait saisi la boîte, sans le moindre de respect. Encore une chose dont elle la dépossédait.

— Elle m'appartient! Rends-la-moi! avait crié Rose en plantant ses ongles dans les flancs lisses du carton tandis qu'elle se débattait pour trouver une prise.

Elle n'avait rien dit quand Gertrude avait pris tous les pantalons de son armoire avant qu'elle ait fini de la vider, déclarant qu'il était temps d'en acheter de nouveaux; elles s'en occuperaient sitôt qu'elles seraient installées. Elle était restée silencieuse quand sa mère avait déposé ses vidéos Disney sur le trottoir pour qu'un passant les récupère, parce qu'il était vrai qu'elle ne les avait pas regardées depuis longtemps. Elle s'était même tue quand, après avoir demandé à sa mère où étaient passés ses élastiques, Gertrude l'avait accusée de stocker les objets comme un écureuil. Devant sa mâchoire serrée, Gertrude avait rajouté que, de toute façon, Rose était plus jolie les cheveux lâchés, ça n'avait donc pas de sens d'avoir plus de deux élastiques.

Mais trop, c'était trop. Rose avait refusé de lâcher le carton.

— Pour l'amour de Dieu, Rose, tu pourrais te disputer avec ton ombre! l'avait réprimandée Gertrude en tirant le carton. Arrête ça tout de suite. Cette vieille boîte défoncée est à peu près aussi utile qu'un cendrier sur une moto, maintenant!

Les doigts de Rose s'étaient incrustés dans les flancs du carton quand elle avait tiré la boîte à elle. Sa mère ne pouvait pas lui prendre ça aussi! Le carton renfermait l'histoire de sa vie : elle avait vécu chaque jour à ses côtés. Il était souple et usé au centre, là où les bras de Rose l'avaient délicatement serré lors de chaque déménagement, à l'endroit où ils l'avaient hissé sur le lit chaque soir. Telle une maison décrépite aux tuiles manquantes, dont le porche fatigué menait à une porte grillagée en lambeaux, son ancienneté imposait le respect parce qu'il avait abrité ses objets les plus précieux : le panda sur lequel elle avait vomi à sept ans, après une réaction à la pénicilline. Titi, souillé par une chute sur le trottoir le jour où Gertrude avait fait tournoyer Rose dans les airs devant le parc d'attractions *Six Flags*, l'extrémité maculée de son aile la preuve tangible d'un bonheur passé. Son lapin borgne, le singe d'Aladin, le siamois velouté qu'on lui avait offert à la seule fête d'anniversaire jamais organisée pour elle.

— Voleuse! avait-elle crié, s'opposant à la traction de sa mère sur la boîte.

Elle avait tiré dessus pour se venger de toutes les fois où Gertrude l'avait arrachée à un endroit, de tous les amis perdus parce que Gertrude l'en avait séparée, de toutes les questions sur son passé restées sans réponse. Elle s'était jetée corps et âme dans la lutte parce que le carton et son contenu représentaient tout ce qu'elle avait, tout ce qu'elle était. Il était à elle! À personne d'autre qu'à elle. Elle seule.

Gertrude avait détaché une main du carton en poussant sa fille à l'épaule :

— Lâche cette boîte!

— Lâche-la, toi! avait crié Rose en écartant la main de Gertrude d'une tape.

Surprise et déstabilisée, Gertrude était tombée en hurlant :

— Tu tiens plus à cette foutue boîte qu'à moi!

— Si mes affaires n'ont pas d'importance à tes yeux, *je* n'ai pas d'importance à tes yeux! avait répliqué Rose, trébuchant en arrière.

Le carton, écartelé entre elles deux, s'était déchiré. Rose avait emporté trois côtés et le fond du carton ; Gertrude avait arraché un rabat et le côté qui y était attaché. La vie de Rose, version peluches, s'était répandue par terre. Rose avait contemplé le désastre, stupéfaite. Elle avait ravalé un soupir, qu'elle avait transformé en question malveillante :

— Alors, satisfaite ?

— Comme une grenouille dans une mare ! avait répondu Gertrude
avant de se relever, de lisser sa jupe et de fulminer jusqu'à la voiture.

— Vous n'auriez pas vu Porcinet ?

Rose sursauta. Une main encore posée sur le carton portant l'inscription
CHAMBRE DE MICHAEL, elle fit volte-face et vit Jennifer debout dans l'entrée
de la cuisine, se balançant nerveusement d'un pied à l'autre.

— Vous n'auriez pas vu Porcinet ? répéta-t-elle. Michael le réclame à
cor et à cri, et je ne le trouve pas à l'étage.

— Ah. Non. Il n'est pas dans la cuisine.

— Il faut absolument que je le retrouve, dit Jennifer en se précipitant
dans le salon avec une fébrilité inhabituelle. (Elle retourna tous les coussins
du canapé, déplaça les livres sur les étagères.) Il ne peut pas dormir sans
Porcinet. Il faut absolument que je… Merde ! (Elle se cogna le tibia contre
le coin de la table basse, se mit à saigner, n'en tint pas compte.) Vous êtes
sûre qu'il n'est pas dans la cuisine ?

— Je pourrais regarder dans les placards.

— Oui, regardez dans les placards. Regardez dans les casseroles dans
les placards ! Et, et, regardez dans la poubelle !

Jennifer se plia en deux, cheveux répandus en flaque sur le sol, pour
vérifier sous les tabourets, comme si c'était là un lieu habituel pour une
peluche. Se redressant, elle regarda Rose avec espoir tandis que cette
dernière refermait la porte du dernier placard. Rien.

— Comment peut-il avoir disparu ? Il est forcément quelque part ! (Elle
balaya la pièce d'un regard paniqué.) Vous êtes bien certaine de ne pas l'avoir
vu ? Il est rose ! Et sa queue est en forme de tire-bouchon. Et l'oreille gauche est
usée jusqu'à la corde, elle n'a plus de duvet, parce qu'il la frotte en suçant son
pouce. Il ne sait pas se calmer autrement, et s'il ne se calme pas, il n'arrive pas
à dormir, alors il va rester allongé là tout seul, les yeux grands ouverts, anxieux.

Rose écouta d'une oreille indulgente tandis que Jennifer lui expliquait
à quoi ressemblait un cochon, puis elle posa une main sur son épaule, pour
la calmer :

— Écoutez Jennifer, écoutez. Je n'entends personne pleurer. Michael
a l'air d'aller bien pour l'instant. Et je vais vous aider. Tout va bien se

passer. On va retrouver le cochon. Comme vous le disiez vous-même, il est forcément ici quelque part.

Jennifer inspira profondément et ferma les yeux. Poussa deux autres gros soupirs avant de regarder Rose :

— Vous savez, en tant que parent, on fait des choix arbitraires, on essaye de faire ce qu'on pense être le mieux pour sa famille, mais on est rongé par le doute : comment ça va se passer pour nos enfants ? Je veux que ce déménagement se passe bien pour eux. Je veux que tout se passe bien pour eux. Je veux commencer par trouver Porcinet. (Sur ces paroles, elle eut un timide sourire en coin, reconnaissant son hystérie.) Et je veux leur trouver des amis. Mais nous ne sommes pas familiers avec cette culture, ces traditions. Nous sommes des juifs dans un bastion de catholiques et de baptistes, nous n'avons pas le bon accent, nous ne connaissons personne…

Elle se tut un instant :

— Je n'avais pas réalisé que tout serait si… différent. Je n'avais pas réalisé que *nous* serions si différents. Je suis pétrifiée à l'idée que mes enfants soient ostracisés – qui va jouer avec eux ? Qui va échanger ses desserts avec eux à la cantine ? (Jennifer avait retrouvé son débit frénétique.) Avec tout ce qui s'est passé. (Elle agita la main, allusion à l'autre catastrophe, naturelle, plus étendue.) Ça va vous paraître complètement fou, mais j'ai eu beaucoup moins peur de perdre la maison, la voiture. Toutes ces choses semblent si remplaçables. Mais quand j'ai vu tous ces réfugiés qui marchaient sur le pont, je me suis rendu compte que le pire pour moi, ce serait la solitude. Je pense que s'il le fallait, je pourrais supporter d'être sans abri, mais pas d'être seule. Même cette fille, Rosy… elle ne cherchait pas un abri, elle cherchait des compagnons.

Sa voix se brisa, elle plaqua une main sur ses yeux. Quand elle les rouvrit, ils brillaient de larmes retenues :

— Je suis désolée, je suis sur les nerfs, je dis n'importe quoi. (Elle essaya de détendre l'atmosphère.) Ma peur de perdre un animal en peluche s'est transformée en peur de me retrouver sans abri. Clairement, tout ce stress a fini par m'atteindre.

— Ne vous inquiétez pas, la rassura Rose. Mais commençons par le plus facile. Récupérer le cochon. Ensuite, on s'attaquera au problème de l'abri, plaisanta-t-elle en souriant.

Jennifer lui sourit en retour :

— Merci.

Ensemble, elles se mirent à fouiller derrière et à l'intérieur des cartons dans l'entrée.

— Je crois que la moitié de mes problèmes tiennent au fait que je n'arrive pas à dormir, dit Jennifer. Je n'arrive pas à m'arrêter de penser. Et avec tout ce qui est arrivé, vous savez, je reste éveillée la nuit, je tourne sans réussir à trouver le sommeil, et devinez à quoi je pense ? Au premier jour d'école de mes enfants. Comble de l'ironie, les écoles sont fermées ! Mais je ne veux pas qu'on se moque d'eux. Je ne veux pas qu'ils se sentent seuls, qu'ils soient solitaires. C'est *ça* qui m'obsède au milieu de la nuit, alors j'essaye de trouver une solution pour limiter ce risque. (Elle poussa une pile de cartons soigneusement fouillés sur le côté afin d'atteindre la prochaine.) Vous avez dit que vous aviez souvent déménagé, pas vrai ? C'était comment, pour vous ?

L'esprit de Rose revint immédiatement à ce souvenir où elle abritait ses peluches dans ce qui restait du carton déchiré alors qu'elles roulaient en direction de… quoi ? Leur quatrième ou cinquième appartement ? Gertrude n'avait pas prononcé un seul mot lorsqu'elles avaient défait les cartons, et elle s'était couchée à la même heure que d'habitude. Le lendemain matin, elle s'était levée à 6 heures, comme toujours, pour partir travailler comme si de rien n'était :

— Ma mère était une femme plutôt stoïque, répondit Rose. Elle et vous, c'est le jour et la nuit. Difficile de l'imaginer en train de s'inquiéter comme vous le faites. Elle disait souvent : "Adapte-toi. Fais avec. Arrête de te plaindre. Il y a des gens beaucoup moins bien lotis que toi." Point final. Ma vie aurait été bien différente si ma mère s'était autant souciée de nos déménagements que vous. Je doute qu'elle se soit jamais arrêtée pour se demander comment tout ça m'affectait, moi.

Jennifer repoussa un autre carton sur le côté et regarda Rose un instant, sans rien dire :

— Oh, ça, c'est difficile à croire, déclara-t-elle enfin. Je parie que vous n'avez pas la moindre idée de ce qui se passait vraiment dans sa tête. Ou dans son cœur, d'ailleurs. Croyez-moi quand je vous dis : parfois, la meilleure chose qu'une mère puisse faire pour son enfant, c'est lui cacher ses véritables sentiments.

❧

GERTRUDE ne dormait jamais après un déménagement. Elle se couchait à l'heure habituelle, bien décidée à maintenir sa routine, son vernis de "tout va bien". Mais elle restait éveillée, à écouter ce qui se passait de l'autre côté de la porte pendant que Rose s'affairait pour installer leur nouveau nid. Le matelas de Rose grinçait, et Gertrude savait toujours quand elle se mettait au lit – le rythme des *cric cric* lui permettait de déterminer à quel moment sa fille cessait de s'agiter, à quel moment elle s'endormait. Par mesure de sécurité, elle attendait une demi-heure supplémentaire avant d'entrouvrir sa porte et de rejoindre son lit à pas feutrés, aussi furtive qu'un félin. Elle pouvait rester assise là des heures, à regarder sa fille dormir, ronronnant presque. Ce qu'elle aimait par-dessus tout, c'était écouter la respiration de Rose – si calme, si sereine – et c'était seulement la nuit qu'elle pouvait librement lui toucher les cheveux, les lisser sur la taie d'oreiller, s'émerveillant des nuances révélées par l'éclat de la veilleuse. Jaune, sous un angle, doré, sous un autre. Plus elle s'approchait, plus la masse de cheveux lui apparaissait crémeuse, du chocolat blanc, quand elle se penchait pour respirer l'odeur de sa fille endormie. De jour, Rose sentait ce qu'elle avait mangé en dernier, ou la sueur, ou les gommes, ou le parfum de sa maîtresse, mais lorsqu'elle dormait, Rose exhalait une odeur qui lui était propre, inchangée depuis la première nuit de sa vie, ventre tiède d'un chiot, piquante et terreuse. Gertrude aurait tant aimé la prendre dans ses bras, contre sa poitrine, là où l'odeur de sa fille flotterait jusqu'à elle, comme quand Rose était dans le porte-bébé et que Gertrude pouvait, si elle restait parfaitement immobile, yeux fermés, oreilles bouchées, respirer le parfum d'une vie nouvelle et imaginer, durant de longues minutes, que tout était bien.

Mais elle n'en faisait rien. Elle ne pouvait s'accorder le luxe de câlineries ostentatoires, parce que ce n'était pas bon pour Rose. Le monde : sans pitié. Les enfants : cruels. Et ce passé qui finissait toujours par vous rattraper. Seuls les indépendants, les forts, s'en sortaient indemnes : une leçon difficilement apprise, qu'elle ne pouvait gaspiller pour le simple plaisir de satisfaire une vile pulsion maternelle. Alors elle se laissait aller en douce, penchée au-dessus d'un matelas, visage pressé contre l'oreiller des cheveux de sa fille, sans encombrer Rose d'un surplus d'affection diurne parce que cela ne ferait que la rendre plus faible, plus vulnérable. Il faut que je la protège, de moi-même comme des autres, pensait Gertrude, dosant chacune de ses caresses prodiguées du bout des doigts sur les cheveux de sa fille afin de ne pas effleurer malencontreusement sa joue et risquer de la réveiller.

À côté de cette joue, suffisamment près pour pouvoir être détectée d'un geste ensommeillé de la main, reposait une maman panda, son ourson accroché à la patte. Gertrude avait offert les ours à Rose la veille de leur premier déménagement, après avoir passé la moitié de la nuit précédente à personnaliser le duo à la lumière d'une lampe. Elle avait beaucoup réfléchi à la couleur du fil avec lequel elle avait brodé le chemisier de la maman – un mauve rosé qui seyait à une jeune fille sans pour autant rappeler le rose Barbie Malibu que Rose abhorrait. Avec des points précis et délicats, elle avait cousu le proverbe "Où se trouve le cœur, là est la maison" au-dessus d'une paire de cœurs surplombant un cottage.

Élevée sans mère, et malgré un père exceptionnellement attentif, Gertrude s'était toujours sentie un peu à la dérive, vaguement sans-abri, comme si seule une mère pouvait créer un sentiment d'appartenance. Grandir dans un foyer où elle ne manquait de rien n'avait pas suffi à combler le vide qu'elle ressentait. Il n'y avait jamais suffisamment de chaises occupées à la table, nulle main pour se poser tendrement sur son front fiévreux, pas de coussins décoratifs sur les lits pour signifier : "Tu es exceptionnelle à mes yeux." Confrontée à un énième plateau télé, à son premier tampon ou à une robe de mariée qu'elle ne pouvait fermer sans assistance, Gertude envoyait une prière tacite : Je donnerais tout ce que j'ai pour une journée avec ma mère. S'imaginant que sa seule présence suffisait à satisfaire le besoin de stabilité de sa fille, elle les trimballait sans remords, d'une résidence temporaire à une autre. Elle savait que la situation n'était pas idéale, mais elle savait aussi que la situation aurait pu être pire, et les facultés d'adaptation de Rose lui donnaient raison. Elles étaient ensemble, voilà tout ce qui comptait.

"Où se trouve le cœur, là est la maison", affirmait l'ours à Rose jour après jour, se faisant le porte-parole d'une vérité chère à Gertrude. Elle ne manquait jamais de rapprocher la petite famille du corps de Rose avant de conclure leur communion nocturne. "Mon cœur, c'est toi, chuchotait-elle à sa fille, et je ne t'abandonnerai jamais." Puis elle retournait furtivement à sa chambre pour y dormir seule, pour se lever à 6 heures, pour maintenir leur

243

routine quotidienne et les déraciner au pied levé si cela s'avérait nécessaire pour protéger sa fille, pour garder leur secret.

Il avait failli être révélé une première fois le jour où Rose avait giflé un camarade de classe, obligeant Gertrude à quitter son travail à midi pour rencontrer le proviseur dans son bureau :

— Je n'approuve pas la violence, entendez bien, avait dit Gertrude pour défendre sa fille, mais ce sont des choses qui arrivent entre enfants. Elle s'est excusée. Ça ne se reproduira plus.

— Tout ça, c'est très bien, avait répondu le proviseur en tapotant la main de Gertrude comme s'il s'agissait de la tête d'un chiot, en geste d'apaisement. Mais le cas de Rose est un peu spécial. Ça fait un moment que je vis dans le coin, et je connais le passé de la ville sur le bout des doigts. Je reconnais votre nom de famille. Je me souviens de cette histoire. Rose est la fille de Roger, n'est-ce pas ?

Cela faisait près de six ans que personne ne l'avait associée à lui :

— C'est bien ce qu'il me semblait, avait poursuivi le proviseur. (Gertrude n'avait rien répondu, mais son visage cramoisi et sa gorge nouée avaient été instantanément révélateurs.) Compte tenu de ses tendances, je pense qu'on devrait être particulièrement vigilants quant aux comportements symptomatiques – dépression, agressivité – chez votre fille.

Gertrude s'était levée si vite qu'elle avait renversé sa chaise. Son sac serré dans ses mains crispées contre sa poitrine, articulations blanchies, elle avait marqué une pause, comme pour dire quelque chose, avant de faire volte-face et de sortir du bureau en silence. C'est toute aussi muette qu'elle avait pénétré dans la classe de maternelle et saisi Rose par la main pour l'entraîner hors du bâtiment. Deux jours après, elles étaient installées dans un autre appartement dans une autre circonscription, aussi loin que possible de l'ancienne école tout en restant à une distance raisonnable du Kinko's où travaillait Gertrude.

C'était arrivé une nouvelle fois deux ans plus tard.

Cédant à la pression qui grandissait avec chaque nouvel anniversaire, Gertrude avait accepté d'organiser une fête pour les huit ans de Rose. Elles avaient passé la matinée à décorer la maison ensemble : Gertrude avait gonflé des douzaines de ballons, et Rose les avait frénétiquement frottés contre son crâne jusqu'à ce que ses cheveux se dressent sur sa tête et que les murs s'animent de ballons multicolores collés par l'électricité statique.

Elles avaient découpé une génoise en forme de grosse fleur et préparé des cupcakes glacés d'un motif abeille. Elles avaient accroché des banderoles d'un bout à l'autre de la pièce, jusqu'à ce que le plafond disparaisse, et elles avaient accueilli, ri et festoyé jusqu'à ce que l'une des mères coince Gertrude dans la cuisine et dise :

— Depuis que je suis arrivée, j'ai l'impression de vous avoir déjà vue quelque part, et ça vient de me revenir. Vous ne seriez pas Gertie Chiles, qui s'est mariée avec Roger Aikens ? Je crois me souvenir de vous à…

— Non, avait promptement répondu Gertrude. Je suis née Gertrude Aikens. Je ne me suis jamais mariée. Vous me confondez avec quelqu'un d'autre.

Elle avait attrapé le carton de crème glacée et quitté la cuisine pour servir le dessert à table, encourageant les enfants à le déguster rapidement, puis elle avait poussé leurs invités vers la porte avant même que la dernière cuillerée n'ait été avalée. Elle avait passé le reste de la nuit à chercher des appartements dans le journal – toujours des appartements, même quand elle aurait pu se permettre une maison. Les appartements attiraient les gens de passage, alors que les maisons engendraient les voisinages, et les voisinages engendraient la familiarité.

Il n'y avait plus eu de fêtes après ça, pas de flâneries dans les vestiaires après les cours de natation pour discuter avec d'autres parents, pas de participation aux associations de parents d'élèves. Elle avait enseigné la courtoisie à Rose, bien sûr, d'une manière qui préconisait d'offrir des pralines au facteur à Noël, mais rien de plus engageant que ça, afin qu'elles soient toujours prêtes à disparaître au cas où une affichette annonçant un dîner père-fille soit ramenée de l'école, ou devant toute autre menace imprévue. À Rose, elle mentait : une augmentation de loyer, une envie de raccourcir le trajet du matin, un désir d'être plus proche ou plus loin du parc, du terrain de jeux, du centre commercial, peu importe. Le mensonge et le déracinement au service de la paix, seule vérité qui comptait.

Il faut que je la protège, se répétait Gertrude tandis qu'elles ricochaient d'un endroit à un autre durant les dix-huit années de la vie de sa fille, passant inaperçues ou presque dans un lieu que d'autres considéraient comme la ville la plus hospitalière du Sud.

❧

— REGARDEZ, dit Rose à Jennifer en lui montrant un carton sur lequel était écrit SERVIETTES.

À l'intérieur, lové dans les plis pelucheux du tissu éponge blanc, reposait Porcinet avec un biberon pour poupée et *Le Petit Livre d'instructions de Winnie l'ourson*, d'Alan Alexander Milne.

— Je vous avais dit qu'on finirait par le trouver, déclara-t-elle avec un sourire, tendant Porcinet à Jennifer, qui se leva d'un bond pour se précipiter vers l'escalier.

Rose referma et rangea les cartons qu'elles avaient ouverts à la recherche de Porcinet. Quand elle en souleva un particulièrement lourd, le fond s'affaissa, et elle s'empressa de le poser afin de lisser le scotch sur les rabats. Main pressée contre l'adhésif glissant, un souvenir tactile la ramena à sa propre boîte, consolidée avec du scotch après qu'elle se fut déchirée en deux. Rose ne l'avait jamais plus utilisée comme coffre à jouets, préférant la ranger sur l'étagère de chaque nouvelle armoire ; ainsi, la boîte avait fait office d'album de souvenirs pendant son adolescence. Année après année, Rose y avait déposé des jalons de sa jeunesse : une copie de la liste des meilleurs élèves du lycée, dont elle faisait partie, son diplôme de deuxième cycle, le catalogue de l'exposition sur l'art populaire de l'Alabama. La veille, elle l'avait rouverte avant d'entamer son voyage. À l'aube, tandis que le taxi patientait dehors, elle avait tiré une chaise et, s'y dressant sur la pointe de ses baskets empruntées, elle avait glissé dans la boîte l'ordre de cérémonie de sa mère, l'ajoutant à tous les autres objets dont elle avait jadis été fière mais qu'elle avait dû remiser. Quelque part là-dedans, mêlé aux autres souvenirs, reposait son propre exemplaire usé du *Petit Livre d'instructions de Winnie l'Ourson*, mis de côté quand des lectures plus sophistiquées avaient commencé à occuper ses étagères. Dans l'entrée de Jennifer, Rose prit le mince ouvrage de Milne et lut à haute voix un passage au hasard : "Au début d'une Quête, il est sage de demander à quelqu'un ce que vous cherchez avant de vous mettre à le chercher."

Hier encore, si on lui avait demandé ce qu'elle cherchait, Rose aurait répondu qu'elle cherchait la famille de Rosy, rien de plus. Pourtant, jusqu'ici sa quête l'avait menée à Amanda, à Latonya, à Jennifer et, si elle se montrait honnête, à une version de sa propre mère qu'elle n'avait auparavant jamais pris le temps d'envisager. Plus elle se rapprochait de la famille de Rosy, plus elle se retrouvait confrontée à la sienne. Morte,

Gertrude lui semblait plus vivante. Lovée dans un des fauteuils du salon de Jennifer, Rose repensa à ce qu'elle avait dit sur l'indifférence de Gertrude, ainsi qu'à la réponse de Jennifer, qui n'admettait pas qu'une mère puisse se montrer si insensible.

Une chose ne faisait aucun doute : Gertrude n'avait rien à voir avec Jennifer Goldberg. Jamais elle n'aurait fait courir des bateaux télécommandés sur une mare, ou lavé ses enfants à coups de pistolet à eau. Et elle n'avait certainement jamais mis une maison sens dessus dessous dans le seul but de m'apaiser, se dit Rose. Mais à présent, elle ne pouvait s'empêcher de penser : n'y avait-il pas un juste milieu entre Jennifer, qui se tournait et se retournait dans son lit en s'inquiétant pour ses enfants, et le sommeil impénétrable qu'elle avait toujours prêté à sa mère lors de ces nuits solitaires, quand Gertrude l'abandonnait pour se coucher tôt ?

Rose ferma les yeux et s'enveloppa d'un plaid. Épuisée, elle somnola sans dormir, mais feignit le sommeil quand elle entendit Jennifer descendre l'escalier et s'arrêter dans l'entrée. Elle avait soif de calme, de quelques instants passés loin des questions et des soucis des autres, et elle ressentit un plaisir coupable en écoutant s'éloigner les pas de son hôtesse. L'isolation n'immunisait pas contre le stress, mais elle lui accordait les moments délicieux d'un répit nécessaire.

Le répit !

Elle se redressa d'un coup, en proie à la sensation qui l'avait étreinte quelques jours plus tôt, quand elle avait pleuré devant la porte au matin du 11 septembre et senti que Gertrude avait fait de même, alors que Rose avait été persuadée que sa mère prenait plaisir à l'enfermer dehors les jours d'école. Pour la première fois, elle comprit le besoin qu'avait eu Gertrude de se retirer dans sa chambre après un déménagement, pas nécessairement pour dormir – voire pour ne pas dormir du tout –, mais simplement pour goûter un peu de répit après des heures passées à trimballer des cartons, à les défaire et à s'installer. Une porte fermée était synonyme d'intimité, de paix ! Quelques instants de solitude volée, yeux fermés, pour calmer un mal de tête ou rendre plus tangible l'illusion, fragile, que tout était bien.

Peu à peu, Rose comprit que la véritable faute n'avait pas forcément été le sommeil factice de Gertrude – si c'était bien de sommeil factice qu'il s'agissait –, mais peut-être l'incapacité de Rose, enfant, à y voir autre chose que de l'indifférence. Peut-être que je tiens ma mère pour responsable de choses que je n'ai aucun droit de lui reprocher.

Au matin, elle s'en irait retrouver la tante. Mais à présent elle comprenait que ce qu'elle cherchait vraiment, c'était le pardon de la famille de Rosy, une chose à laquelle elle ne pouvait prétendre tant qu'elle-même refuserait de l'accorder. Elle savait ce qu'elle cherchait, elle connaissait le chemin pour s'y rendre. Maintenant il lui fallait un pont pour la mener à la mission qui l'attendait, à Alexandria.

> *Car je reconnais mes transgressions, et mon péché est constamment devant moi.*

— Je te pardonne, Maman, chuchota Rose dans l'air étouffant de la Louisiane. Je te pardonne de n'avoir pas compris ce dont j'avais le plus besoin. Je te pardonne de ne pas m'avoir sauvée. Et surtout, je te pardonne de n'avoir jamais trouvé le moyen d'être ma Jennifer Goldberg.

13

Rosy

Tu penses vraiment que cette journée pourrait être encore pire ?

Il s'était arrêté. C'est pour ça qu'elle était montée.

Rosy n'avait pas eu le temps – privilège ou malédiction, c'est selon – de réfléchir à son choix, de se le repasser nuit après nuit, lorsqu'elle n'arrivait pas à dormir, modifiant tel ou tel détail qui aurait pu changer le cours des événements : une queue devant la station essence qui l'aurait retardé, donnant à Rosy le temps de monter dans un autre véhicule ; un lacet défait qu'elle se serait baissée pour nouer au moment même où il passait devant elle, le pouce sur sa chaussure au lieu d'être en l'air, si bien qu'il ne l'aurait pas vue ; une autre fille qui aurait fait du stop à un endroit plus proche de son point de départ, une autre fille pour répondre à son sourire juvénile, lui serrer la main, s'asseoir à sa place. Non, elle n'avait pas eu le temps d'étudier tous ces scénarios, parce qu'il lui restait moins de quarante-huit heures agitées avant de mourir. Au lieu de tout cela, rien d'autre que ceci : ses lacets étaient faits, son pouce était levé et, quand il avait ouvert la portière de son camion pour l'inviter à monter, elle l'avait regardé et s'était dit : De toute ma vie, jamais je n'ai vu un homme plus séduisant. Brad Pitt dans *Thelma and Louise* ; voyou sympathique, dents blanches et droites révélées dans un sourire malicieux ; yeux d'un ciel d'azur, baigné de soleil, infini.

Un ciel d'azur, avait-elle pensé. C'est pas trop tôt.

Alors elle était montée.

— Tu ne peux pas aller jusqu'à Tuscaloosa en stop ce soir ! protesta sa tante alors que Rosy se préparait à repartir, quelques heures après que

249

Jennifer l'eut déposée. La nuit va pas tarder à tomber... Et le soir, par ici, y a rien d'autre que les hôpitaux et les bars qui soient encore ouverts. Ces rues-là ne sont pas un lieu sûr pour une fille la nuit!

Rosy referma la bouche sur sa dernière cuillerée de purée et dit:

— C'est pas comme si toutes les routes des États-Unis grouillaient de tueurs en série à la recherche de leur prochaine victime, tu sais. Crois-le ou pas, il y a un tas de gens très bien qui savent conduire. De toute façon, ajouta-t-elle en enveloppant les deux derniers morceaux de pain dans une serviette en papier pour plus tard, tu crois vraiment que cette journée pourrait être encore pire?

— Sans aucun doute, répondit sa tante, vingt ans d'expérience en plus.

Rosy parcourut à pied les trois kilomètres et demi menant à l'autoroute, indifférente au ciel qui s'obscurcissait, aux sifflets occasionnels qui lui étaient adressés depuis la cabine surélevée d'un pick-up ou un porche délabré. Elle balançait énergiquement les bras, le tissu du chemisier trop grand de sa tante ondulant dans le sillage de la brise qu'elle levait tandis qu'elle se hâtait dans les rues. Elle avait d'abord pensé rester un peu, rattraper du sommeil en retard, se reposer avant de repartir. Mais après s'être douchée et avoir mangé, elle s'était sentie rafraîchie. Plus que rafraîchie: possédée. Propulsée vers Tuscaloosa par une alarme interne qui décomptait les heures, égrenait les secondes, la poussait à se lever, à agir vite, de crainte de rater la correspondance. En outre, elle se sentait invincible. Elle avait surmonté la vague de l'ouragan, elle avait flotté dessus, l'avait franchie à la rame, était passée au travers. Le pistolet sur la tempe, la montée des eaux, la matraque brandie, les émissaires de la mort – tous déjoués. Elle s'en était sortie. Un souvenir sinistre remonta des profondeurs, et Rosy revit l'homme sur la glacière, sentit à nouveau sa main se refermer sur son poignet, fendant l'eau pour la faire tomber du toit, la séparer de sa mère qui se noyait, et bien qu'elle le repoussât, comme c'était le cas chaque fois qu'il faisait irruption dans ses pensées, cette fois-ci elle ne le chassa pas complètement. Elle laissa monter la sensation de son corps émergeant de l'eau. De son pied trouvant une prise. La force, la fierté, le soulagement! (Rien au-delà de ça, pas les sensations plus dérangeantes; un peu d'autocensure au service de son autosatisfaction.) Quoi qu'il advienne, elle serait à la hauteur. L'avait déjà été. Le serait à nouveau, pour se sauver elle-même, pour sauver sa mère. Forte de ce savoir, elle pressa le pas. Il fallait qu'elle aille à Tuscaloosa pour libérer sa mère; elle le savait aussi sûrement que si ç'avait été écrit dans une histoire lue il y a longtemps. Elle ne pouvait attendre le lever du jour. Tuscaloosa l'appelait.

L'Insterstate 49 passait à l'ouest d'Alexandria et poursuivait vers le nord, droit sur Shreveport. Alors elle chercha à la quitter rapidement, juste au sud de la ville, au croisement avec l'US 167, là où la route longeait la Red River, direction nord-est, jusqu'à la limite entre le Mississippi et l'Alabama, terre promise. Au mieux, une route de seconde zone, jonchée des déchets de ses usagers – à certains endroits, les gobelets et les mégots l'emportaient sur la végétation –, mais belle aux yeux de Rosy, parce qu'elle pouvait y circuler librement. Pas de barrages routiers, pas de barricades, pas d'obstacles insurmontables. Elle trébucha sur un pneu en marchant à reculons, pouce levé, mais elle ne se laissa pas démonter. Facile à contourner. Parfois elle repliait le bras et se retournait, avançait en jetant quelques coups d'œil par-dessus son épaule. Elle avait des scrupules, après tout: elle ne monterait pas dans la voiture de n'importe qui. Pas de vieux tacot, pas d'homme seul dans un pick-up. Un monospace occupé par une famille serait idéal; un couple dans une berline, très bien; un camionneur, OK.

Elle n'avait jamais oublié le camionneur qui les avait emmenées, Cilla et elle, jusqu'à Disney World huit ans plus tôt. Il avait été la meilleure partie de cette excursion cauchemardesque. Bien qu'elle ait dormi pendant presque tout le trajet, elle avait passé une heure merveilleuse à l'aube, yeux grands ouverts sur l'autoroute de la Floride, durant laquelle il l'avait laissée conduire, klaxonner les passants et manier le poste de CB. "Et si on se levait quelqu'un", avait-il proposé, et elle avait répondu que sa mère l'avait parfaitement bien élevée, merci beaucoup, ce qui avait fait éclater le camionneur de rire. "Avec la radio", avait-il précisé, avant de lui montrer comment utiliser les boutons pour parler et trouver une fréquence libre.

"*Break, break*" avait aboyé Rosy de sa voix enfantine dans le combiné, s'attirant les accusations de "QRPPette" et de "Pomme verte", contre lesquelles son camionneur l'avait défendue, lui enseignant au passage quelques rudiments de l'argot des CiBistes.

"Bien joué, Ace", l'avait-il félicitée quand, lassée de la CB, elle avait raccroché le combiné. Ensuite, ils avaient partagé un coca-cola prélevé dans sa glacière, et il lui avait offert un chewing-gum qu'elle avait continué de mastiquer longtemps après qu'il les eut déposées, le mastiquant jusqu'à ce que le garçon dans la queue à l'entrée de Disney World l'ait bousculée et que le chewing-gum ait été éjecté de sa bouche. "Vous grimpez dans mon bahut quand vous voulez, Ace" lui avait-il lancé en guise d'adieu, et ensuite – en pyjama sur le trottoir, devant les portes d'un parc d'attractions, en compagnie d'une femme qui divaguait, à des centaines de kilomètres de chez elle – tout avait empiré. Tout. Toute sa vie. Parfois, lorsqu'elle lisait un nouveau formulaire d'internement pour sa mère, ou qu'elle nettoyait sur le sol de la salle de bains une nouvelle couche de teinture pour cheveux que Cilla avait appliquée comme une démente, elle se demandait ce qui serait arrivé si le camionneur avait entendu ses cris dans la rue à Orlando, s'était arrêté, lui avait ouvert la portière, l'avait entraînée à l'intérieur. Aurait-elle connu une vie meilleure, à l'abri dans le nid douillet qu'était la cabine de son camion?

Elle entendit le bruit d'un moteur qui se rapprochait, se tourna, leva le pouce. Des freins crissèrent. Dix-huit roues ralentirent sur l'asphalte et se rangèrent sur l'accotement. Rosy baissa le pouce et se précipita vers la portière entrouverte côté passager. Moins de quinze minutes de stop sur l'I-49, et voilà qu'elle se retrouvait dans une version moderne du cocon dont elle rêvait depuis près d'une décennie.

"Vous allez où?", demanda le jeune homme, et quand elle lui répondit, il lui annonça qu'il passait justement par Tuscaloosa, qu'il pouvait la déposer à la porte de sa destination, alors elle s'installa pour le long trajet avec une légèreté inhabituelle, grisée par sa bonne fortune. Le badinage qui suivit connut un début prometteur, bien que salace, quand à la sortie d'Alexandria ils passèrent devant un magasin de pianos et d'orgues dont la publicité proclamait: "Il n'est jamais trop tard pour mettre la main sur un bel instrument". Ils commencèrent à rire et ne s'arrêtèrent plus, échangeant des anecdotes choisies pour entretenir l'ambiance joyeuse. La distraction procurée par la combinaison des mots frivoles et du profil somptueux de son conducteur fit du bien à Rosy et, tandis qu'ils roulaient, elle se pencha de plus en plus vers la gauche, baskets calées à droite, tête reposant contre le siège à un angle qui lui permettait de contempler librement son compagnon. En d'autres circonstances, leur couleur de peau aurait pu les séparer, mais dans l'intimité du camion, leur âge et leur classe les rapprochaient. C'était un authentique gars de la campagne; un garçon du Sud aux cheveux couleur sable, qui avait lancé pour l'équipe de Brother Martin ou de Holy Cross, un garçon pauvre nourri aux sandwichs *po'boy* qui aimait sa maman, avait élevé un chien de chasse ou deux et dont les boîtes de chique avaient imprimé un cercle délavé sur la poche arrière de tous ses jeans. Et ces fossettes ! Ce menton fendu, ces longs cils recourbés... Rien qu'en le regardant, elle se sentait mieux, et lui n'était pas mécontent de l'attention, même s'il y était habitué. Ce genre de beauté là s'attendait à être admiré.

Après deux heures de route, aux abords de Natchez, ils mirent leurs ressources en commun et étalèrent un pique-nique disparate sur le siège entre eux – les biscuits qu'elle avait emportés, quelques frites froides, une barre chocolatée. Il gardait une main sur le volant, le contrôlait parfaitement, tout en portant la nourriture à sa bouche. Elle se surprit à se rapprocher, en équilibre instable, pour mieux voir ses dents étincelantes attaquer la pâte, ses lèvres sensuelles se presser l'une contre l'autre lorsqu'il mâchait, quand – *boom* – une bosse sur la route précipita ses genoux contre le tableau de bord.

— Ca va ? demanda-t-il, tâchant de retenir un sourire amusé, mais elle ne put s'empêcher de pouffer, une crise telle qu'elle s'étouffa sur une cacahuète caramélisée, en proie à une quinte de toux.

Pas de doute, pensa-t-elle, ç'aurait pu être la main de Maya – une tape sur le sommet de son crâne pour la rappeler au bon sens et la réprimander.

"T'es collée à ce garçon comme un cheveu sur un biscuit", l'aurait taquinée Maya. Et comme elle aurait eu raison !

— T'es sûre que ça va ? demandait-il, se moquant de Rosy tandis qu'elle toussait en s'esclaffant.

Elle hocha la tête, oui, oui, entre deux gorgées d'eau, alors il arrêta de lui poser la question, baissa les vitres, alluma la radio, et se mit à chanter sur *I'll Take That as a Yes*, de Phil Vassar. Sa voix n'était pas terrible, mais il chantait avec enthousiasme : le jeu excitant de la séduction, la corvée du dîner, des roses et des bougies menant au plaisir des massages et des jacuzzis de la chanson.

— Chante avec moi ! la défia-t-il, l'encourageant à fredonner quand elle avoua ne pas connaître les paroles, se tournant pour la regarder plus souvent que nécessaire, ce qui lui plut.

Il lui lança un clin d'œil, ainsi que le dictait la chanson, une allusion à des baisers langoureux échangés sur une fourrure, et Rosy se demanda s'il accompagnait simplement le chanteur de country, ou s'il lui faisait une proposition : voulait-elle tenter le coup ?

La cabine vibrait au rythme du banjo et de la basse, ses mains bronzées tambourinaient sur le volant, et chaque quatrième coup de cymbale était marqué d'un coup d'avant-bras musclé à 3 heures. Il gardait le cap tout en se trémoussant sur son siège, le corps entièrement offert à la danse, menant du menton, lèvres retroussées, épaules engagées.

Lorsque retentit le couplet sur les caresses, la promesse d'une nuit sans sommeil, il lança un nouveau clin d'œil à Rosy avant de renverser la tête en arrière, appuyant les paroles du refrain de *oooh* et de grognements rauques. Il laissa aller son genou gauche sur le côté, écarta les cuisses, battit le rythme en contractant les fesses ; elle observa le jeu de ses muscles sous son jean. Oh, le petit effronté, il savait parfaitement jouer de son corps ! Elle se mit à bouger elle aussi, dressée sur les genoux, bras tendus au-dessus de la tête, frappant le toit de ses paumes.

— Ça te plaît ? demanda-t-il.

— Oui, oui, oui ! cria Rosy, bras grand ouverts, tête renversée en arrière, tandis que l'air frais de la nuit faisait onduler ses vêtements.

— Wooee ! s'égosilla-t-il pour l'encourager.

Ils entonnèrent les derniers couplets ensemble, à tue-tête, leurs voix unies pour évoquer des regards et des gestes impliquant un consentement, sans inhibition.

Épuisés, ils échangèrent un regard et éclatèrent de rire quand le rythme se calma. Rosy se laissa aller contre la banquette, tout sourire.

— Toi, t'es plus chaude qu'un bouc dans un carré de poivrons ! remarqua-t-il en lui tendant la main droite, qu'elle attrapa de sa gauche pour la serrer, la tirant vers elle une seconde avant de la relâcher et de pencher la partie supérieure de son corps à la fenêtre.

Fouettée par le vent, yeux fermés, elle se fondit dans l'obscurité et le bruit tandis que défilait la route, toute à la joie de prendre à nouveau du bon temps. Elle resta ainsi jusqu'à ce que la peau de son visage commence à picoter.

De retour dans la cabine, elle le trouva en train de parler dans la CB, demandant s'il y avait des rôdeurs aux abords du parc.

— Nan, répondit la voix à l'autre bout. Terrain dégagé. Profitez-en.

— Roger, dit-il en raccrochant, reportant son attention sur elle. J'ai une sacrée envie de pisser. Ça te dérange si on s'arrête ? J'aurais dû m'arrêter à Natchez, mais on se marrait trop.

— Moi aussi, j'ai envie, avoua-t-elle. Il y a une station essence dans le coin?

— Nan, rien pendant près de cent soixante kilomètres sur cette section de l'autoroute.

Il s'engagea sur une bretelle d'accès le long d'un tronçon déserté de l'ancienne autoroute 84, où les rails s'arrêtaient net dans un champ vide, au sud du Natchez State Park, à l'est de Cranfield, suffisamment loin pour que Rosy ne puisse distinguer les lumières de la ville.

Il coupa le moteur et lui tendit une serviette piochée dans un sac McDonald sur le plancher:

— C'est tout ce que j'ai, s'excusa-t-il en sautant à terre. Reste ici près du camion. Ce sera moins dangereux. Je vais aller dans le champ, histoire de te laisser un peu d'intimité. T'auras qu'à crier quand t'auras fini. Je me retournerai pas avant de t'avoir entendue.

— Merci, dit-elle, puis elle le regarda s'éloigner vers le champ inoccupé d'un pas nonchalant, jambes légèrement arquées, tel un cow-boy habitué à travailler avec le bétail.

Elle parcourut quelques mètres, s'arrêta à l'arrière du camion et s'accroupit près d'un pneu, les yeux rivés sur le dos du garçon, excitée à l'idée de sa main plongeant dans son pantalon tandis qu'il se caressait, doigts enroulés autour de sa bite. Cette pensée l'enflamma, et quand elle s'essuya, elle était chaude et humide. Elle remonta son pantalon, le regarda remonter le sien et marquer une pause, à l'affût de sa voix. Elle l'appela et il revint vers le camion; leurs regards plongèrent l'un dans l'autre, une pause pipi en tandem soudain transformée en un acte sensuel. Il ouvrit la portière côté passager puis, faisant comme si elle cherchait une prise, Rosy recouvrit délibérément sa main de la sienne, lui caressant l'index avec le pouce, et posa le pied gauche sur le marchepied pour monter à bord. En réponse, il pressa sa main libre sous sa cuisse fléchie et laissa sa paume épouser son cul, lui effleurant l'entrejambe du bout des doigts.

Électrique. Cette seule caresse suffit à la rendre à la fois inconsciente et affamée.

Ça faisait plus de deux ans qu'un homme ne l'avait pas touchée là. Deux ans qu'elle avait abandonné le sexe après s'être avilie sous une couverture avec deux joueurs de football, deux ans de sacrifices quotidiens au service de sa réussite scolaire, deux ans d'efforts pour surveiller les humeurs et les médicaments de sa mère tout en pourvoyant à ses propres besoins, deux ans passés à réprimer toutes les pulsions du corps pour canaliser cette énergie vers un avenir meilleur. Alors, quand la main d'un homme qui la conduisait en lieu sûr se glissa sous sa cuisse, elle décida qu'elle avait mérité cette liberté, qu'elle avait gagné le droit d'étancher son désir et, avec un tressaillement, elle se laissa aller dans ses bras.

Ayant déjà traîné ses enfants d'un bout à l'autre du Crescent City Connection une fois ce matin, Jennifer ne voulait pas leur imposer les six heures de trajet aller-retour pour déposer Rosy chez sa tante. Ce qui signifiait qu'elle devait retourner à la station hydraulique avec un service à demander et des explications à fournir. Anticipant une dispute, Jennifer gara la voiture tout au fond du parking. Ça n'empêcherait pas les enfants de les voir, mais au moins ils ne les entendraient pas. Puis elle rentra dans le bâtiment et entraîna son mari jusqu'à l'entrée, loin de ses collègues, pour lui avouer ce qu'elle avait fait et qui était assis dans la voiture.

Depuis le siège passager, s'étant tournée pour les observer à travers la lunette arrière, Rosy observa les interactions du couple sur les marches.

Jennifer prit la main d'Adam et enroula son index autour du petit doigt de son mari, lui donnant une petite saccade conciliatoire avant de prendre la parole.

Il hésita, retira sa main de la sienne, fit un pas en arrière, la défiant. Pivota pour regarder la voiture, se pencha en avant, plissa les yeux pour confirmer ce que disait sa femme, ce qu'elle avait fait. Serra les poings, les agita.

Elle eut un mouvement de recul. Ouvrit la bouche, gesticula en direction de la voiture, paume en avant.

Il croisa les bras, puis les ouvrit en grand.

Elle ferma la bouche, s'immobilisa.

Il montra la voiture du doigt. (Il s'agit de nos enfants!) Agita les mains devant le visage de Jennifer, paumes tournées vers le ciel, balançant les mains, les bras, le corps entier vers le haut… vers le bas… s'approchant d'elle… s'éloignant. L'implorant. À nouveau les poings, il se battit les tempes, s'éloigna d'elle d'un pas chancelant, revint. Bras levés…

Je devrais distraire les enfants, pensa Rosy. Elle avait vu ça maintes fois déjà, dans la rue, dans les couloirs de l'école, dans le *Jerry Springer Show* : les bras qui s'agitaient, signalant le moment où partirait le coup, la gifle, celui où les deux participants s'éloigneraient dans des directions opposées en se couvrant d'insultes.

— Les enfants ! cria-t-elle, espérant les détourner de la scène, mais ils continuèrent à regarder, et quand elle suivit leur regard elle vit une chose à laquelle elle ne s'attendait pas.

Il renversa la tête, baissa les mains pour les passer fermement sur le sommet clairsemé de son crâne. Il regarda la voiture. Il regarda sa femme. Passa un bras autour de ses épaules, l'attira à lui, la serra contre sa poitrine, lui murmura quelque chose à l'oreille, écartant une mèche de son visage. Puis il l'accompagna jusqu'à la voiture.

Plus que toute chose, cela coupa le souffle de Rosy. C'est ça, l'amour, pensa-t-elle. C'était la première fois de sa vie qu'elle en était témoin. Pas de baiser langoureux sous un coucher de soleil, pas de déclarations grandiloquentes sur le tarmac ; rien de plus qu'un homme en colère, à juste titre, purgeant son corps de sa rage, lâchant prise, enlaçant une femme, s'empressant de l'aider.

Jennifer sortit les enfants de la voiture, déposa le lecteur de DVD portable ainsi que quelques disques dans les bras de Sammy. Son mari s'approcha de la fenêtre de Rosy :

— Bonjour, je m'appelle Adam. Vous allez bien ?

— Oui. Mais je m'excuse du dérangement.

— Vous n'êtes pas un dérangement, répondit-il avec sincérité avant de fouiller dans ses poches et de revenir les mains vides. Je suis désolé, j'aimerais vous donner du liquide, mais je n'ai rien sur moi. Tous les distributeurs sont hors service.

Rosy agita les mains et dit :

— Non, vraiment, vous en avez assez fait. Je ne peux pas me permettre de vous demander quoi que ce soit de plus.

— Bon, Jen va vous déposer chez votre tante, et moi je vais vous donner notre nom et notre numéro de téléphone. Nous serons ravis de vous aider, de quelque façon que ce soit.

Il se pencha à la fenêtre, chercha un stylo dans le vide-poches du tableau de bord.

— Jen, cria-t-il. Y a un stylo dans cette voiture ?

— Dans la boîte à gants ! répondit-elle en serrant les enfants dans ses bras.

En ouvrant la boîte à gants, il tomba sur les cartes de visite de Jennifer, toujours emballées :

— Encore mieux, dit-il, déchirant le plastique avec les dents, puis il attrapa la première carte de la pile et la plia dans la main de Rosy. Gardez-la, comme ça vous saurez comment nous joindre. Il ne s'agit pas d'une fausse promesse. Dès que les téléphones marcheront à nouveau, appelez-nous. Dites-nous comment vous allez et où vous êtes. On trouvera un moyen de vous aider.

Elle glissa la carte dans sa poche arrière. Jennifer s'installa dans le siège conducteur ; les garçons enroulèrent chacun un doigt autour des passants de la ceinture d'Adam. Passant un bras devant Rosy, Adam saisit la main de Jennifer :

— Fais attention sur la route, dit-il. Tout ira bien. À ce soir.

— Je t'aime, dit Jennifer, relâchant la main de son mari.

— Je t'aime encore plus, répondit-il.

Puis il salua Rosy d'un hochement de tête, ramassa les garçons, un sous chaque bras, et s'éloigna de la voiture tandis que sa femme appuyait sur l'embrayage.

La dernière chose qu'entendit Rosy, alors qu'elles quittaient le parking, fut l'un des enfants, bras noués autour du cou de son père, qui s'exclamait :

— Moi je t'aime encore plus !

— Non, c'est moi qui t'aime plus ! retentit la réponse enjouée d'Adam.

JE t'aime encore plus, je t'aime encore plus, je t'aime encore plus... Le refrain accompagna Rosy tout au long de la journée. Les roues sur le bitume faisaient écho au rythme des mots, l'air aux fenêtres reprenait leur chœur, la basse de la radio battait la mesure, je t'aime encore plus. Dans le champ tranquille à côté des rails, aux abords de Natchez, les criquets stridulaient en soprano, je t'aime encore plus ; les grenouilles-taureaux coassaient en baryton, je t'aime encore plus.

— Hmm, gémit le jeune camionneur quand Rosy appuya son dos contre son torse et que la musique cessa.

Une de ses mains serrait son cul, l'autre pressait un de ses seins. Tout à coup, ce n'était plus romantique. C'était un inconnu sur un accotement, qui posait ses mains pleines de graisse sur son corps.

— Je suis désolée, dit-elle, retirant un pied de la marche, repoussant ses mains, se tournant pour lui faire face. La journée a été longue, je ne suis pas tout à fait moi-même. On peut y aller ?

— Bien sûr qu'on peut y aller.

Amical, rassurant. Il posa une main puissante sur l'épaule de Rosy, doigts plaqués sur le haut de son dos, comme Adam l'avait fait pour étreindre Jennifer avant de l'accompagner jusqu'à la voiture, et Rosy faillit succomber une nouvelle fois aux yeux d'azur, à la pression de son contact tiède. Ô, s'en remettre à quelqu'un pour la mener jusqu'au bout de cette journée !

— Merci…, commença-t-elle, mais la main du camionneur s'agita.

Sur son visage, rien ne bougea, tous ses traits restèrent figés, tels qu'ils l'étaient un quart de seconde plus tôt, et pourtant, tout changea. Les yeux d'azur s'obscurcirent, virèrent du clair au foncé, plongèrent plus profondément encore, par-delà les abysses. L'esprit de Rosy, qui ne produisait plus que des observations fragmentées, ricocha au-devant de sa peur qui montait, si bien qu'elle le regarda et pensa à la Fosse des Mariannes. Mille kilos de pression par centimètre carré, des colonnes d'eau bouillante, prêtes à exploser. Aussi proche de l'enfer qu'il soit possible d'aller, ces yeux. Et juste en dessous, elle vit une créature à la mâchoire protractile qui nageait dans les profondeurs, dents acérées pour empaler sa proie – son sourire, nimbé de bioluminescence, l'avait attirée dans sa lumière trompeuse. C'est un poisson-vipère, comprit Rosy dans cet étrange instant suspendu. Qu'est-ce qui a bien pu me faire penser qu'il était beau ?

Les ongles du camionneur s'enfoncèrent dans la peau juste en dessous de son aisselle, et la douleur la fit sursauter. Pas encore de véritable peur, juste de la surprise qui flottait à la surface de ses pensées. De la pure surprise, innocente et stupide. Prise ferrée, s'agitant à la première morsure déconcertante de l'hameçon, indifférente à son destin, avalant l'appât qui la conduirait à sa perte. Il plongea sa main libre sous la ceinture de son jean et tira d'un coup sec pour l'attirer contre lui.

— On est pas pressés, lâcha-t-il d'une voix traînante.

— Laisse-moi, dit-elle avant d'essayer de s'éloigner, tirant de toutes ses forces, mais il tint bon.

Où qu'elle tirât, peu importe la force qu'elle y mît, elle ne parvenait pas à se libérer de son étreinte. Il immobilisait la partie supérieure de son corps, ses épaules étaient prisonnières de ses bras musclés.

Il se mit à rire. Piégée, elle calqua son attitude sur la sienne et abandonna toute résistance :

— OK, t'as gagné, dit-elle avec un sourire forcé. J'abandonne ! Maintenant tu arrêtes, s'il te plaît. On remonte dans le camion et on fait comme si rien de tout ça n'était arrivé.

— Pas question, dit-il en resserrant les doigts autour de ses épaules, de la ceinture de son pantalon. Personne voyage gratuitement, ici.

En un éclair, il défit le bouton du jean de Rosy d'un coup de pouce, pivota le poignet, baissa sa propre braguette.

Elle visa les yeux. Elle avait entendu ça quelque part – visez les yeux ! –, mais il l'arrêta à mi-chemin. Plus rapide qu'elle, il changea de position, bloqua les poignets de Rosy d'une main, la poussa en direction du sol. Il appuyait fort pour que ses poignets cèdent, mais au lieu de faire flancher Rosy, la douleur fit remonter un souvenir enfoui. "Défendez-vous ! Prenez votre agresseur par surprise ! Confrontez-le ! N'abandonnez pas !" Elle balança une jambe sur le côté et entraîna le camionneur dans sa chute, le cueillant brutalement à la cheville au moment où ils perdaient l'équilibre. Il projeta une main en avant pour se rattraper, desserrant son étreinte. Elle roula, s'éloigna en donnant des coups de pied, mais il était déjà debout : l'extrémité métallique de sa botte volait vers son visage. Instinctivement, elle leva les bras pour se protéger des coups.

"La victime présente des lésions défensives aux mains et aux avant-bras, déclara le médecin légiste dans le dictaphone posé sur la table en métal froid, à côté de l'orteil étiqueté de l'inconnue. Plusieurs abrasions triangulaires d'origine inconnue."

Il plongea une main dans les cheveux de Rosy, l'autre à l'arrière de son pantalon. "Sale pute !" hurla-t-il en la soulevant du sol, puis en la projetant à travers les airs. Sa tête ricocha contre l'aile du camion. Elle atterrit dans le gravier, sur le flanc. Incapable de voir, incapable de respirer, elle inhala quelque chose de mouillé, qu'elle recracha en s'étouffant. Se passa une main sur le visage, couvert d'un truc visqueux, un doigt glissant au-dessus de son sourcil droit, touchant l'os.

"On trouve des lacérations conséquentes le long de l'arcade sourcilière droite et de l'arcade zygomatique. Les deux blessures épidermiques présentent des bords déchiquetés, signes d'une force contondante." La terminologie médicale permettait au médecin légiste de conserver une distance émotionnelle. Le cadavre avait une arcade sourcilière, pas un front fendu en deux par du métal maculé de boue. Une arcade zygomatique, pas une joue. "La lésion apicale mesure 4 cm exactement, la lésion inférieure mesure 2,85 cm." Le médecin légiste associait les deux blessures dans chaque phrase, les rendait concomitantes, se protégeait de toute prise de conscience de la terreur et de la douleur ressentie si l'une avait précédé l'autre. Mais la joue était venue après.

L'agresseur de Rosy la souleva par le cou. Il l'écrasa encore et encore contre la paroi extérieure du camion. "Espèce de sale, sale pute." Rosy s'accrocha des deux mains à son poignet, essayant de le repousser tout en luttant pour avaler un peu d'air. Sa force : une chose indomptable. Quand il serrait, il la privait d'oxygène et riait de sa réaction : les grattements désespérés de ses ongles sur sa main, les soubresauts de ses pieds qui ne parvenaient pas à l'atteindre – parce que ses pieds glissaient contre la paroi métallique, nulle prise –, des petits gémissements. Après quelques secondes, il desserrait les doigts, la regardait aspirer l'air avant de recommencer à l'étrangler, histoire de se repasser la séquence.

Enfin, il la descendit de quelques centimètres, lui tourna la tête et appuya ses lèvres contre son oreille gauche – celle à l'intérieur de laquelle une rivière de sang ne coulait pas – murmurant, comme on parle à son amante :

— Je pourrais te tuer si je le voulais. Tu le sais, ça ? Tu le sais ?

Sa main se mit à trembler, son bras, son corps tout entier. Elle perçut sa force inquiétante, la comprit. Il voulait la tuer. Son corps brûlait de la tuer. C'était seulement parce qu'il se maîtrisait qu'il ne l'avait pas encore fait. Il bougea les mains, une de chaque côté de sa tête, un étau si violent que les dents de Rosy s'enfoncèrent dans la chair tendre à l'intérieur de ses joues, tandis que les pouces du garçon appuyaient sur ses orbites.

— Je pourrais te tuer tout de suite. Je pourrais te broyer les os, siffla-t-il. Dis-le !

— Tu pourrais me tuer, chuchota-t-elle, absolument convaincue, et simultanément envahie d'une gratitude incongrue – elle lui était follement reconnaissante de son combat pour se maîtriser, de son esprit qui retenait ses mains. Tu pourrais me tuer, répéta-t-elle d'une voix rauque, brisée.

Que faire ? se demanda-t-elle. Que faire ?

Tout à coup, elle sut. En une nanoseconde de lucidité – aveuglée par les pouces dans ses yeux, rendue sourde par les paumes plaquées sur ses oreilles – son esprit prit son envol. Je suis en train de me tuer, comprit-elle. Résister, c'était mourir. Pour vivre, elle devait s'adresser à cette partie de lui qui ne voulait pas encore la tuer, le convaincre qu'il avait raison, lui céder le contrôle qu'il désirait tant. Elle commença à caresser le dos des mains qui enserraient son cou, des frôlements. Lui toucha la peau du bout des doigts. Elle pleurait tout en l'effleurant :

— Je suis désolée. Je suis désolée de t'avoir fait du mal.

Plus elle pleurait fort, plus il se détendait. Bientôt, ses jambes cessèrent de s'agiter, devinrent ballantes. Il retira les pouces de ses orbites.

— S'il te plaît, pardonne-moi de t'avoir fait faire ça, supplia Rosy.

Elle fit courir une de ses mains le long de son avant-bras, massant la peau exposée, aussi docile qu'une dulcinée. Il laissa ses pieds toucher le sol.

— Dis-moi que tu en as envie, dit-il.

— J'en ai envie.

— Dis que tu as envie de *moi*.

— J'ai envie de toi.

— Non, grogna-t-il, encerclant à nouveau son visage, rouvrant les croûtes naissantes là où les ongles de Cilla avaient labouré ses joues lors de leur combat sous-marin. Supplie-moi.

— S'il te plaît, prends-moi, sanglota Rosy. S'il te plaît. Je suis tellement désolée. J'ai eu tort, je me suis mal comportée. J'ai envie de toi, vraiment !

Il l'attrapa derrière la tête, empoigna ses cheveux en lui étirant le cou jusqu'à ce qu'elle suffoque, enfonça la langue dans sa bouche. Elle ne se déroba pas, le fixant de ses yeux, subissant tout. Il n'y avait nulle part où courir. Le champ : trop sombre. La route : trop loin. Il la rattraperait. Rien par terre qu'elle pût utiliser comme une arme ; il la battrait jusqu'à ce qu'elle s'écroule. Il appuya si fort sur sa bouche que ses gencives se déchirèrent sous la pression de ses dents. Elle tressaillit ; il rit. Son rire se fraya un chemin en elle, ricocha à l'arrière de sa gorge, dévala son œsophage, pénétra son ventre, mais elle ne remarqua rien. Elle lui céda son corps afin de fuir dans ses pensées – les yeux, l'esprit, toutes intentions concentrées sur la portière à côté d'elle, toujours ouverte. De la lumière à l'intérieur. Où sont les clés ? Avec les clés, elle pourrait monter dans le camion, l'enfermer dehors. Où sont les clés ? Pas dans ses mains. Soit sur le contact, soit dans ses poches. Elle l'enlaça et l'attira à elle, essayant d'atteindre ses fesses. Il plaqua ses mains sur les siennes, se pressa brutalement contre elle, orienta ses mains vers son entrejambe. Elle tâta toutes ses poches tandis qu'il dirigeait ses mains vers sa braguette. Pas de clés sur lui. Elles devaient être sur le contact.

Elle avait une chance.

Maintenant !

Rosy enfonça son genou dans ses testicules ; quand il se tordit de douleur, elle croisa les mains, faisant un poing de ses dix doigts, elle n'avait rien trouvé de mieux, et le frappa derrière la tête. Bondit de sous lui au moment où il tombait, posa une basket sur le marchepied, se hissa jusqu'à la cabine, tendit le bras vers la portière, tire ! Tire ! Les deux mains agrippées à la poignée, son chemisier gonflé par la brise, le haut trop grand de sa tante qui lui arrivait aux genoux, ses pans qui s'agitaient, un drapeau blanc illuminé qui fouetta la main de son agresseur, alors il tira d'un coup sec, elle tomba et la pierre l'assomma.

Lésion aux bords déchiquetés résultant d'un choc, 2,85 cm, le long de l'arcade zygomatique de la victime.

Elle revint à elle en suffoquant, labourant la boue comme pour y trouver une prise, un toit auquel se raccrocher avant de se faire engloutir par l'abîme. À moins de cinq mètres, un épervier tassait la terre en poussant des cris stridents pour défendre son territoire. Conjuguées aux températures plus fraîches de la nuit, ses protestations achevèrent de la réveiller. Il lui fallut un instant pour reprendre ses marques. Dès qu'elle fut pleinement consciente, elle fit volte-face, à la recherche de son agresseur. L'oiseau terrifié s'envola et elle s'écroula à nouveau par terre, seule. Tête dans la boue, elle pleura longtemps. Resta étendue là, le corps meurtri. Finit par se pencher pour remonter son pantalon sur ses cuisses, aussi loin que possible sans le tirer trop haut, de peur qu'il ne la fende en deux, lui aussi. Puis elle tituba jusqu'à la route.

Accroupie dans les buissons le long de l'autoroute, elle regardait passer voiture après voiture, se rongeant les ongles à les faire saigner, pétrifiée. Elle ne pouvait pas continuer à marcher, mais elle ne pouvait pas non plus demander de l'aide. Ça, elle l'avait déjà fait une fois cette nuit, et voilà. Bouge! s'exhortait-elle chaque fois que des phares approchaient, balayaient sa cachette de leurs faisceaux, lui mouchetant la peau, et elle voulait le faire, vraiment! Mais le bruit des roues sur l'asphalte lui rappelait la voix de son agresseur, "Vous allez où?", et elle se roulait en boule jusqu'à ce que le grondement s'évanouisse.

Plus elle saignait, plus elle s'affaiblissait. Elle en était consciente, pouvait sentir l'énergie s'échapper d'elle, s'enfoncer dans la terre. Elle avait besoin d'aide, avait besoin d'eau, il ne lui en restait plus, pas même pour pleurer.

Contre toute attente, ce fut sa mère qui la sauva.

Avant, quand Rosy avait peur, qu'elle hésitait, penser à son père lui remontait toujours le moral. Chaque fois que Cilla faisait une rechute, obligeant Rosy à s'occuper de sa mère en plus d'elle-même, elle évoquait son père et il l'aidait à passer le cap. En sa présence, elle se sentait intouchable, intrépide, invincible. Il ne lui avait jamais fait défaut. Jusqu'à maintenant. Ce soir elle avait besoin d'un père, pas d'un ami imaginaire. Elle avait besoin d'un protecteur, pas d'un fantasme. Au moment où elle avait eu le plus besoin de lui, elle n'y avait pas pensé une seule fois, parce qu'il lui aurait été inutile. Ce qu'elle avait ressenti auparavant était une bravade creuse; il n'était pas son courage, mais son échec. Son courage, elle l'avait puisé dans une réserve de ressources que lui n'avait jamais approvisionnée, son courage lui venait d'une femme qui s'écroulait parfois, mais revenait toujours, encore et encore: la mère étendue à ses côtés dans le lit soir après soir, la femme assise sur la seule autre chaise autour de la table, dont la main tatouée avait tenu celle de Rosy à travers toutes les épreuves. Faillible, si faillible, au point que Rosy l'avait maudite, avait souhaité qu'elle disparaisse cent fois au moins, mais à présent – tapie au bord d'une autoroute, traumatisée par les conséquences de son appel à l'aide – c'était vers Cilla que s'envolaient ses pensées comme son cœur.

Dans la boîte à bijoux de Cilla – celle que Rosy avait traînée des jours durant et laissée dans la maison de sa tante à peine quelques heures plus tôt – reposait un papier déchiré, soigneusement plié en rectangle. Sur ce papier, d'une écriture qui dérapait en approchant du bas de la page, Cilla avait griffonné la même phrase, inlassablement. Au fil des ans, Rosy avait souvent déplié le papier, et dans la nuit fraîche du Mississippi, les yeux fermés de peur au passage d'une nouvelle voiture, elle laissa son esprit le déplier à nouveau, se remémorant les mots qu'elle avait appris par cœur. Elle voyait sa mère, penchée au-dessus de son bureau, cédant à l'emprise d'une nouvelle phase maniaque, tâchant de résister par l'écriture, le stylo dérapant sur la page mais toujours dans sa main, vaillant effort. Alors que sa propre santé mentale menaçait de basculer, Rosy prononça les mots de Cilla à voix haute, une prière pour elles deux: "Je ne veux pas prier pour être protégée des dangers, mais pour avoir la force de les affronter. Je ne veux pas supplier pour que cesse ma douleur, mais pour avoir le courage de la surmonter." Elle répéta les phrases, les fit rouler sur sa langue, mais ne les formula pas. Elle s'accrochait aux mots comme à un mantra: "Je ne veux pas prier pour être protégée des dangers, mais pour avoir la force de les affronter. Je ne veux pas supplier pour que cesse ma douleur, mais pour avoir le courage de la surmonter."

À l'est, le vrombissement distant d'un moteur approchait. Elle était terrifiée à l'idée de faire signe au véhicule; elle ne connaissait que trop bien les conséquences d'une foi aveugle, mais elle savait aussi qu'elle n'avait pas d'autre option que de donner une nouvelle chance à cette foi; alors, empruntant à Cilla la ténacité qui l'avait poussée à écrire ce jour-là, Rosy se leva. Se déplia tel un faon, stabilisant délicatement chaque jambe, avançant d'un pas mal assuré, mais déterminé. Tandis qu'enflait le vrombissement des roues qui s'approchaient en crachant du gravier, l'image de son agresseur se matérialisa devant elle. Il lui tendit un bras depuis sa cabine, l'encourageant à monter, "Vous allez où?", mais elle s'efforça de le faire taire. Répéta plutôt les mots de sa mère. Plus fort, et avec plus d'autorité: "Je ne veux pas prier pour être protégée des dangers, mais pour avoir la force de les affronter. Je ne veux pas supplier pour que cesse ma douleur, mais pour avoir le courage de la surmonter." Elle s'évertua à effacer le souvenir de sa main tendue vers elle, la remplaçant par l'image d'une autre main qui s'était offerte à elle ce jour-là, avec une carte et une promesse: Nous vous aiderons.

Tandis que les phares se rapprochaient, elle sortit la carte de Jennifer de sa poche. Elle n'avait pas été perdue lors de l'agression, pas même souillée. Une dernière fois, elle invoqua les mots de sa mère: "Je ne veux pas prier pour être protégée des dangers, mais pour avoir la force de les affronter. Je ne veux pas supplier pour que cesse ma douleur, mais pour avoir le courage de la surmonter." Puis, les doigts serrés autour du nom de la femme qui l'avait déjà sauvée une fois, elle s'avança en chancelant, quitta les buissons pour rejoindre la route, agitant courageusement les bras dans la nuit, ainsi que sa mère le lui avait appris.

LE téléphone sonna juste avant minuit, et bien qu'il dormît, il décrocha le combiné avant la deuxième sonnerie. Ils s'attendaient à ce qu'elle appelle, parce qu'elle avait eu des contractions toute la journée. "Allez dormir, avait dit leur fille quelques heures plus tôt. On vous appellera le moment venu."

"C'est le moment!" cria-t-elle dans le téléphone, en route vers l'hôpital communal de Natchez. Alors ils attrapèrent un sac rempli de barres de céréales, d'un appareil photo, de la couverture dans laquelle ils avaient transporté leur propre fille trente-deux ans plus tôt, et ils sautèrent dans leur voiture. Une demi-heure, tout au plus, de Cranfield à Natchez; une ligne droite sur la US-84, et ils seraient là. Toute à son enthousiasme, la femme parlait sans discontinuer :

— Tu vas voir que j'ai raison. Eh oui! C'est une fille, j'en suis sûre. Son ventre était bombé. Même à la toute fin, c'était comme si elle tenait un ballon de basket devant elle. Et son visage, il est devenu si rond que c'est forcément une fille, je te le dis! J'espère seulement qu'ils ont passé leur phase Sabine. Sabine! Tu as déjà entendu un prénom pareil? Chaque fois qu'ils le prononcent, je ne peux pas m'empêcher de revoir les frères Pontipee en train de danser dans la grange, chantant sur des *Femmes en pleurs**, et si je me réjouis toujours d'avoir une raison de penser à Howard Keel...

— Hester, je te jure, personne d'autre que toi ne pense au film *Les Sept Femmes de Barbe-Rousse* en entendant le prénom Sabine.

— Ben à quoi pensent les gens, alors?

— Ils pensent à un viol commis par les Romains et appelé "L'enlèvement des Sabines".

---

* Allusion à la comédie musicale de Stanley Donen *Les Sept femmes de Barberousse*, dont une des chansons, intitulée *Sobbin' Women*, fait référence à l'enlèvement des Sabines.

— Mais merde, Daniel, c'est bien pire! Tu veux que ta petite-fille soit associée à un viol? Il faut absolument que je le lui dise. Attention! Une biche!

Il appuya si fort sur les freins que la voiture se mit à patiner, dérapant latéralement jusqu'au bas-côté. Il courut jusqu'à la fille. Retira sa chemise, la lui noua autour de la taille, ramassa son corps docile et le serra contre lui pour la protéger.

— Qu'est-ce que… Elle s'est fait renverser?

— Elle ne s'est pas fait renverser.

— Qu'est-ce qui lui est arrivée, alors?

— Elle ne s'est pas fait renverser.

Ils prirent une couverture dans le coffre, l'étalèrent sur la banquette arrière et étendirent Rosy dessus. La femme caressait doucement le bras de la fille tandis qu'ils roulaient. Le mari tapotait le genou de sa femme en évitant de regarder vers l'arrière. Ils la portèrent ensemble jusqu'aux urgences; Hester soutenait la tête de la fille et lui murmurait des mots réconfortants, Daniel la serrait dans ses bras. Ils la déposèrent sur le brancard, enveloppée dans la chemise du mari. Refusèrent de partir jusqu'à ce que l'infirmière les chasse de la chambre.

À la maternité, Hester se lava les mains et son mari retira ses habits souillés pour enfiler une blouse d'hôpital. Sous le tissu jetable vert dans lequel il posa pour la dernière photo avant que sa fille ne devînt elle-même une mère, un ruisselet de sang appartenant à l'inconnue coula le long de ses côtes, se collecta au niveau de sa taille, sécha dans ses poils pubiens, formant une croûte craquelée qui le démangeait. La croûte était encore là au matin, après la naissance de Sabine, quand ils se précipitèrent à l'étage inférieur pour voir comment allait la fille.

Mais ils arrivèrent trop tard. Elle était déjà partie.

14

Rose

Cette page d'annuaire est la seule chose que je ne m'explique toujours pas.

À ALEXANDRIA, Rose resta figée un long, très long moment devant l'entrée de la petite maison violette. Puis elle frappa trop fort à la porte ; sa main était comme une arme mue par sa seule volonté : petit cochon, gentil petit cochon, je peux entrer ? Elle donna une bonne bourrade à la porte pour neutraliser son véritable désir : fuir sans partager sa nouvelle dévastatrice. De tout son cœur, elle espérait que la tante n'entendrait pas, ne serait pas chez elle. Que celle-ci trouverait un moyen d'éviter le loup à sa porte.

La poignée tourna, la porte s'ouvrit.

Une petite femme coiffée style afro, boucles très serrées, lui sourit, un nourrisson en équilibre sur la hanche gauche, sa robe d'intérieur en wax ceinturée par les jambes potelées du bambin.

— 'Jour ! cria la femme pour couvrir le bruit des enfants qui jouaient.

Un cri perçant, quelques rires.

Rose ne pouvait penser qu'à une chose : ils ont l'air si heureux. Terrifiée de tout gâcher, elle resta là sans bouger, muette. Elle décontenança la femme :

— Vous avez besoin de quelque chose, ma belle ?

Rose comprit qu'elle serait incapable d'ouvrir la bouche sans éclater en sanglots. Merde. Elle aurait dû laisser Mac s'en charger, finalement ! Elle tendit la main droite pour se présenter, pour serrer poliment la main de la femme, mais se mit à trembler si fort qu'elle la retira immédiatement, croisa les bras sur sa poitrine et cala ses mains tremblantes sous ses aisselles. Mais non ! Ça lui donnait trop l'air d'être sur la défensive ! Et sa mère lui avait toujours dit qu'il ne fallait pas croiser les bras lorsqu'on se présentait, ça faisait distant. Elle décroisa les bras. Mais que faire avec ? Elle ne pouvait pas tenter de serrer la main de la femme une nouvelle fois, parce qu'à présent ses mains tremblaient beaucoup trop. Elle porta sa main droite à sa bouche, comme pour en extraire les mots, et plaqua sa main gauche sur son avant-bras droit, pour calmer les tremblements. Elle finit par s'enlacer elle-même.

— Ça va ?

Elle secoua lentement la tête, de gauche à droite : non, ça ne va pas.

La femme posa l'enfant et le renvoya à l'intérieur, puis elle tendit une main et caressa gentiment le haut du bras de Rose :

— Vous avez besoin d'aide, ma belle ?

Ce n'était pas juste, cette femme qui la réconfortait, compte tenu de l'information que détenait Rose sans avoir le courage de la divulguer. Elle prit deux grandes respirations, se ressaisit et réussit à articuler "Mon nom est Rose Ai...", avant d'être interrompue par un hurlement tout au fond de la maison.

— 'Scusez-moi, dit la femme en faisant demi-tour, mais elle ne ferma pas la porte.

Tandis que Rose la regardait relever et réconforter un autre petit garçon qui s'était cogné l'orteil, elle croisa de nouveau les bras, s'étreignant pour se donner des forces. Au retour de la tante, Rose joignit les mains à la hauteur de ses hanches. Plus avenante, mais toujours concentrée sur ses efforts pour ne pas craquer complètement.

— Désolée pour l'interruption. Vous avez dit que vous vous appeliez Rose ?

— Oui madame. Je suis venue vous donner des nouvelles de votre nièce, Rosy Howard.

C'était dit.

— Oh, merci mon Dieu ! s'enthousiasma la femme. (Elle s'appuya contre le chambranle, une main sur le cœur.) J'étais si inquiète ! Elle devait m'appeler dès qu'elle arriverait à Tuscaloosa, et j'ai pas arrêté d'me dire "Elle doit être très occupée, pas de nouvelles, bonnes nouvelles" – comme on dit, pas vrai –, mais j'avais tellement peur d'ouvrir un matin et de trouver un policier sur le perron, l'air sinistre...

Elle se tut. Elle observa Rose, qui avait l'air sinistre. Puis elle se raidit, une main de chaque côté du chambranle, et regarda les yeux de Rose s'emplir de larmes.

— Quel genre de nouvelles vous m'apportez là ?

Rose dit simplement "Rosy est morte", et la tante s'écroula sur le sol, s'effondra en une masse de convulsions sanglotantes à motifs géométriques rouges. Une ribambelle d'enfants accoururent, perplexes, affolés, en quête d'explications. Rose se dit qu'elle devrait faire quelque chose, mais elle avait peur de tendre un bras et de toucher la femme, peur d'être repoussée, alors elle essaya de rassurer les enfants. Elle enjamba la femme, qui ne lui prêta pas attention – rien d'autre que des cris, sol martelé, bruits inhumains – et entraîna les petits à l'intérieur de la maison.

Il y en avait sept. Des tout-petits. Tous de couleurs différentes. Tous chamboulés.

— Vous n'êtes pas frères et sœurs ? demanda Rose.

Ils secouèrent la tête : non. L'idée fit pouffer une petite fille, et tout le monde se détendit un peu.

— C'est pas not' maman. C'est not' tatie, dit un enfant.

— Elle nous surveille, renchérit un autre.

— Qu'est-ce qu'elle a ? demanda le garçon qui s'était cogné l'orteil.

— Elle est triste, répondit Rose tandis que les pleurs de la femme se muaient en sanglots étouffés. Elle est *très* triste, mais ça va passer. Ne vous inquiétez pas. Qu'est-ce qui vous fait du bien, à vous, quand vous êtes tristes ?

De la glace, proposa un enfant. Un film, répondit un autre.

Alors Rose prépara sept bols de glace au chocolat et installa les enfants devant la télé, blottis les uns contre les autres sur un tas de coussins. Le générique enlevé de *Barney and Friends* retentit à l'autre bout de la pièce quand elle s'assit aux côtés de la femme en pleurs. Trente minutes s'écoulèrent avant que la tante ne relève la tête et pose les yeux sur Rose.

— Je peux vous préparer un café ? demanda Rose avec douceur.

La femme suivit Rose dans sa propre cuisine, où la jeune fille s'affaira dans les placards pour trouver du café et du sucre, fit bouillir de l'eau, prépara deux tasses, souffla dessus pour refroidir le breuvage, sortit deux soucoupes et déposa le tout sur la table. Le soleil se déversait par l'unique fenêtre de la minuscule pièce, que des appareils ménagers bruyants, d'un autre âge, rendaient plus petite encore. Les hoquets du frigidaire et les gargouillis du four furent leur seule conversation tandis que l'horloge égrenait les minutes, un tic-tac après l'autre. Les deux femmes prirent place, stoïques, sous la lumière du soleil, incapables de se regarder dans les yeux. Au bout d'un moment, la tante porta la tasse à ses lèvres, fit une grimace et la repoussa sur le côté. Elle se leva et revint avec un gobelet rempli de glaçons, dans lequel elle versa de l'eau gazeuse et de la liqueur d'anis. Prenant une longue gorgée, elle remplit à nouveau le verre qu'elle tint serré contre elle tout en parlant.

— J'm'appelle Carmeline, dit-elle, mais la plupart des gens m'appellent Lini. Maintenant, racontez-moi tout, s'il vous plaît.

Puis elle écouta sans interrompre, sans bouger ou détourner les yeux, rivés sur ses mains qui agrippaient le verre, pendant que Rose lui racontait tout ce qu'elle avait fait et découvert depuis l'accident, douze jours plus tôt. Quand elle eut terminé, elles restèrent assises en silence. Enfin, Lini vida son verre d'un trait, le remplit à nouveau, et se tourna vers Rose.

— Qu'est-ce que vous faites ici ? Pourquoi vous être donné tant de mal pour m'retrouver ?

Pas de ton accusateur, une vraie question.

Rose répondit timidement, ayant anticipé la question, mais n'étant pas sûre de la manière dont sa réponse serait accueillie.

— Je voulais que sa famille sache ce qui lui était arrivé. Je ne voulais pas qu'elle disparaisse. (Elle marqua une pause avant de reprendre.) C'est ce qui m'est arrivé. Mon père, il a disparu. Je sais ce que ça fait, et je ne voulais pas que ça arrive à quelqu'un d'autre.

Lina hocha la tête.

— Rosy a jamais connu son père. Il est mort avant sa naissance.

Perplexe, Rosy demanda :

— Mais, elle n'allait pas à Tuscaloosa pour le retrouver ?

— Pour retrouver sa famille. Elle avait besoin d'aide pour sa maman, elle pensait qu'la famille de son père l'aiderait peut-être.

— Sa mère… ?

— Sa mère s'appelle Cilla.

Soudain elle eut envie que cette fille connaisse l'histoire de Rosy, elle eut besoin que cette fille sache qui était sa nièce et quelle intention louable l'avait mise dans cette situation désastreuse sur la route de Tuscaloosa. Mais elle découvrit qu'il lui était plus facile d'évoquer les vies qui avaient touché celle de Rosy que de parler directement d'elle.

— Cilla s'est fait arrêter à La Nouvelle-Orléans, près du Superdome. Mais elle n'avait pas commis de délit, pas délibérément, en tout cas. Elle est maniaco-dépressive, ça lui fait faire des trucs qui sont pas sa faute. Quand elle a une crise, elle n'est plus elle-même. Ça a commencé quand elle était petite, mais ça s'est aggravé après la mort de Bubba.

— Bubba ?

— Mon frère. Il avait trois ans d'plus que Cilla et moi. On a rencontré Cilla quand on s'est retrouvés dans l'même foyer d'accueil – un endroit horrible, mais passons. On a bien rigolé, tous les trois. (À l'évocation de ce souvenir, Lini sourit enfin, brièvement.) Cilla avait un gros faible pour lui, et Bubba en pinçait pour elle, pas de doute. Après sa mort, la maladie de Cilla est devenue vraiment moche, elle s'est fait virer d'une famille d'accueil après l'autre, mais on est quand même restées en contact. À force, on était devenues comme des sœurs. Elle est la seule famille que j'ai. Et inversement. Bon sang, sa seule raison pour rev'nir à La Nouvelle-Orléans quand elle était enceinte de Rosy, c'était qu'j'y habitais. Elle s'est mise à faire les ménages avec moi, mais quand j'suis partie ici pour m'occuper des enfants, j'ai essayé de la convaincre d'faire une de ces écoles de cuisine. Elle en avait parlé plusieurs fois ces derniers temps, avec Rosy qui allait commencer ses études.

À la mention du nom de Rosy, Lini se tut. Sa voix se brisa lorsqu'elle reprit :

— Cilla n'arrêtait pas de blaguer, elle disait qu'elles iraient à l'école ensemble.

Rose se demanda tout haut si Lini savait ce qu'était devenue Cilla depuis son arrestation.

— Si seulement je l'savais. J'espérais que Rosy avait trouvé de l'aide et qu'elle était occupée à récupérer sa maman. J'arrêtais pas d'imaginer qu'un jour elles frapperaient à ma porte, main dans la main, comme d'habitude.

Elle essuya une larme.

— J'ai entendu dire qu'ils avaient évacué les gens se trouvant encore dans le Superdome et ses alentours. Apparemment ils les ont embarqués dans des bus pour Houston, dit Rose, cherchant désespérément à se montrer utile. En deux semaines, quelqu'un s'est forcément rendu compte qu'elle était malade. Alors même si elle a été traitée comme une criminelle au départ, elle a probablement été transférée vers un service psychiatrique à un moment donné. Il ne doit pas y avoir tant d'hôpitaux psychiatriques que ça à Houston, je ne pense pas que ce sera très difficile de la localiser.

Lini n'eut pas l'air aussi soulagée que Rose l'avait espéré. Elle avait l'air affolée et accablée.

— Ne vous inquiétez pas. Je vais vous aider à la localiser. On va retrouver sa trace.

Lini contempla longuement son invitée surprise. Cette fille n'a pas tué Rosy, se répéta Lini. Elle n'était qu'un passager. C'était un accident. Ne lui en veux pas pour quelque chose qu'elle n'a pas fait. Elle aurait pu ne rien dire, elle n'était pas obligée de venir jusqu'ici pour tout raconter.

— Vous êtes quelqu'un de bien, dit Lini, autant pour elle que pour Rose.

Rose baissa les yeux et secoua la tête.

— Vous n'êtes pas obligée de dire ça.

— J'suis pas obligée de dire quoi qu'ce soit. Mais c'est la vérité. (Elle se tut un instant.) Et j'vous remercie de votre offre, mais retrouver Cilla, c'est bien le moindre de nos soucis. Va y avoir les frais d'hôpital, les frais juridiques, et…

Rose l'interrompit :

— Il y a de l'argent.

Les lèvres de Lini se retroussèrent en un sourire ironique ; pas méchant, juste résigné. Il semblait dire : à moins de l'avoir vécu, vous ne pouvez pas comprendre. Puis elle prit la parole.

— Pas dans cette famille-là. Pas le genre d'argent qui permettra de régler tout ça.

— Eh bien si. Maintenant, si.

Rosy parla de l'assurance auto, des dommages et intérêts dus si elle retrouvait un proche parent de Rosy. L'héritage de Cilla.

Tout en écoutant, Lini commença peu à peu à mesurer la portée de ce que cette fille était venue lui annoncer : la mort de Rosy tuerait Cilla, mais elle serait également son salut. Ainsi, Rosy avait trouvé l'aide qu'elle cherchait et, si elle n'avait pas vécu suffisamment longtemps pour en apprécier les effets, cette aide s'était quand même concrétisée. Rose se balançait fébrilement d'avant en arrière sur le rebord d'une chaise en aluminium, ses paumes pâles jointes en prière devant la nappe à carreaux, ses genoux à quelques centimètres à peine de ceux de Lini sous la table.

Du bout des doigts, Lini toucha la courbe du genou de Rose et tapota doucement.

— Très bien, OK, dit-elle, autant pour se convaincre elle-même que pour convaincre son invitée. Très bien, OK.

Elle hocha la tête plusieurs fois et, bien qu'elle ait retiré sa main, fit un authentique sourire à Rose et prononça l'absolution suivante :

— Que Rosy l'ait su ou non, p'têt que c'était vous qu'elle cherchait tout c'temps. (Puis elle rit.) Je l'imagine en c'moment même, en train de nous sourire depuis le ciel, comblée par l'amour du Seigneur et la satisfaction d'savoir qu'elle a fait quelque chose de bien, qu'elle a enfin trouvé un tout p'tit morceau de ce qu'elle cherchait.

Lini poussa la boîte à bijoux de Cilla sur la table, devant Rose, qui la regarda soulever le couvercle comme si elle dévoilait à sa visiteuse la vie de sa famille.

Rose avait interprété la communion florale dans la cuisine de Jennifer comme un enterrement, mais à présent elle pensait : Ceci est la veillée mortuaire de Rosy, une célébration de sa vie.

— Y a que deux choses qu'ont été sauvées de la maison le matin où Katrina a frappé, cette boîte, et une paire de baskets. Et malgré tout ce qui a suivi, Rosy s'est débrouillée pour ne pas les perdre.

Rose décroisa les jambes et posa les pieds sur le rebord de sa chaise. Croisant les bras devant ses tibias, elle empoigna ses orteils à travers les baskets, menton lové entre les genoux. Puis, avant d'avoir pu retenir l'impulsion de tout avouer, elle murmura :

— Je porte ses chaussures.

Le regard de Lini se posa sur les pieds de Rose. Les chaussures étaient sales, couvertes de poussière et mouchetées de taches brunâtres. Les semelles étaient usées. Et pourtant Rose faisait rouler les lacets effilochés entre ses doigts comme s'il s'agissait de colliers de perles transmis de génération en génération.

Percevant la perplexité inscrite dans les plis du front de Lini, elle avança :

— Je ne sais pas pourquoi. Je n'arrive pas à l'expliquer. Mais je ne peux pas m'arrêter de les porter.

Bizarre, pensa Lini. Tout était bizarre, dans cette affaire. Pourtant, il n'y avait rien de mal à ça. Elle ne pouvait s'empêcher d'éprouver de la sympathie pour cette fille, malgré l'accident atroce à l'origine de leur rencontre.

— Eh bien, on peut dire que ça donne un sens nouveau à l'idée selon laquelle on peut pas juger quelqu'un avant d'avoir chaussé ses souliers.

Rose hocha la tête :

— Ça, c'est sûr.

Lini traîna sa chaise autour de la table, se rapprochant de Rose pour qu'elles examinent ensemble le contenu de la boîte. Elle remua les objets ensevelis du bout de l'index, tâchant d'atteindre le fond, exhumant la photo d'un groupe de femmes noires dans ce qui semblait être la cuisine d'un restaurant.

— Ça, c'est Cilla, dit-elle. Avant qu'Rosy soit née. Elle travaillait dans la cuisine d'une des sororités de l'université. (Elle jeta un œil au dos de la photo.) Kappa Alpha Theta, ça dit.

— La maison Theta, traduisit Rose.

— Vous la connaissez ?

— Impossible de vivre à Tuscaloosa sans la connaître. Vous savez bien comment c'est.

Lini savait. Elle n'avait pas eu besoin de fréquenter l'université pour comprendre que les Grecs sévissaient jusque dans le Sud. Elle passa la photographie à Rose et attrapa quelque chose d'autre.

— Regardez ça ! dit-elle d'une voix où se mêlaient la surprise et l'émerveillement.

Elle brandit deux talons de ticket.

— J'ai vu ce film avec Cilla, s'exclama-t-elle en agitant le talon de *Flashdance*. Au cinéma Joy, sur Canal Street ! Et on a regardé *Grease* ensemble à la télé au moins cent fois. Si ma mémoire est correcte, la grand-mère de Cilla l'avait emmenée voir ce film au drive-in de Metairie. (Elle réfléchit un instant.) Le ciné s'appelait l'Airline. Il existe plus : ils en ont fait une épicerie. Mais j'la revois m'en parlant, la façon dont sa grand-mère lui couvrait les oreilles chaque fois que Rizzo ouvrait la bouche, et comment elles avaient dû acheter une spirale RAID à la buvette pour se protéger des moustiques. Par ici, les moustiques sont si gros qu'ils pourraient bouffer un poulet, j'vous jure !

Rose rit, enchantée par les histoires de Lini.

— Une année, à Noël, Bubba avait réussi à faire quelques petites économies pour nous acheter la bande-son et des T-shirts assortis. On a pris l'habitude de danser pendant des heures, en chantant à tue-tête.

Sotto voce, elle chanta le refrain de la chanson titre.

Lors des pauses entre deux couplets, Rose imitait le staccato de la trompette en martelant la table, fredonnant : "Dunh duh, dunh du, da dum". Elles entonnèrent le dernier couplet ensemble.

— Vous connaissez la chanson ! s'exclama Lini, le coin des yeux plissé par le rire.

Rose hocha la tête.

— Ma mère était une fan inconditionnelle de John Travolta. Des fois je la surprenais en train de chantonner cet air-là, quand elle était occupée à faire autre chose et qu'elle ne faisait pas attention. Elle s'arrêtait toujours dès qu'elle voyait que je l'écoutais, mais je l'ai suffisamment entendue pour la retenir.

— Cilla est une vraie chanteuse. Et Rosy aussi, quand elle le veut bien. (Lorsqu'elle prononça le prénom de Rosy, Lini se rembrunit et se mit à parler au passé.) Elle avait la voix de sa mère.

Afin de briser le silence qui s'était installé entre elles, Lini reporta son attention sur la boîte. Elle en sortit la carte de la Saint-Valentin sur laquelle les mots "Veux-tu sortir avec moi ?" avaient été tracés de l'écriture fiévreuse d'un adolescent ; un avis de messe était plié à l'intérieur.

— C'était pour mon frère, dit-elle, s'interrompant pour lire la prière au dos.

— Je peux ? demanda Rose en esquissant un geste vers la boîte.

Lini hocha la tête, et Rose plongea la main parmi les trésors intimes. Elle sortit une poignée de fleurs séchées qu'elle déposa sur la table, afin de ne pas les abîmer en fouillant dans le coffret. Puis elle récupéra un morceau de papier plié en quatre qui, une fois déplié, donnait des instructions pour faire griller le poisson-chat. Ça lui rappela la page d'annuaire qu'elle avait sur elle, celle qui enveloppait la carte de Jennifer. Elle glissa une main dans sa poche arrière pour en extraire le papier, qu'elle lissa, attendant que Lini ait posé l'avis de messe pour le lui tendre :

— Ils ont trouvé ça sur votre nièce le jour de sa mort, ainsi qu'une carte de visite appartenant à Jennifer Goldberg, la femme qui a déposé Rose ici. Cette page d'annuaire est la seule chose que je ne m'explique toujours pas. Je suppose que Rose souhaitait contacter quelqu'un dessus. Peut-être que vous pourriez y jeter un œil ?

Lini prit la page et commença à étudier les noms pendant que Rose retournait à la boîte. Sous le dessin approximatif d'une figure humaine – signé "Rosy, cinq ans" d'une écriture qui devait appartenir à Cilla –, elle découvrit une sculpture en bois. C'était une libellule, si détaillée qu'elle aurait pu appartenir à un entomologiste. Elle la reconnut immédiatement : elle était identique au tatouage sur la main droite de Rosy.

Avant de voir les traits noirs gravés dans la paume de Rosy, chose que Rose n'oublierait jamais, elle avait toujours associé les libellules à sa mère. Gertrude avait des boucles d'oreilles libellule et une broche libellule. Des libellules papillonnaient sur ses marque-pages et ses essuie-mains, elles décoraient le capteur de soleil suspendu à la baie vitrée, elles se balançaient dans la brise, accrochées aux branches des plantes du patio, elles voletaient dans les broderies encadrées du salon à la chambre, de la chambre au salon. Gertrude n'aimait pas seulement l'insecte pour sa beauté ; malgré les objections de Rose, elle soutenait que la libellule avait un rôle particulier dans sa vie.

Gertrude pensait que la libellule était son animal totem.

Il n'y avait pas si longtemps, afin de se préparer à un semestre chargé en cours de littérature et d'art – dont l'un s'intitulait "Perspectives créatives dans les systèmes de croyance des Indiens d'Amérique" –, Rose avait emprunté à la bibliothèque un livre sur la guérison par les animaux chez les Indiens d'Amérique. Elle n'aurait jamais pensé à partager ce livre avec Gertrude ; elle ne partageait aucun de ses livres avec sa mère, qui ne s'y était jamais intéressée. Mais quand, absorbée par sa lecture, Rose n'avait pas répondu au troisième appel de sa mère lui demandant de l'aider à monter les courses, Gertrude avait fini par s'énerver.

— Bon Dieu ! Mais qu'est-ce que tu fais ?

— J'essaye de décider si je suis une biche ou une salamandre, avait répondu Rose sans même prendre la peine de détacher les yeux de la page.

— Mais pourquoi vouloir être un animal ? avait demandé Gertrude. Comme je l'ai toujours dit, laisse la nature tranquille et elle ne te tuera pas.

— C'est un exercice : identifier son totem, son esprit animal.

Gertrude s'était accroupie pour ranger le lait et les œufs dans le frigo.

— OK, ne choisis pas la salamandre alors, avait-elle lancé. J'aime pas les bestioles qui ont pas de pieds.

Rose avait trouvé l'objection si absurde qu'elle en avait perdu sa concentration. Elle était allée dans la cuisine, avait regardé sa mère devant la porte ouverte du réfrigérateur et dit :

— Les salamandres ont des pieds.

— Vraiment ? (Gertrude y avait réfléchi tout en déballant un rectangle de beurre qu'elle avait déposé sur le beurrier.) Je suppose que tu as raison, mais elles rampent, toutes glissantes et visqueuses, comme un serpent. Ne sois pas ça.

— Tu veux que mon totem soit une biche par défaut ?

— Vas-y, lis-moi ce que ça dit sur la biche.

Rose avait lu à haute voix :

> La biche symbolise la pureté d'intention, elle marche dans la lumière pour dissiper les ténèbres. La biche sait le travail qu'elle doit accomplir et elle l'accomplit sans tapage, sans rechercher la gloire personnelle ou la reconnaissance. Rien ne peut écarter la biche de son chemin. La biche enjambe les obstacles, ou les contourne : elle ne laisse rien la détourner de sa mission. La biche n'a pas de part d'ombre – pas d'arrière-pensées, pas d'intentions cachées, elle ne ment pas, ni ne déforme la réalité. La biche symbolise la force et la ténacité, mais dans la douceur ; elle emprunte une voie discrète pour accomplir la tâche qu'elle s'est imposée.

— Eh ben voilà ! s'était exclamée Gertrude. C'est tout toi – discrète, puissante, concentrée. Maintenant viens ici et concentre-toi sur les courses, s'il te plaît.

Rose avait regardé sa mère hisser un sac jusqu'au comptoir et trier son contenu en différentes piles pour le garde-manger, le compotier, le réfrigérateur. Elle avait recommencé à feuilleter le livre, parcourant les grands titres, jusqu'à ce que Gertrude s'impatiente :

— Pour l'amour du Ciel, ne reste pas plantée là comme une vache devant un train ! Au boulot !

Rose avait vivement refermé le livre sur le comptoir.

— T'es une belette.

— Je ne suis pas une belette, avait répondu Gertrude en alignant les conserves de soupe – une rangée de Campbell, une rangée de Progresso – dans l'armoire du haut. Je ne sais rien sur les belettes.

— Crois-moi, t'es une belette !

— Non. Je suis une libellule.

— Non. Peut-être que tu aimes les libellules, mais ça ne veut pas dire que tu en es une. T'es une belette.

— Lis-moi ce que ça dit sur les libellules, s'il te plaît.

— Je...

— Mais lis-le !

Rose avait tourné les pages avec une lenteur exagérée, soupirant, et avait lu :

> Les libellules nous apprennent à allier raison et émotion. La libellule est un prédateur vorace qui engloutit tout ce qu'elle ne peut contrôler. Les personnes-libellules tirent des conclusions rapides et ont souvent des idées créatives qui les poussent dans de nouvelles manières d'être et de faire. La libellule choisit pour elle-même ce en quoi elle veut croire et ce sur quoi elle souhaite se concentrer, puis elle mobilise ses forces pour améliorer sa situation. Mais la libellule sait aussi se montrer légère et insouciante, symbole de promptitude et de diligence. La libellule est avant tout un être éphémère, qui tend vers la lumière, la joie.

— C'est tout moi, ça, dit Gertrude.

Rose avait dévisagé sa mère, bouche bée.

— "Qui tend vers la lumière, la joie" ? Ça n'est absolument pas toi !

Gertude l'avait dévisagée à son tour, vexée.

Rose n'avait pu retenir un large sourire.

— Ce n'est pas une critique, mais avoue... Ce n'est pas toi ! (Rose avait jeté un nouveau coup d'œil à la page.) "Légère et insouciante" ? *Toi* ?

Gertrude avait rassemblé les produits de toilette avant de se diriger vers la salle de bains.

— Eh bien, merci beaucoup, Mademoiselle Je-sais-tout, avait-elle dit en faisant une petite révérence pour se moquer du ton impérieux de sa fille. Avant, il m'arrivait de pouvoir être comme ça.

— "Avant, il m'arrivait de pouvoir" ne compte pas, madame Belette, avait répondu Rose, reprenant sa place sur le canapé avec son livre. Mais passons un marché : si la libellule fait une réapparition dans ta vie un de ces quatre, n'oublie pas de me faire signe. Je suis sûre que je la trouverai fascinante !

À une occasion seulement, Gertrude avait failli raconter à sa fille la femme plus jeune, plus légère qu'elle avait été. Elle et Rose se tenaient sous une tonnelle de roses en fer-blanc dans le musée d'art de Birmingham, le jour du vernissage de l'exposition "L'Art populaire de l'Alabama". Elle avait fait une folie en offrant à sa fille de dix-huit ans deux entrées pour Noël, et elle avait été récompensée par une soirée enjouée, riche en échanges complices. Tout en examinant l'œuvre faite de boîtes de conserve sculptées en forme de pétales, Rose avait demandé :

— Pourquoi tu m'as appelée Rose ?

Gertrude avait répondu sans réfléchir :

— C'était ma fleur préférée, avant.

Puis, décidant que le temps était venu de révéler la vérité, elle avait ajouté :

— C'était la fleur préférée de ton père, aussi.

Elle avait toujours su qu'un jour il lui faudrait aborder le sujet de son père avec Rose. De temps en temps, quand elle était enfant, Rose feuilletait l'album photo et l'apportait à Gertrude pour qu'elle identifie les gens sur la photo en première page.

— Ça, c'est mon amie Carole, disait Gertrude en désignant les visages perdus de vue, et ça, c'est son petit copain, je ne me souviens plus de son nom. Cette personne-là, c'est ton père, et ça, c'est moi…

Mais elles n'allaient jamais plus loin que ça. Rose n'avait jamais posé les questions que Gertrude anticipait avec un pincement au cœur chaque fois qu'elle voyait sa fille prendre l'album sur l'étagère, ces questions qu'elle avait évitées en les trimballant de quartier en quartier pendant toute la jeunesse de Rose. Mais Rose allait bientôt entrer à l'université, et son isolement prendrait fin. Elle allait rencontrer des gens, parler avec eux ; des choses finiraient par être dites. Et connaissant Rose, elle en voudrait à sa mère d'avoir laissé la vérité la surprendre. Alors, malgré un instinct qui la poussait à éviter les désagréments, à maîtriser ses émotions en les refoulant, Gertrude s'était tournée vers Rose sous la chaleur aveuglante des spots pour entreprendre de dévoiler à sa fille l'histoire de ses origines en déclarant : "C'était la fleur préférée de ton père, aussi."

Mais ensuite, les lumières de la galerie s'étaient éteintes. Trois clignotements brefs pour vider les pièces, un guide qui les poussait vers la sortie, un sursis qui n'avait fait qu'empirer les choses pour Gertrude parce qu'il lui avait donné le temps de réfléchir, de se demander : par où commencer ? Elle avait été si troublée que, pour la première fois de sa vie, elle avait oublié où elle s'était garée.

Elles avaient mis un moment à retrouver la voiture, à s'installer, à échapper aux bouchons à la sortie du parking, puis à atteindre les cent kilomètres à l'heure sur l'autoroute, si bien que quand Gertrude s'était enfin tournée vers Rose pour lui annoncer "Il faut que je te dise quelque chose", sa fille dormait déjà, roulée en boule contre la portière, pieds sur le tableau de bord, un mince filet de bave lui coulant sur le menton.

Gertrude avait quand même tout raconté, pour s'entraîner, pendant que sa fille dormait. Elle lui avait expliqué comment elle et Roger s'étaient rencontrés au lycée, à un cours d'économie domestique auquel lui – son aîné de deux ans – assistait en tant qu'auditeur libre, parce qu'il lui manquait un module en sciences humaines pour décrocher son diplôme, dans un curriculum où dominaient physique avancée, calcul et macroéconomie. Il aurait fini avec les honneurs même s'il s'était contenté de dormir en classe. Mort d'ennui, il s'était assis derrière Gertrude et avait fait craquer plus d'articulations qu'il n'était possible d'en avoir, jusqu'à ce qu'elle se retourne, posant une main sur la sienne, et déclare : "Tu me déconcentres". Et il l'avait déconcentrée chacun des jours qui avaient suivi, y compris la fois où le préservatif s'était rompu et où la ligne était apparue sur le bâtonnet ; il avait alors fait ce que la bonne conduite lui dictait de faire. Ils avaient emménagé dans un appartement minuscule alors que tous leurs amis emménageaient dans les dortoirs de l'université. Ce n'était pas la vie dont ils avaient rêvé, mais Gertrude était heureuse malgré tout. Distraite par le bonheur. Légère et insouciante.

Elle avait voulu mettre des libellules partout : en frise sur les murs de l'alcôve où ils avaient installé le berceau acheté au cours de son deuxième trimestre, brodées sur le tour de lit, fixées au fer à repasser sur les pyjamas en attente, dansant au bout du mobile suspendu au-dessus du coin où reposerait la tête du bébé. Gertrude peignait, brodait, repassait. Roger bricolait. Toujours très secret au sujet de ses travaux artistiques, il attendait la nuit pour se pencher sur ses outils, quand Gertrude dormait, mais elle suivait ses progrès en douce, y jetant des coups d'œil après son départ pour l'université, le matin. Émerveillée par les dessins délicats auxquels il avait donné vie, elle était particulièrement touchée par l'ornement au dos duquel il avait gravé les mots TU ES MON CŒUR. Le bout de bois la faisait sourire chaque fois qu'elle le manipulait, et elle chuchotait, comme si Roger était là pour l'entendre, "Oui, je le suis", avant de le reposer dans sa boîte à sculptures.

Quand Roger avait suspendu le mobile au-dessus du berceau, sans l'ornement gravé, elle n'avait rien dit ; dire quoi que ce soit aurait été avouer qu'elle avait fureté dans ses affaires. Elle avait préféré attendre, persuadée qu'il réapparaîtrait lors d'une occasion spéciale, un cadeau d'anniversaire, de Noël ou de fête prénatale, l'ornement manquant qui reviendrait pour créer un ensemble parfait. Mais chacune de ces occasions était passée et Roger était devenu de plus en plus distant, jusqu'à ce qu'elle comprenne : ça ne viendrait jamais. Ni pour le bébé, ni pour moi.

Alors un jour elle l'avait suivi, s'attirant des regards sur le campus avec son gros ventre, se cachant, honteuse, à l'ombre du stade juste à la sortie de Colonial Drive. Elle ne l'avait fait qu'une seule fois : une seule fois avait suffi. Même avant le coup de fil qui avait confirmé la défection de Roger, elle avait su. Et si elle le savait, les autres devaient le savoir aussi. Tuscaloosa est une petite ville. Hormis les résultats des Tide, l'équipe de base-ball locale, rien n'était si intéressant que les histoires des autres.

Plus de dix-huit ans après, tandis qu'elle rangeait ses achats, substituant un tube de dentifrice neuf au tube méticuleusement enroulé dans sa salle de bains bien rangée, l'écho du reproche de Rose avait résonné dans ses oreilles – "Peut-être que tu aimes les libellules, mais ça ne veut pas dire que tu en es une. Ça n'est absolument pas toi !"– et Gertrude avait pensé : Ô, toutes ces choses que tu ignores. Pourtant, une version plus jeune d'elle-même avait jadis tendu vers la lumière, la joie, une version enterrée il y a longtemps. Mais au prix de cette mort, le reste était devenu plus fort.

> La libellule est un prédateur vorace qui engloutit tout ce qu'elle ne peut contrôler. [...] La libellule choisit pour elle-même ce en quoi elle veut croire et ce sur quoi elle souhaite se concentrer, puis elle mobilise ses forces pour améliorer sa situation.

Après le coup de fil cauchemardesque, Gertrude avait simplement décidé de laisser disparaître cet autre fragment d'information dont elle avait été témoin, accroupie derrière une voiture dans l'allée de la maison de la sororité. Elle ne s'était pas penchée sur ses implications pendant près de deux décennies. Les choses s'étaient terminées suffisamment mal sans avoir à supporter *ça* en plus. Mais au fil des ans, elle avait fini par comprendre qu'un jour la vérité serait révélée. Toute la vérité. Alors elle avait choisi de profiter de ce moment de complicité dans le musée pour tendre une perche à son enfant devenue adulte : "C'était la fleur préférée de ton père, aussi." Mais Rose ne l'avait pas saisie ; au lieu de ça, elle s'était endormie dans la voiture. En rentrant du musée, cette soirée de janvier, Gertrude avait failli secouer Rose pour la réveiller, la forcer à l'écouter. Elle était allée jusqu'à tendre une main pour la tirer du sommeil, avant de se raviser à la dernière minute.

Pourquoi la déranger alors qu'elle dort paisiblement ? avait-elle pensé. J'ai tout mon temps pour lui dire.

ROSE caressa la libellule des doigts en la sortant de la boîte à bijoux, admirant le travail, s'émerveillant de l'amour et du soin apportés à cette création si élaborée. La sculpture n'était pas plus grosse qu'une pièce d'un dollar en argent et l'artiste avait reproduit chaque détail en relief – les tourbillons qui serpentaient sur les ailes parchemineuses, les antennes délicates, la volée d'étoiles qui scintillaient à l'extrémité de la queue. Du bout des doigts, elle appréhenda chaque courbe, ainsi que les inscriptions au dos, et elle se trouvait sur le point de la retourner quand Lini eut un mouvement de surprise :

— 'Scusez-moi, dit-elle en plongeant la main dans la boîte pour en sortir une coupure de presse pliée en quatre.

Elle la déplia et la posa à côté de la page d'annuaire, les yeux rivés sur les petits caractères, vérifiant d'abord le nom sur la coupure de presse, le comparant ensuite aux noms sur la page que Rosy avait arrachée à l'annuaire de Tuscaloosa.

— Ça alors, j'veux bien être pendue, dit Lini.

Elle reporta son attention sur la notice découpée dans *The Tuscaloosa News* du vendredi 2 janvier 1987 et la parcourut rapidement. Lini était présente le jour où Cilla l'avait découpée, pliée et rangée dans sa boîte à bijoux plus de dix-huit ans auparavant. C'était même elle qui avait fouillé dans la benne à ordures du parking pour y retrouver le journal de la veille, après que Cilla l'eut appelée le lundi 5 janvier et qu'elle se fut précipitée à Tuscaloosa depuis La Nouvelle-Orléans pour être à ses côtés. Après avoir passé les vacances de Noël à soigner une grippe rendue plus vicieuse par ses nausées matinales, Cilla s'était rendue au foyer pour aider à préparer le retour des étudiants et y avait trouvé toute l'équipe en émoi parce qu'un des aides ménagers avait sauté du Denny Chimes le jour du Nouvel An. La notice nécrologique ne disait rien sur la manière dont il était mort, sinon qu'il était tombé sur le campus. Elle ne décrivait pas la scène au pied du carillon, toujours délimitée par un cordon de sécurité une semaine après, toujours maculée de sang. Et elle n'expliquait certainement pas la raison de son geste, mais Cilla lui avait toujours pardonné sa décision : une maîtresse noire et enceinte, une femme blanche et enceinte.

— Ça alors, j'veux bien être pendue, répéta Lini. Elle a réussi à le retrouver. Juste là, dit-elle en posant sur la table la liste de numéros de téléphone, de Ashfore à Allen, puis en tapotant du bout de l'index un nom en milieu de liste. Voilà ce qu'elle cherchait ! Le nom de son papa ! Bon, ça ne peut pas être lui bien sûr, vu que ça fait dix-neuf ans qu'il est mort. Mais peut-être que c'est son père, ou son frère.

Rose laissa tomber la libellule pour se pencher par-dessus l'épaule de Lini :

— Qui ça ? Où ?

— Juste là, dit Lini en désignant G. & R. Aikens, (205) 348-9223. R. Aikens, c'est le nom de son papa. Je me demande à qui correspond le G ?

Dans sa surprise, elle n'arrêtait pas de replier le temps sur lui-même, un moment consciente qu'un homme mort ne pouvait figurer dans l'annuaire après tant d'années, et l'instant d'après, faisant comme s'il était possible qu'il le fût.

— Peut-être que G. Aikens est sa femme, ou sa mère ?

Rose ne comprit pas la question de Lini. :

— Oui, dit-elle, c'est ma mère.

Lini garda le doigt posé sur le nom, mais se tourna pour lancer un regard perplexe à Rose :

— Hein ? Qu'est-ce que vous voulez dire ?

— G. Aikens, dit Rose en plaçant un doigt à côté de l'index de Lini et en tapotant le nom. Gertrude Aikens. C'est ma mère.

Lini regarda le nom, puis Rose à nouveau, incrédule :

— Vous les connaissez ? Vous connaissez les Aikens ?

— Je *suis* les Aikens, expliqua-t-elle. Le R, c'est moi, je m'appelle Rose Aikens.

— Mais non, chérie, insista Lini, qui ne comprenait toujours pas. Le R correspond à Roger Aikens.

Dans sa surprise et sa confusion, elle avait comprimé le temps une nouvelle fois, avait temporairement ramené à la vie un homme mort, substituant 1987 à 2005.

Rose regarda à nouveau l'inscription, comme pour vérifier qu'elle avait bien lu. Puis elle leva les yeux sur Lini et récita le numéro par cœur.

— Vous comprenez? insista-t-elle. C'est mon numéro. C'est moi. *Je* suis R. Aikens.

Elle se tut et détourna le regard, essayant de capter un détail qu'elle n'avait pas immédiatement saisi. Le nom, si rarement prononcé, mit une minute ou deux à lui revenir. Quand elle fit enfin le rapprochement, elle retira vivement la main de la page et tressaillit sur la chaise.

Le visage de Lini se mit également à changer, plus lentement.

— Vous avez parlé de Roger Aikens, commença Rose.

— Oui.

— Qui est Roger Aikens, pour vous?

— C'est le papa de Rosy, ma belle.

Rose en eut le souffle coupé:

— Mais non! C'est *mon* père à moi!

Mâchoire crispée, yeux incandescents, regard déterminé… Enfin, Lini comprit. La fille lui ressemblait comme deux gouttes d'eau.

— Putain de merde, chuchota-t-elle, plus une prière qu'un juron.

Puis, dans un souffle:

— Vous êtes l'autre.

Elle reprit la notice et l'étala devant Rose, cachant le texte d'une main, lui montrant la photo.

Mâchoire crispée, yeux incandescents, regard déterminé: Rose se reconnut en lui. Tout sauf les oreilles. Elle avait les petites oreilles de sa mère, mais en tous autres points, elle était la fille de son père, jusqu'aux taches de rousseur qui mouchetaient l'arête de son nez. Elle contempla le visage de l'homme et se remémora l'album photo de sa mère, celui sur l'étagère du salon de la maison qu'ils avaient partagée. Le même homme apparaissait dans l'album, une seule photo sur la première page, aux côtés d'une femme dont Gertrude lui soutenait qu'il s'agissait d'elle-même plus jeune, mais que Rose n'avait jamais pu associer à la mère qu'elle connaissait.

— Je ne comprends pas, dit-elle d'une voix tremblante.

Lini articula lentement, détachant chaque mot:

— Vous dites que Roger Aikens est votre père, pas vrai? (Rose hocha silencieusement la tête.) Eh bien, cet homme s'appelle Roger Aikens, dit-elle en tapotant la photo du journal. Et cet homme-là, sur la photo, c'est le papa de Rosy.

Rose contempla une nouvelle fois l'homme qui lui ressemblait, le père de la fille dont elle poursuivait l'histoire, le père de la fille que sa mère avait tuée.

— Mais vous dites que son père est mort, chuchota Rose.

Lini leva la main qui recouvrait le texte et la posa sur l'épaule de Rose, la caressant tout doucement tandis qu'elle désignait les mots d'un geste à peine perceptible du menton.

The Tuscaloosa News
Avis de décès
Vendredi 2 janvier 1987

ROGER ALLEN AIKENS

Tuscaloosa – Roger Aikens, âgé de vingt ans, est mort le 1er janvier 1987 des suites d'une chute sur le campus de l'université de l'Alabama, où il était en troisième année de biologie. L'enterrement aura lieu samedi matin à 11 heures, au cimetière Evergreen, sous la direction des pompes funèbres Tuscaloosa Memorial Chapel.

Excellent élève, Roger figurait sur la liste du doyen chaque semestre et avait récemment été préadmis à l'école de médecine de l'université de l'Alabama, à Birmingham. Il était cité dans le bottin mondain des lycées américains ainsi que dans celui des universités et des établissements d'études supérieures. En outre, Roger était membre du club d'étudiants émérites Phi Beta Kappa et bénévole à la Croix-Rouge américaine, division catastrophes naturelles. Il gérait également le restaurant Subway sur le campus et était d'astreinte chaque week-end au centre de santé mentale Indian River, où il coordonnait les admissions. Enfin, Roger travaillait comme domestique dans le foyer d'étudiantes Kappa

Alpha Theta. Ces trois derniers étés, il avait aussi été consultant sur le Camp ASCCA, le Camp de l'Alabama pour enfants et adultes handicapés, afin d'aider les personnes souffrant de handicaps physiques et mentaux.

Les porteurs de cercueil seront les membres de la famille Michael et Randall Aikens, accompagnés des directeurs généraux de l'organisation Phi Beta Kappa : Sam Shifton, Collin Ruel, Ben Schaeffer, et Kyle Burns.

Il laisse dans le deuil ses parents, Michael et Fay Aikens ; son petit frère, Randall Aikens ; Gertrude Chiles Aikens, sa femme depuis cinq mois et leur enfant à naître.

En lieu et place de fleurs, la famille demande que des dons soient envoyés au Fonds de secours en cas de catastrophe de la Croix-Rouge.

Épilogue

Samedi 17 septembre 2005, Rose débarqua à Houston pour retrouver la femme qui n'était pas sa mère, mais la mère de sa sœur, l'amante de son père. Ni tout à fait une inconnue, ni tout à fait une proche. Mais quelqu'un à qui elle était rattachée, d'une manière ou d'une autre.

Comme Rose s'en était doutée, il avait été relativement facile de localiser Cilla. Trois brefs coups de fil depuis la cuisine de Lini avaient suffi pour découvrir qu'elle se trouvait dans l'unité d'hospitalisation de courte durée au centre psychiatrique de l'hôpital universitaire Texas Harris County. Sous traitement, stable. Internée le temps que sa caution soit payée, elle serait par la suite confiée à quiconque accepterait de se déclarer son gardien légal pendant que son dossier circulait dans le système.

Lini était restée à Alexandria, retenue par ses jeunes charges, et épuisée, aussi, par les deux jours durant lesquels elle avait passé de longues heures au téléphone à consoler Cilla, qui, écroulée sur un bureau d'infirmière inoccupé, tête contre la table, mouillait le combiné de ses larmes en écoutant chaque détail de la mort de son enfant, encore et encore, ainsi que tout ce qui concernait la fille venue annoncer la nouvelle.

— Dis-moi encore, suppliait Cilla, pourquoi elle est venue nous chercher. Dis-moi encore la tête qu'elle avait quand…

Et Lini recommençait, reprenait depuis le début, décrivait l'expression sur le visage de Rose quand elle lui avait ouvert la porte, la façon dont Rose avait tripoté ses lacets en parlant, comment Rose avait compris que la libellule correspondait au dessin sur la paume de Rosy dès qu'elle l'avait vue.

Pendant que Lini et Cilla parlaient, Rose avait passé deux jours à errer dans Alexandria, attendant que Lini lui confirme qu'elle pouvait se rendre à Houston, que Cilla était prête à la recevoir. Alors qu'elle déambulait pour tuer le temps, elle avait eu vent d'une histoire qui l'avait intriguée. Un guide à la cathédrale Saint Francis Xavier l'avait intégrée, mine de rien, à son exposé, une anecdote liée au passé du bâtiment. Construit en 1834, il était resté debout pendant la guerre civile, trente ans plus tard, alors que l'armée de l'Union avait brûlé toutes les autres structures d'Alexandria, hormis quelques maisons appartenant à des amis du général Sherman. L'escouade de destruction préposée aux feux avait défilé jusqu'à l'église, gravi les marches du perron et brandi haut ses torches, mais là, devant les portes, se tenait un évêque armé d'un fusil : il avait braqué son arme sur eux, leur intimant l'ordre de faire demi-tour. Les efforts d'un seul homme avaient sauvé l'édifice de la destruction.

Je veux être comme cet évêque, s'était dit Rose, c'est pourquoi elle avait refusé les propositions répétées de Mac de l'accompagner dans cette dernière étape de son voyage. D'une manière ou d'une autre, ce réseau de femmes était devenu un havre dans la tempête, une famille de fortune, et si une partie pouvait en être sauvée, elle devait s'en charger seule. Il n'empêche, quand elle arriva à Houston et se retrouva devant le centre psychiatrique – observant le portail en métal s'ouvrir et se refermer derrière les visiteurs, écoutant l'interphone réguler l'accès d'un couloir à un autre –, elle ne put s'empêcher de s'interroger : Qui suis-je, au fond ? Suis-je l'évêque qui protège ce qui est sacré ? Ou suis-je le destructeur venu anéantir le monde de cette pauvre femme ?

Cette question la poussa à retirer sa main de la poignée pour saisir son portable. Mac décrocha avant la deuxième sonnerie, une preuve d'allégeance qu'elle continuait de trouver remarquable.

— J'ai peur, dit-elle, debout sur le palier, regardant à l'intérieur, de l'autre côté des portes vitrées de l'asile.

— Dans mon boulot, on voit pas mal de sales trucs, dit-il. Mais quand on a du bol, on voit pas mal de trucs bien, aussi. Et de temps à autre, on a droit à un truc carrément héroïque. (Il se tut un instant.) Maintenant, écoutez-moi bien, parce que c'est la vérité vraie. De tout ce que j'ai pu voir au fil des ans, ce que vous vous apprêtez à faire est l'un des trucs les plus courageux dont j'aie été témoin.

Les yeux de Rose s'emplirent de larmes, et elle chuchota :

— Je ne me sens pas très courageuse.

— Pas b'soin de le sentir pour l'être.

Ensuite, il lui expliqua tout ce qui allait se passer à l'intérieur du centre – les formulaires à signer, la permission à obtenir, les différents postes de sécurité à passer –, exactement comme il l'avait fait pour les urgences de Natchez quatre jours auparavant. Il conclut par un rappel :

— Si vous avez besoin de moi, je suis là. À portée de téléphone.

Sur ce, elle glissa le portable dans sa poche, redressa les épaules et disparut à l'intérieur du bâtiment.

CILLA rejoignit Rose par un couloir latéral, se donnant une bonne dizaine de mètres pour approcher sans que la fille ne la remarque.

— Tâchez d'anticiper tous vos sentiments, lui avait conseillé le psychiatre plus tôt dans la matinée, et Cilla pensait l'avoir fait, les énumérant et les analysant.

De la haine et de la colère envers cette personne qui avait joué un rôle dans la mort de sa fille. De la jalousie et de la rancune, parce qu'une fille avait survécu alors qu'une autre était morte. De la culpabilité et du remords, parce que ses propres manquements avaient conduit Rosy jusqu'à cette route, dans cette ville. De la gratitude. De la méfiance. De la rage. Un cœur brisé. Ensemble, elle et son docteur avaient trouvé un moyen de confronter chacune de ces émotions.

Mais ce qui arriva par la suite la prit entièrement au dépourvu. Non pas que la colère et la douleur aient disparu d'un coup, rien de si trivial ; plutôt, quelque chose d'imprévu avait surgi. Tandis que Cilla se dirigeait vers Rose, sans que celle-ci ne l'ait encore vue, la fille joignit ses mains sous son menton et les tordit, et elle devint Roger ! Ses bras s'étaient entortillés exactement de la même manière, un bretzel pâle, quand il s'était retrouvé nez à nez avec Cilla sous un auvent, à l'exposition-vente d'artisanat de Northport – trente minutes après leur rencontre impromptue, quinze minutes après qu'elle fut tombée amoureuse –, et qu'il lui avait décrit ce qu'il éprouvait lorsque le bois cédait sous son burin, avant de presser son menton sur ses doigts jusqu'à les faire craquer, lui demandant si elle aimerait voir ses sculptures à lui, trahissant sa nervosité avec chaque *clac! clac! clac!* de ses articulations.

À sept mètres, la fille commença à plier ses doigts en deux, latéralement, comme Cilla n'avait jamais vu personne d'autre que Rosy le faire, et elle faillit la réprimander tout haut, "tu vas te casser un doigt", ce qui lui rappela le rire de Rosy, un bruit d'enfant doux et inoffensif, ainsi que sa réplique habituelle : "Non Maman, j'ai ça dans l'sang. Mes doigts sont faits pour se tordre comme ça !"

À trois mètres, la fille remua le pied – dans la chaussure que Cilla avait achetée au *Payless* de Canal Street, cette chaussure que Rosy laçait la dernière fois que Cilla l'avait vue –, une lente rotation de la pointe du pied, leur tic à tous quand ils étaient nerveux : Rosy, saluant timidement quelqu'un de nouveau, yeux baissés puis levés tandis qu'un sourire radieux illuminait son visage ; Roger chatouillant les côtes de Cilla du bout de l'orteil alors qu'ils étaient allongés, nus, faisant tournoyer sa cheville, yeux baissés puis levés pour demander : "Qu'est-ce que tu dirais si je t'avouais que je t'aimais ?"

Quand Cilla arriva aux côtés de la fille, dont les taches de rousseur rappelaient celles de l'enfant qui jadis s'était joyeusement jetée dans ses bras, dont le visage était identique à celui qui jadis avait flotté au-dessus du sien dans un champ de trèfles près du barrage, tous ses sentiments furent balayés par un torrent de soulagement.

Ô, Dieu merci, pensa Cilla, quelque chose d'eux a survécu !

D'une voix calme et posée, elle dit alors : "Bienvenue, mon enfant", plaçant une main sous le menton de Rose, libellule sombre contre joue pâle, pour relever son visage. Vers la lumière, vers un bonheur inattendu.

Références

BIEN que ce livre soit une œuvre de fiction dont les personnages principaux ont été inventés, j'ai essayé de décrire le plus fidèlement possible la réalité des événements survenus lors de l'ouragan Katrina, ainsi que ses séquelles documentées. Cette démarche m'a demandé de nombreuses recherches : j'ai lu une grande quantité d'articles, sur papier et en ligne ; je me suis entretenue avec des survivants de l'ouragan, des secouristes, des employés à la reconstruction ; j'ai visionné des documentaires, des interviews, des bulletins d'informations ; j'ai puisé dans mes propres souvenirs du Sud. Si j'ai tenté de capter l'essence de l'époque et du lieu, il est impossible pour une seule personne de rendre précisément compte de l'impact environnemental, psychologique, logistique, politique et/ou personnel d'une tragédie aussi vaste. C'est pourquoi je n'ai pas tenté de le faire, choisissant plutôt de rassembler les éléments nécessaires à la composition d'une histoire authentique. Je n'ai pris qu'une seule liberté avec les faits. La prison où Cilla est enfermée le mercredi 31 août n'a pas été mise en place avant le week-end suivant – le samedi 3 septembre – et n'a pas hébergé un grand nombre de détenus avant le lundi 5 septembre. À l'exception de ces deux détails, elle fonctionnait comme décrit dans cet ouvrage.

Les dialogues entre les personnages principaux du livre sont entièrement fictifs. Cependant, à certains endroits apparaissent des citations d'individus nommés qui ne sont pas des personnages récurrents dans l'histoire. Ces paroles sont celles de personnes réelles et proviennent de documents publics. Le cas se présente le plus fréquemment dans les chapitres dix, onze et douze, qui décrivent tous l'incident du Crescent City Connection. J'ai trouvé les sources suivantes particulièrement utiles pour reconstituer cet événement :

http://www.cbsnews.com/stories/2005/12/15/60minutes/main1129440.shtml

http://www.npr.org/templates/story/story.php?storyId=4855611

http://www.cjr.org/behind_the_news/what_happened_and_why_at_the_g.php

http://en.wikipedia.org/wiki/Gretna,_Louisiana

http://www.sptimes.com/2005/09/17/Worldandnation/Neighboring_town_deni.shtml

http://articles.latimes.com/2005/sep/16/nation/na-gretna16

http://socialistworker.org/2005-2/556/556_04_RealHeroes.shtml

Immédiatement après l'orage ont paru des comptes rendus invérifiables de violence et de troubles civils croissants à La Nouvelle-Orléans. D'après les reportages des médias, la population à l'intérieur et à l'extérieur de la ville pensait que celle-ci avait rapidement dégénéré en une république bananière. Si des actes de violence et de pillage ont bien eu lieu, accompagnés de la consternation collective corrélative à toute catastrophe, rétrospectivement il a été déterminé que, dans leur grande majorité, les citoyens de La Nouvelle-Orléans s'étaient comportés avec beaucoup plus de grâce et de respect qu'il n'avait été initialement rapporté. Une grande partie de la confusion serait due aux citoyens paniqués et aux secouristes qui, suite à un traumatisme conséquent, ont réagi de façon irréfléchie aux conjectures, aux rumeurs et aux on-dit. Dans leur détresse, ils ont transmis de fausses informations aux médias, qui les ont largement diffusées, distordant encore plus la vérité. Parce que j'écrivais une histoire qui se passait immédiatement après l'ouragan – un moment où les émotions étaient encore à vif, avant que les déclarations et les perceptions erronées de violence aient été clarifiées et démythifiées –, j'ai décrit des personnages réagissant *à chaud* aux rumeurs et aux comptes rendus. La description de ces réactions dans *Landfall* ne signifie pas que les actes de violence ont été prouvés. Il faut saluer les journalistes du *Times Picayune* pour leur couverture de l'événement et de ses conséquences ; leur travail ainsi que les sources ci-dessous devraient permettre de clarifier l'impact et la véracité des comptes rendus de violence :

http://www.nytimes.com/2010/08/27/us/27racial.html?pagewanted=all&_r=0

http://seattletimes.com/html/nationworld/2002520986_katmyth26.html

http://www.propublica.org/nola/story/nopd-order-to-shoot-looters-hurricane-katrina/

http://www.pulitzer.org/archives/7075

RÉFÉRENCES

http://www.pulitzer.org/archives/7076
http://www.pulitzer.org/archives/7087

J'ai utilisé les sources ci-dessous de façon si exhaustive ou spécifique que je me sens obligée de les mentionner :

Chapitre 2 : le "Bulletin météo urgent" lu au journal télévisé reprend dans sa totalité le véritable texte envoyé par le *National Weather Service/ New Orleans, Louisiana* le 28 août 2005, à 10 h 11 du matin.
Chapitre 12 : Powers, J. *Pooh's Little Instruction Book.* New York : Dutton Children's Books, 1995.
Chapitre 13 : La citation que Rosy répète, écrite par Cilla sur un morceau de papier – "Je ne veux pas prier pour être protégée des dangers, mais pour avoir la force de les affronter. Je ne veux pas supplier pour que cesse ma douleur, mais pour avoir le courage de la surmonter." – est attribuée à Rabindranath Tagore.

À toutes ces personnes, je suis reconnaissante. Leur travail rigoureux a transcendé le mien.

E. U

Remerciements

Je remercie, les lecteurs qui m'ont encouragée pendant le processus d'écriture tout en me mettant face à mes responsabilités : Jaci Urbani, Ann Goschke, Junean Grady, Diana Blake-Boon, Janice Kaminsky, Wendy Lawton, Julie Laut et Katie Urbani. Votre générosité est particulièrement appréciée.

Ann et Doug Goschke, qui m'ont soutenue de la façon la plus bénéfique qui soit – avec leur cœur et avec leur chéquier, me permettant ainsi de garder un toit sur la tête le temps de finir cet ouvrage.

Martin et Judith Shepard, qui ont donné un foyer à *Elena*, et à moi, un nouveau centre d'intérêt.

Soapstone pour une chambre à moi ; le groupe d'écrivains Oregon Writers Colony pour m'avoir donné accès à la Colonyhouse ; les garçons de *beach week* (James Bernard Frost, Jeffrey Selin et Brad Bortnem), pour avoir laissé de bonne grâce une fille entrer dans leur club ; et les membres de groupes d'écrivains les plus aiguisés du coin, qui m'ont rendue meilleure que je ne l'aurais été sans eux : Kerry Cohen, Gigi Rosenberg, Katie Schneider, Jeffrey Selin, Ken Olsen, Michael Lewis Guerra, Yuvi Zalkow, Greg Robillard, Liz Prato, Tracy Burkholder, Jason Sandefur et Merilee Karr.

Laura Stanfill et Forest Avenue Press pour tout un tas de choses – le titre, le resserrement, l'opportunité – mais surtout, pour avoir aimé Rose et Rosy autant que moi, et pour leur avoir donné, enfin, une dernière demeure. Je remercie également Gigi Little, qui a créé une couverture magique : je ne peux qu'espérer que mes mots soient à la hauteur ; Sharon Eldrige, qui, avec ses bonnes manières du Sud, m'a charmée tout en donnant forme à mes mots ; Mary Bisbee-Beek, dont l'appui nous a permis a toutes d'atteindre des nouveaux sommets ; et Edee Limonier, webmestre de talent (et professeur patient). Un de ces jours, quelque part dans le Pacifique Nord-Ouest où nous avons toutes choisi de vivre, je compte trouver un bistrot où ils servent des beignets du tonnerre et du véritable thé glacé pour les accompagner : les chaises à ma table vous seront réservées, les filles ; vous êtes fantastiques.

À tous ceux qui m'ont tirée vers le haut, qui m'ont aidée à avancer, et qui, d'une manière ou d'une autre, ont rendu mon voyage plus fécond. Parmi eux, Stephanie Kallos ; Sheri Fink ; Timberly Marek ; Sara Grady ; Rene Denfeld ; Ron Thibodeaux ; Elissa Ward ; Pat Conroy ; Mark Suchomel et Jeff Tegge de Perseus Books Group ; John Coyne de Peace Corps Worldwide ; Dawn Stuart et Haley Kastner de Books in Common ; Richard Pine, Eliza Rothstein, Lyndsey Blessing, et l'équipe généreuse de InkWell Management.

Les amis merveilleux qui m'ont aidée, encore et toujours, dans les périodes difficiles. La pointe de cet iceberg : Wendy Lawton, ma bouée ; Cheryl Strayed, mon compas ; Julie Laut, ma Jiminy ; Jaci et Gabrielle Urbani, mes racines ; et Jennifer Greenberg, a.k.a Jennifer Goldberg, qui ressemble en tout point à l'âme salvatrice décrite dans cet ouvrage.

Clara, qui de bébé s'est transformée en bambin, et Elijah, qui de bambin s'est transformé en enfant pendant que j'écrivais. Qui – lorsque j'ai tapé le dernier mot du manuscrit original, à 5 h 49 de l'après-midi le dimanche 9 novembre 2008 – devait encore être nourri, lavé et bordé. Qui m'a rappelé qu'écrire un livre, ce n'était rien de plus qu'écrire un livre ; ce n'est pas de l'amour, ce n'est pas un but, ce n'est pas ce qui compte le plus à la fin de la journée.

À Steve, le mari que j'adore, qui a enrichi et développé l'histoire de ma vie au-delà de tout ce que j'aurais pu attendre ou imaginer.

Table

CATALOGUE

John McPhee
Rencontres avec l'Archidruide

Kent Meyers
Twisted Tree

Melinda Moustakis
Alaska

Greg Olear
Totally Killer

Robert Olmstead
Le Voyage de Robey Childs

Doug Peacock
Une guerre dans la tête

Tom Robbins
Comme la grenouille sur son nénuphar
Une bien étrange attraction
Un parfum de jitterbug
Jambes fluettes, etc.

Rob Schultheis
L'Or des fous
Sortilèges de l'Ouest

Bob Shacochis
La femme qui avait perdu son âme

Terry Southern
Texas Marijuana et autres saveurs

Mark Spragg
De flammes et d'argile

Wallace Stegner
Lettres pour le monde sauvage

Mark Sundeen
Le Making Of de "Toro"

Glendon Swarthout
Homesman

William G. Tapply
Dérive sanglante

Casco Bay
Dark Tiger

Terry Tempest Williams
Refuge

Alan Tennant
En vol

Jim Tenuto
La Rivière de sang

Trevanian
La Sanction
L'Expert
Shibumi
Incident à Twenty-Mile
The Main

Ellen Urbani
Landfall

David Vann
Sukkwan Island
Désolations
Impurs
Goat Mountain

Tony Vigorito
Dans un jour ou deux

John D. Voelker
Itinéraire d'un pêcheur à la mouche
Testament d'un pêcheur à la mouche

Lance Weller
Wilderness

William Wharton
Birdy

Stephen Wright
Méditations en vert

Kim Zupan
Les Arpenteurs

Collection **NEONOIR**

Collection **totem**
des livres au format poche

*Cet ouvrage a été imprimé sur du papier
dont les fibres de bois proviennent
de forêts durablement gérées*

IMPRIM'VERT®

CET OUVRAGE A ÉTÉ COMPOSÉ PAR
ATLANT'COMMUNICATION
AU BERNARD (VENDÉE).

ACHEVÉ D'IMPRIMER
PAR L'IMPRIMERIE FLOCH À MAYENNE
EN FÉVRIER 2016
POUR LE COMPTE DES ÉDITIONS GALLMEISTER
14, RUE DU REGARD
PARIS 6e

DÉPÔT LÉGAL : FÉVRIER 2016
1re ÉDITION
N° D'IMPRESSION : 89316
IMPRIMÉ EN FRANCE